Deixando O Seu Passado no Passado

Francine Shapiro, Ph.D.

TraumaClinic Edições

Título: Deixando O Seu Passado no Passado

ISBN-13: 978-1-941727-29-4
ISBN-10: 1-941727-29-8

TraumaClinic Edições
SEPS 705/905 Ed. Santa Cruz sala 441
70390-055 Brasília, DF Brasil

www.traumaclinicedicoes.com.br
info@traumaclinicedicoes.com.br

Tradução: Adriana Monteiro Vieira e Liana Vieira Sölter
Revisão Técnica: André Monteiro
Arte: Claudio Ferreira
Layout: Marcella Fialho
Edição: Esly Regina Souza de Carvalho, Ph.D.

Publicado originalmente em inglês:
Getting Past Your Past, by Francine Shapiro, PhD.
ISBN 978-1-60961-995-4

Para meu amado marido – Bob Welch

Elogios ao Livro Deixando Seu Passado no Passado

"O desenvolvimento da técnica de EMDR por Francine Shapiro é uma das mais importantes descobertas na história da psicoterapia. Eu, que tenho trabalhado com a técnica nos últimos 15 anos, ainda me admiro, junto com muitos dos meus pacientes, com a profundidade e rapidez com que ela pode ajudar a curar e transformar mentes e cérebros, e até sintomas físicos de pessoas que se encontravam bloqueadas, sofrendo de trauma, geralmente por décadas. *Deixando o Seu Passado no Passado* é um lugar maravilhoso para começar a entender como a cura pela mente pode ocorrer, repleto de casos de pessoas que se transformaram de tal forma que os relatos podem parecer exagerados. Mas eles não são. Este livro apresenta toda a seriedade de uma exímia terapeuta que tem trabalhado na área de trauma por décadas, e ele é claro, sério e útil ao compartilhar com o leitor um método de curar o trauma que já ajudou milhões de pessoas."

--Norman Doidge, MD, autor do livro: "The Brain that changes itself".

"Francine Shapiro deu um presente transformador de vidas para o mundo ao desenvolver, com rigor científico, uma abordagem para amenizar o sofrimento de nossos pequenos e grandes traumas na vida. Nossas experiências ficam armazenadas em redes de padrões neurais interconectados que podem, mais tarde, criar formas não adaptativas de pensamentos, sentimentos e comportamentos. Elas podem aprisionar a mente, forçando-nos a viver de formas automáticas que acreditamos não poder mudar. Porém, a maneira como enfocamos a mente é capaz, na verdade, de mudar a própria estrutura do cérebro. A chave é saber como usar nossa conscientização para promover a importante cura. Por meio de exemplos de casos e de instruções claramente articuladas, em *Deixando o Seu Passado no Passado* nossa habilidosa guia conduz-nos passo a passo através de um caminho eficiente e prático, com base na experiência do tratamento de literalmente milhões de pessoas, capaz de transformar o trauma em triunfo. Explore este livro com alguém que ame... começando por você mesmo."

--Daniel J. Siegel, MD, professor clínico de psiquiatria da Escola de Medicina da UCLA e autor do livro: "The Developing Mind and Mindsight".

"Pessoas reais, histórias de vida reais e cura emocional de mágoas e traumas passados! Neste livro, Dra. Shapiro oferece uma coleção de técnicas de autoajuda que facilitam a cura emocional com base na terapia de EMDR, usada por milhares de profissionais, com sucesso comprovado.

Suas histórias reais revelam como experiências estressantes, dolorosas ou traumáticas influenciam nossas vidas e bloqueiam nossos potenciais - e também como essas experiências podem ser transformadas e mesmo resolvidas. Ele funciona como um aviso para os leigos, abrindo seus olhos para a técnica de EMDR."

--Ruth Colvin, agraciada com a Medalha Presidencial da Liberdade. Co-fundadora do Pro-Alfabetização dos Estados Unidos.

"Eu sou eternamente agradecida a Francine Shapiro e à terapia de EMDR, que me ajudaram a curar-me de um terrível transtorno de pânico. As pessoas em sofrimento poderão agora ler este livro revolucionário e entender como é possível reprocessar as memórias perturbadoras. Nossas vidas podem tornar-se prazerosas em vez de repletas de medo. Podemos viver no presente em vez de vivermos no passado."

--Pricilla Warner, autora de Aprendendo a Respirar e coautora do livro Clube da Fé.

"Parece que a Dra. Shapiro descobriu uma profunda ligação entre a mente e o corpo, de forma que cada um deles possa ser curado. Essas de reequilíbrio e redescoberta da vida de nossa natureza dinâmica lembra-nos que existem abordagens bem-sucedidas para a cura que atualmente estão apresentando resultados surpreendentes."

--Stephen e Ondrea Levine, autores de "Who Dies? An Investigation of Conscious Living and Conscious Dying".

"Em Deixando o Seu Passado no Passado, a Dra. Francine Shapiro, que desenvolveu a terapia de EMDR e uma das principais inovadoras da psicoterapia clínica, traduz seu método revolucionário em sugestões práticas para aqueles que estão presos em acontecimentos passados, dos quais não conseguem se desvencilhar. De fácil leitura, o livro da Dra. Shapiro é uma maravilhosa fonte para aqueles que trabalham com psicoterapia e também para os que estão à procura de ajuda para si mesmos. Ele é uma companhia valiosa para qualquer um que visa compreender como o passado pode ser guardado em nossas redes de memória, influenciando nossa percepção do mundo. Oferece também estratégias práticas de crescimento pessoal. "

--Jeffrey J. Magnavita, PhD, ABPP, ex-presidente da Divisão de Psicoterapia da Associação Americana de Psicologia e fundador do Projeto de Psicoterapia Unificada.

"Sou grato a Francine Shapiro por ter escrito *Deixando o Seu Passado no Passado*, um livro lúcido e prático para transformar a vida das pessoas e ajudá-las a desfrutar o momento presente. O tratamento de EMDR é poderoso e eficaz para superar as marcas do trauma do passado."

--Bessel van der Kolk MD, diretor médico do Centro de Trauma no Instituto de Justiça, diretor da Rede Nacional de Tratamento de Trauma Complexo e Professor de Psiquiatria da Universidade de Medicina de Boston.

"*Deixando o Seu Passado no Passado* oferece aos leitores novos *insights* significativos para entender como os traumas e as perturbações de todos os tipos prejudicam o potencial humano, e também para conseguir lidar com seus próprios transtornos. Por meio de estudos de caso bem escolhidos, o leitor partilha as profundas experiências de uma ampla gama de indivíduos e aprende as estratégias do tratamento com EMDR, que possibilitou aos pacientes tirarem sentimentos viscerais de suas memórias como um ponto de inflexão no seu caminho de autoregulação e segurança pessoal."

--Stephen W. Porges, PhD, Professor de Psiquiatria e diretor do Centro de Cérebro e Corpo da Universidade de Illinoys em Chicago e autor do livro: A Teoria Polivagal: Fundamentos Neurofisiológicos das Emoções, Vínculo, Comunicação e Autoregulação.

"Em *Deixando o Seu Passado no Passado*, Francine Shapiro leva sua terapia inovadora, o EMDR, a pessoas em todos os lugares do mundo, disponibilizando *insights* e estratégias de tratamento para um amplo público. A transformação das estratégias de tratamento de EMDR em técnicas de autoajuda é um novo passo na jornada de Shapiro, no sentido de tornar a cura do trauma acessível a todos. Este livro será uma fonte valiosa para terapeutas e pacientes, bem como para os muito indivíduos que lutam contra os efeitos de experiências de vida dolorosas, sem porém buscarem algum tratamento formal."

--Laura S. Brown, PhD, ex-presidente da Divisão APA – Associação Americana de Psicologia - de Psicologia do Trauma e diretora do Projeto Fremont de Terapia Comunitária.

"Você está dolorosamente escravizado por bloqueios emocionais e/ou escolhas ruins de relacionamentos? Memórias não processadas podem ser o problema... e o EMDR pode ser a resposta. O EMDR é um processo poderoso e cientificamente validado que tem ajudado milhões de pessoas a

conseguir sua liberdade. Em *Deixando o Seu Passado no Passado,* Francine Shapiro faz os seus métodos práticos disponíveis para o público pela primeira vez. Isso é autoajuda em seu mais alto nível."

--Jeffrey K. Zeig, PhD, diretor da Fundação Milton Erickson e diretor da Conferência da Evolução de Psicoterapia.

"Este livro de autoajuda oferece uma razão para tremendo otimismo. Com o EMDR, o mundo finalmente tem uma terapia contra os efeitos danosos do trauma, uma que já foi cientificamente comprovada ser eficiente, rápida, barata e amplamente aplicável em uma variedade de situações e ambientes culturais. O futuro do potencial humano - e do mundo - parece muito mais iluminado com a descoberta da terapia de EMDR por Francine Shapiro."

--Rolf C. Carriere, ex-funcionário da ONU e representante da UNICEF para cinco países asiáticos.

Sumário

Capítulo 1: Funcionando no Automático

Por que uma mulher bonita e inteligente escolheria sempre os homens errados e, então, quando eles tentam romper o relacionamento, ela atira-se ao chão agarrando suas pernas, implorando para que eles não a deixem?

Ben é um homem de negócios bem-sucedido. Por que ele é tomado por ansiedade toda vez que tem que fazer uma apresentação?

Sara tem experimentado um terapeuta atrás do outro há anos para descobrir porque possui uma quase constante sensação de pânico, medo de ser abandonada e transtorno alimentar. E o mais estranho de tudo é o fato de ela ter imagens recorrentes com a cor vermelha e com uma vela. Tais imagens não fazem sentido algum, mas a acompanham desde quando ela se entende por gente.

Curiosamente, há uma simples explicação para os problemas dessas pessoas, que envolve a maneira com que o próprio cérebro funciona. Exploraremos, neste livro, tanto as razões para o sofrimento quanto o que podemos fazer a respeito dele.

Porque Sofremos

A verdade é que, uma hora ou outra, todos nós sofremos. Frequentemente surgem situações que nos afetam negativamente. Mas, quando continuamos a sentir dor um bom tempo depois de a experiência ter passado é porque o mecanismo de funcionamento de nosso cérebro afeta a nossa mente. Vamos tentar o seguinte experimento para que você possa entender a questão. Vou dizer uma única frase e você deve observar apenas a primeira coisa que vem à sua mente:

"Rosas são vermelhas"

A probabilidade maior é que a primeira coisa que venha à sua mente seja: "Violetas são azuis". Porque, para as pessoas nascidas nos Estados Unidos, isso equivale basicamente à resposta reflexa ao toque de um martelo no joelho. Trata-se de um conceito muito importante, uma vez que respostas mentais se baseiam em reações físicas. Seu cérebro é programado para responder da mesma forma que o resto do seu corpo. Independentemente de idade ou sexo, quando tocam em seu joelho de uma certa forma, sua perna move-se bruscamente. De maneira similar, não importando qual seja sua intenção, sua mente também reage automaticamente. Por exemplo, quando foi a última vez que você ouviu a rima mencionada acima? Você provavelmente a aprendeu na infância. Logo, se você não tem contato com crianças pequenas, isso certamente foi

há muito tempo. Porém, a sequência vem automaticamente à sua mente. Esses tipos de resposta automática podem ser maravilhosas e úteis, bem como mostrar o poder de nossas mentes, mas nem sempre nos ajudam.

Vejamos as frases em questão. A sua resposta a "Rosas são vermelhas" não foi uma avaliação crítica do seu significado. Sua mente simplesmente complementou a frase como se ela fosse verdadeira. Mas rosas não são sempre vermelhas: são também amarelas, rosas, roxas e praticamente qualquer outra cor que você possa pensar. No entanto, essa frase, quando não examinada, parece simplesmente correta à primeira vista. E quanto à segunda frase: "Violetas são azuis"; elas são realmente azuis? Não, na verdade são roxas. Mas o verso virá à mente seja ele verdadeiro ou não. Neste momento, essa frase certamente não lhe causou nenhuma perturbação. Contudo, esse mesmo tipo de resposta automática também causa uma série de problemas que destroem a felicidade e arruínam famílias e comunidades. Os mesmos processos mentais/cerebrais que nos permitem reconhecer uma rima ou cantar junto uma canção não ouvida há vinte anos são também os que podem nos levar ao sofrimento da depressão, da mágoa e algumas vezes da dor física.

A rima infantil tem ainda mais a nos oferecer. Você se lembra do verso que vem depois de "Violetas são azuis"? "Açúcar é doce, e você também." Um sentimento agradável, que também vem à mente de maneira automática. Mas como todos nós sabemos, o açúcar é seguramente doce, mas pessoas são muito mais complexas. Todo mundo é uma mistura de doce, azedo e cada tipo de sabor e de variação que existe sob o sol. Em certo momento de nossas vidas, todos nós ficamos zangados, tristes, enciumados, amargos, magoados, inseguros, felizes ou carinhosos. E agimos conforme nosso estado emocional. Em um certo momento, nós veneramos a pessoa com quem vivemos e a cobrimos de beijos. Já no dia seguinte, podemos explodir e brigar com ela devido a algum sentimento de frustração. Logo, basicamente, algumas coisas que aprendemos enquanto crescemos são verdadeiras, mas, assim como todas as outras experiências que tivemos durante a infância, outras não são. Com frequência, quando jovens, não conseguimos diferenciar o falso do verdadeiro, coisas que pensamos serem reais - como acreditar que somos inferiores porque somos perseguidos ou rejeitados; ou pensar que somos responsáveis pelo divórcio de nossos pais - são simplesmente percepções erradas. Não obstante, essas experiências podem ter efeitos que surgem automaticamente durante o resto de nossas vidas, fora do nosso controle consciente.

Cada uma das experiências que tivemos em nossas vidas torna-se uma peça de montar no nosso mundo interior e governa nossas reações frente a tudo e a todos que encontramos. Quando "aprendemos" alguma coisa, a experiência é fisicamente guardada dentro de redes de células

cerebrais chamadas "neurônios". Essas redes, na verdade, formam nossa mente inconsciente, determinando como o nosso cérebro interpreta o mundo em nossa volta e orientando a maneira como nos sentimos a cada momento. Essas memórias incluem experiências que ocorreram anos atrás e nossa mente consciente geralmente está alheia ao fato de que elas produzem impacto sobre nós. Entretanto, como essas memórias são fisicamente armazenadas no nosso cérebro, podem surgir de repente, fora do nosso controle, como uma reação à rima "Rosas são vermelhas", da mesma forma que elas influenciam nossa percepção de cada nova situação que venhamos a encontrar. As memórias podem nos fazer sentir pouco atraentes quando esse não é o caso, ou deprimidos quando todos a nossa volta estão felizes. Podem também nos deixar arrasados quando alguém nos abandona - mesmo quando sabemos conscientemente que essa determinada pessoa nos faz mal e seria um grande erro continuar a relação. Na verdade, vários dos sentimentos e das ações que corroem nossa felicidade são sintomas originários desse sistema de memória que forma o inconsciente.

Voltemos ao primeiro caso da página 1:

Por que uma mulher bonita e inteligente escolheria sempre os homens errados e, então, quando eles tentam romper o relacionamento, ela atira-se ao chão agarrando suas pernas, implorando para que eles não a deixem?

Justine não tem dificuldades em conseguir namorados. Sua dificuldade está em mantê-los. Agora, aos vinte e cinco anos de idade, ela geralmente escolhe homens complicados, que não estão emocionalmente disponíveis. Toda vez que se encontra em um relacionamento, ela se torna absorvente e seu namorado acaba terminando a relação. Quando isso acontece, ela começa a chorar histericamente, caindo de joelhos e agarrando-se às pernas do namorado, implorando para que ele não a abandone. Na terapia, a causa desse comportamento foi rastreada no seu passado até um evento que acontecera aos seis anos de idade. Justine vivia com os seus pais em uma casa de dois andares. Naquela noite, houve uma forte tempestade que a apavorou. No seu quarto no andar de cima, ela começou a chorar e gritar chamando por sua mãe e seu pai. No entanto, eles estavam na cozinha no andar de baixo. A tempestade abafou os seus gritos e eles não a ouviram. Eles nunca foram salvá-la e ela acabou chorando sozinha até cair no sono.

Como um episódio tão banal como esse poderia ser a causa dos problemas de Justine? Todos nós passamos pela experiência de tempestades estrondosas em algum momento de nossa infância, mas apenas alguns de nós permanecerão negativamente afetados por ela. Nós abordaremos detalhadamente as razões para esse comportamento em capítulos posteriores deste livro. Por agora, é suficiente saber que, quando reações negativas e comportamentos no

presente podem ser rastreados até uma memória passada, definimos essa memória como *não processada* - o que significa que ela é armazenada no cérebro de uma forma que ainda carrega as emoções, sensações físicas e crenças que foram experienciadas anteriormente na vida. Naquela noite tempestuosa, a criança ficou intensamente apavorada e acreditou que estivesse em perigo. Seus pais não vieram quando chamou por eles, o que também lhe deu a sensação de que seria abandonada se realmente precisasse deles. Essa memória, guardada no seu cérebro junto com o pavor que ela experimentou quando tinha seis anos, é estimulada toda vez que um namorado desmancha o relacionamento com ela. Nesse caso, ela não se comporta como uma mulher madura e bem sucedida de 25 anos, mas sim como uma garotinha apavorada, deixada sozinha no escuro. Podemos ver a conexão, uma vez que tempestade e rompimento são ambos relacionados à solidão e ao abandono. Logo, ela inconscientemente vive o rompimento de uma relação como "estar em perigo".

Nós fazemos esses tipos de conexão o tempo todo. Elas são geralmente a razão para todas as características que amamos ou odiamos em nós mesmos e nas pessoas à nossa volta. É simplesmente parte da maneira pela qual o cérebro funciona para dar sentido às coisas. Mas a identificação das conexões da memória representa apenas o primeiro passo para modificar como pensamos, agimos ou sentimos. Torna-se importante, não apenas compreender a origem dos problemas, mas também saber o que fazer a respeito disso. Ao longo deste livro, exploraremos formas de identificar as memórias que acarretam problemas pessoais e de relacionamento, o que podemos fazer para lidar com esses problemas por conta própria e como identificar quando o auxílio profissional poderia ser útil.

Iremos, igualmente, explorar os mecanismos da mente-as intricadas conexões que constituem nossa consciência - por meio de casos relatados por alguns dos mais de 70.000 terapeutas do mundo inteiro que praticam uma forma de terapia conhecida por Dessensibilização e Reprocessamento pelos Movimentos Oculares (EMDR). Milhões de pessoas já foram ajudadas por essa técnica terapêutica ao longo de mais de vinte anos, e muitos deles fornecem relatos detalhados neste livro, no sentido de contribuir para desmistificar o processo de mudança. Como pesquisas têm demonstrado, mudanças relevantes podem acontecer até mesmo no decorrer de uma única sessão de EMDR. Os relatos de pacientes permitem-nos antever uma janela para o cérebro, uma vez que as conexões que eles fazem respondem muitas questões sobre o motivo de nós reagirmos ao mundo de modos diferentes.

A terapia de EMDR é voltada para as memórias não processadas que contêm as emoções, sensações e crenças negativas. Ao ativar-se o sistema de processamento de informação do cérebro (o que será explicado no capítulo 2), as antigas memórias podem então serem "digeridas". Isso significa que se aprende o que é útil e se descarta o que não serve. Consequentemente, a memória passa a ser armazenada de modo que não seja mais prejudicial. Por exemplo, o terapeuta de Justine focalizou a tempestade juntamente com a sensação, que ela teve, de estar sozinha e em perigo. Depois de processada a memória da tempestade, as sensações de terror desapareceram e foram substituídas por um sentimento de segurança e pela crença de que, como adulta, ela poderia tomar conta de si mesma. Juntamente com essa questão, o problema do namorado foi resolvido, uma vez que sua nova consciência de si mesma resultou em diferentes escolhas românticas. Claro que haveria mais memórias que precisariam ser trabalhadas se os pais de Justine tivessem sido abusivos ou negligentes. Mas, independentemente do número de memórias envolvidas, na verdade estamos penetrando na mente inconsciente do indivíduo com essa forma de terapia, de maneira a permitir que ocorram, rapidamente, nas sessões de reprocessamento, revelações, conexões e mudanças.

O Que é a Mente Inconsciente?

A maioria das pessoas, quando pensa sobre o inconsciente, lembra-se de psicanálise, de filmes que envolvem uma visão freudiana dos conflitos psicológicos, bem como de gestos e de sonhos simbólicos. A partir de uma perspectiva psicanalítica, em geral são necessários anos de terapia verbal (*talk therapy*) e de trabalho em consultório para se alcançar alguma percepção (*insight*) e controle sobre forças que escapam à nossa visão. Essa forma de terapia pode ser de grande valor, mas Freud publicou seu primeiro livro, em 1900, e muitas coisas mudaram desde então. No século passado, houve avanços tecnológicos na área da neurobiologia que expandiram nossa compreensão de quais seriam realmente essas forças. A abordagem de exame do inconsciente que usamos neste livro é baseada nos mecanismos de funcionamento do próprio cérebro. Ao se entender a maneira como as experiências produzem os fundamentos físicos para nossas reações emocionais e físicas, podemos determinar como nossos pontos "bloqueados" e respostas mentais reflexas se manifestam, bem como o que fazer a respeito deles.

Por exemplo, tomemos o segundo caso:

Ben é um homem de negócios bem-sucedido. Por que ele é tomado pela ansiedade quando tem que fazer uma apresentação? Ele descreve esse comportamento da seguinte forma:

"Desde quando consigo me lembrar, tenho ansiedade quando preciso fazer qualquer apresentação diante de um grupo de pessoas. As palmas das minhas mãos suam, minha voz fica imprevisível, meu coração bate acelerado e pela minha cabeça passam coisas como: Eu sou um idiota, não irei conseguir ir em frente. Todos vão me odiar. Às vezes, tinha a impressão de que minha vida estava em perigo. Parece ridículo, mas é verdade. Durante minha vida escolar, muitas vezes, tive que fazer apresentações diante de uma plateia. E na minha vida profissional a mesma coisa se repetiu. Sempre consegui passar por essas ocasiões, mas nunca de maneira satisfatória. Na verdade, eu sofria antes e depois de cada evento, e exaustivamente repassava cada detalhe com as pessoas próximas a mim. Como era de se esperar, elas não apreciavam muito esses momentos. Nada parecia poder resolver o problema, não importava o que eu tentasse. Experimentei muitos tipos de terapia. Algumas vezes o problema parecia melhorar, mas sempre voltava a me atormentar".

Ben iniciou a terapia de EMDR e submeteu-se a uma variedade de procedimentos que serão estudados neste livro, com o intuito de identificar a fonte do seu problema e modificar suas reações. Segue-se o que ele descobriu:

"A causa no final das contas era algo que havia acontecido quando eu tinha no máximo três anos e meio de idade. Eu estava andando com meu avô em sua fazenda no oeste da Carolina do Norte. Lembro-me daquele dia como uma criança bem pequena que estivesse olhando para cima. Eu não me recordo de estar batendo papo com meu avô, mas, se histórias familiares são confiáveis, provavelmente estava. Nós encontramos um homem estranho no caminho. Ele era velho, curvado, de aparência zangada e com pelos nas narinas. Ele falou ao meu avô, com sua fala arrastada da região montanhosa: 'Olha, se eu tivesse um moleque pequeno que falasse tanto quanto esse aí, eu afogaria ele no córrego'. Eu me escondi atrás da perna do meu avô, que usava calça jeans, espiei as narinas do homem e calei a boca. Sabia que filhotes de gatos indesejados eram, de fato, afogados no córrego. Não parecia seguro falar na frente de estranhos".

Portanto, aquele momento de terror de criança determinou a base para o problema de Ben. A memória ficou instalada em seu cérebro, predispondo-o ao fracasso: *Fiz a minha primeira apresentação de uma ficha de livro no terceiro ano primário, diante da minha querida Sra. Keenor, uma professora recém-formada bonita e jovem. Eu adorava a Sra. Keenor e estava muito orgulhoso do fato da minha ficha ter três paginas. Tinha trabalhado duro naquela ficha. Eu também tinha desenvolvido uma gagueira leve, que durou uns seis meses antes de desaparecer tão misteriosamente como havia começado. Meus pais tinham lidado bem com o problema, e eu não estava ciente de que ele me envergonhava. Já havia imaginado a Sra. Keenor me elogiando e dizendo à turma como o meu trabalho estava excelente. Em vez disso, a Sra. Keenor permaneceu, durante toda a*

minha apresentação, no fundo da sala dando gargalhadas descontroladamente. Enquanto a apresentação progredia, minha gagueira foi ficando cada vez pior e eu pensava: Sou um idiota. Dois anos mais tarde, fui escalado de última hora para um papel em uma peça da escola. Eu estava no meio do primeiro ato quando me deu um branco e me esqueci da minha fala. Fiquei lá, completamente paralisado no meio do palco e pensava: Todo mundo vai me odiar. Eu arruinei a peça. Sou um idiota.

Note-se que os mesmos pensamentos passavam pela cabeça de Ben quarenta anos depois, quando precisava fazer uma apresentação no trabalho: "Sou um idiota. Eu não vou conseguir fazer isto. Todos me odiarão." Ele não tinha nenhuma ideia, antes da terapia de EMDR, que pensava e agia dessa forma. Ben não guardava uma imagem visual da fazenda de seu avô, nem da apresentação do livro ou da peça da escola - apenas tinha ficado com os sentimentos e pensamentos provenientes daqueles acontecimentos. Trata-se de uma resposta automática a um "gatilho" externo, assim como "Rosas são vermelhas" traz à mente o verso: "Violetas são azuis".

Nada existe no vácuo. Reações que parecem irracionais, com frequência são exatamente isso. Mas o fato de serem irracionais não significa que essas reações sejam desprovidas de razão, mas sim que vêm de uma parte de nosso cérebro que não é governada pela mente racional. As reações automáticas que controlam nossas emoções se originam de associações neurológicas de dentro de nossas redes de memórias que independem de nosso mais alto poder de racionalização. É por isso que você pode observar espantado quando faz alguma coisa da qual sabe que se arrependerá no futuro, ou então ser atraído pelas pessoas erradas, ou sentir-se magoado por alguém por quem você não tem respeito, ou gritar com uma pessoa que ama sem praticamente nenhum motivo, ou ainda sentir-se incapaz de espantar uma depressão causada por algo aparentemente inconsequente. É irracional, porém compreensível e, ainda mais importante, é reparável. Apesar do papel relevante da genética, em geral, a base do sofrimento está na maneira com que nossas memórias de experiências passadas são armazenadas no cérebro - e ela pode ser mudada. Felizmente, memórias armazenadas de maneira apropriada constituem também a base para a felicidade e para a saúde mental. Mais tarde, exploraremos mais detalhadamente como funcionam o cérebro e a memória.

Nós Estamos Todos no Mesmo Barco

Nós vivemos todos em uma sequência contínua de sofrimento e felicidade, de doença e saúde, lidando com famílias que contribuem para os nossos problemas e com outras que são apoiadoras e afetuosas. De forma semelhante, os tipos de experiências que enfrentamos variam desde as mais comuns de humilhações na infância, fracassos, rejeição e brigas até

os acontecimentos mais graves, que dão origem ao transtorno de estresse pós-traumático (TEPT), como acidentes graves, abuso físico, sexual ou emocional, combates ou catástrofes naturais. Além disso, para alguém ser diagnosticado como portador de TEPT, é necessário que tenha sintomas como pensamentos intrusivos, distúrbios de sono - como pesadelos ou sonhos recorrentes - ansiedade, hiperativação - no qual a pessoa está extremamente alerta para perigos e se sobressalta quando exposta a ruídos altos - ou apatia - na qual a pessoa se sente isolada e desconectada. A pessoa também tenta manter-se afastada de qualquer lembrança do acontecimento, contudo os pensamentos relacionados ao evento vêm a mente de forma recorrente.

As pessoas com TEPT claramente possuem a experiência negativa armazenada de forma altamente perturbadora no cérebro. Nesse sentido, quando um veterano de guerra se lembra de um acontecimento que ocorreu no Iraque ou no Afeganistão há três anos, ele consegue senti-lo no próprio corpo, com os mesmos pensamentos e imagens existentes na ocasião do fato. O veterano que regressou da guerra do Vietnã é capaz de pensar em algo que aconteceu há trinta anos, e as mesmas sensações ocorrem. Um oficial da marinha que passou por inúmeras missões militares e testemunhou muitas mortes pode ser atormentado por uma em particular. Quando pensa sobre o acontecido, ele pode sentir a mesma impotência, dor, mágoa e raiva vivenciada naquela determinada ocasião. E ele responde ao mundo a sua volta com essas mesmas emoções.

Da mesma forma, se alguém que foi estuprado há um ano ou molestado há cinquenta anos desenvolve TEPT, o passado torna-se presente. Quando a pessoa pensa no incidente, pode ser que se sinta como se tudo estivesse acontecendo novamente, ou ela pode ficar amedrontada e ansiosa quando se encontra perto de certo grupo de pessoas ou lugares. Mas, independentemente de há quanto tempo atrás alguma coisa aconteceu, e também da duração dos sintomas, essa situação não precisa ser permanente. As pesquisas são claras quanto a esse ponto. Torna-se também importante salientar que, apesar de ser necessária a ocorrência de um trauma grave como assalto ou violência para que alguém seja diagnosticado com TEPT, vários estudos recentes têm demonstrado que experiências cotidianas, tais como problemas de relacionamento ou desemprego, são capazes de produzir sintomas de TEPT, às vezes até em maior número.

Esse fato tem implicações importantes para todos nós. Ele mostra que não há uma separação clara entre os tipos de acontecimentos, nem entre os sintomas. Assim como aqueles que sofrem de TEPT, todos nós já tivemos a experiência de nos sentirmos ansiosos, amedrontados, excessivamente alertas ou isolados dos outros. Além disso, todos já tivemos pensamentos persistentes,

sentimentos de culpa ou sonhos perturbadores. Algumas vezes, essas reações baseiam-se em uma situação atual e temos que pensar a respeito dela e obter as informações necessárias para lidarmos com ela. Outras vezes os sintomas desaparecem quando as situações mudam. Mas, para muitos de nós, esses sentimentos ocorrem com frequência e sem razão aparente. Geralmente esse fato é um sinal de que há memórias não processadas provocando tais sentimentos. Essas memórias podem ser identificadas e tratadas. Logo, deve-se ter em mente que não importa qual seja a emoção, a crença ou o comportamento negativo persistente que o incomode, isso não é a causa do sofrimento - e sim o sintoma. A causa provável é a memória que está provocando essa reação. Nossas memórias são a base, tanto dos sintomas negativos, quanto de nossa saúde mental. A diferença chave é a forma com que as memórias são armazenadas no cérebro. Se elas não forem processadas, podem levar-nos a reagir de forma exagerada ou a agir de maneira a magoar a nós mesmos ou às pessoas a nossa volta. Se essas memórias forem "processadas", somos capazes de reagir de forma satisfatória tanto para nós próprios quanto para as pessoas que amamos.

Por Que Eu?

Aqueles de nós que foram criados por pais não apoiadores ou abusivos têm uma ideia dos tipos de experiências que podem estar causando alguns de nossos problemas. Outros leram histórias de famílias realmente perturbadas e de infâncias destruídas e acreditam que: "Isto não sou eu. Eu tive uma boa família, então não há razão para eu me sentir desta forma". Entretanto, algumas vezes, mesmo com familiares apoiadores, que acreditam estar fazendo o melhor para nós, podemos nos ver presos em uma rede de sintomas e de dor incompreensíveis. E algumas vezes a procura por respostas na terapia pode nos conduzir ao caminho errado, porque o terapeuta não tem uma ideia clara do funcionamento da memória. Para ilustrar a questão, tomemos o nosso terceiro exemplo:

Por que Sara tem um sentimento quase constante de pavor, de medo de abandono e um distúrbio alimentar? O mais estranho de tudo é que ela vê imagens repetidas da cor vermelha e uma vela. Aquilo não faz nenhum sentido para ela, mas tem sido recorrente, desde que ela se entende por gente.

Sara tentou um terapeuta após outro por vários anos. Há mais do que cem diferentes tipos de terapia, e cada terapeuta contribui com sua perspectiva pessoal, o que também muda o modo com que o tratamento é aplicado. Por vezes torna-se difícil para as pessoas identificarem o tratamento - ou o terapeuta certo. Além disso, quadros clínicos podem ser

complicados, devido ao fato de que, algumas vezes, um acontecimento na infância é tão perturbador que pode comprometer completamente a habilidade natural do cérebro de processá-lo. Esse era um dos problemas de Sara. Após anos de terapia que resultaram em pouca mudança nos sintomas, ela acabou encontrando um terapeuta que tentou uma variedade de caminhos, mas também não conseguiu nenhum resultado. Já que Sara não fazia ideia sobre a origem de seus problemas e tinha queixas relacionadas a abandono, intimidade, distúrbios alimentares, pânico e ansiedade, seu terapeuta disse-lhe: "Realmente, parece-me que você foi abusada sexualmente". Além disso, por ter visões de imagens recorrentes com a cor vermelha e com uma vela, ele sugeriu que talvez tivesse sido vítima de um abuso ritualístico, já que aquelas cenas se encaixavam em cerimônias de rituais satânicos. Como você pode imaginar, esse diagnóstico piorou ainda mais sua ansiedade. Logo, nos dois anos seguintes, eles escrutinaram sua história de vida, tentando, sem sucesso, recuperar memórias de abuso ritualístico.

Como continuava sofrendo com os mesmos problemas, Sara tentou outro terapeuta, por meio do qual ela conheceu a técnica de EMDR. Pelo fato de não haver nada de que ela se lembrasse conscientemente que tivesse alguma conexão com os sentimentos que sentia de pavor, ansiedade, medo de abandono e distúrbios alimentares, o terapeuta focalizou os sintomas que mais diretamente guiavam para uma memória oculta: a imagem da cor vermelha e da vela. Após uma preparação apropriada, durante os procedimentos de processamento de memória, imagens de sua infância emergiram e ela viu-se com aproximadamente cinco anos de idade. Era seu aniversário. Seu pai dera-lhe uma vela perfumada como presente para o seu quarto e eles saíram de carro para o almoço de comemoração. Quando eles cantavam juntos no carro, um outro veículo avançou o sinal vermelho e bateu no carro deles, matando o seu pai. Logo, se o pai morreu próximo a ela a caminho de seu almoço de aniversário, os sintomas podem ser explicados. Como pode-se deduzir, distúrbios alimentares, sentimentos de abandono e ansiedade persistente podem ser facilmente desenvolvidos a partir desse tipo de situação.

Mas, às vezes, memórias podem ser enganosas, porque podem ser simplesmente imagens que se ajustam aos nossos sentimentos. Por exemplo, é possível que crianças acreditem que algo de ruim aconteceu com elas porque elas ouviram uma história ou assistiram algo na televisão. Pense em todas as crianças que tiveram pesadelo após assistirem filmes de terror. Será que Sara estava realmente no carro quando seu pai morreu? Ela sabia que seu pai tinha morrido em um acidente de carro, mas não tinha lembrança de ter estado presente. Não era possível saber ao certo o que havia acontecido a não ser que ela tivesse a confirmação. Sara telefonou para a sua mãe e perguntou: "Mãe, é verdade? Eu estava com

papai quando ele morreu?" Sua mãe respondeu: "Sim, minha filha, você estava com ele, mas nós pensamos que você não quisesse falar sobre isso porque nunca mencionou o acidente". Então, apesar de Sara ter uma mãe muito amorosa que queria protegê-la e de não ter lembrança direta da morte de seu pai, ela sofreu por anos de sintomas que pareciam totalmente irracionais. A partir daquele momento, aqueles sintomas passaram a fazer sentido. E, ainda mais importante, eles desapareceram depois que a memória foi processada.

É importante ressaltar que nós não precisamos passar por um trauma grave como a morte do pai ou um acidente de carro para desenvolver sintomas que durem anos. Como ocorreu, por exemplo, com Janice, que procurou a terapia após uma longa história de abuso de antiácidos. Naquele momento, ela já corria risco de vida, pois a grande quantidade de remédios estava praticamente corroendo seu estômago. Ela também não tinha lembrança de quando os sintomas começaram, apenas sabia que ficava apavorada com a possibilidade de ter dor de estômago. Seu terapeuta usou os procedimentos de EMDR que iremos estudar neste livro para descobrir a fonte daqueles sentimentos. O que Janice então se lembrou foi que, um dia, quando estava na escola primária, a colega que se sentava perto dela vomitara. Na tentativa de impedir o vômito, a garota tapou a boca com a mão e o vômito escorreu para os lados atingindo os cabelos de Janice. Ela então saiu correndo da sala em pânico, sentindo-se humilhada e suja. Essa era a memória que se tornara a base para o abuso de antiácidos. Depois de processar a memória, Janice nunca mais sentiu necessidade de tomá-los.

Como mensagem podemos afirmar que, se houver um sintoma, há normalmente alguma experiência que o tenha causado ou contribuído para seu surgimento. Alguma coisa aconteceu, independentemente de nos lembrarmos do fato de forma consciente ou não. Apesar de termos passado a utilizar fartamente as pílulas para obtermos sensação de bem-estar, muitas vezes elas somente mascaram os sintomas. A causa desses problemas não é tipicamente uma dificuldade neurológica inata ou puramente bioquímica. Claro que nossa constituição genética exerce um papel importante e pode fazer com que reajamos fortemente a certas experiências. Algumas vezes, podemos herdar predisposições para uma variedade de estados vulneráveis, assim como depressão ou ansiedade. No entanto, mesmo nesses casos, alguns tipos de experiências de vida são geralmente necessários para que ocorra uma perturbação. Basicamente nossa constituição genética combina-se com nossas experiências, de forma a fazer com que a vida siga em frente no "piloto automático".

A outra mensagem a ser considerada é que, apenas pelo fato de os sintomas perdurarem por muito tempo ou serem bem graves, não significa necessariamente que o trauma seja também expressivo. Eles podem ter

como causa até acontecimentos aparentemente irrelevantes vistos a partir da perspectiva de um adulto. O fundamental é que, pela perspectiva da criança, o acontecimento foi percebido como traumático naquele momento e a memória ficou trancada no cérebro. Tais experiências podem ter acontecido muito tempo atrás, e é possível que nós não reconheçamos o quanto elas realmente nos afetaram. Mas as emoções, comportamentos, crenças e sensações negativas que causam problemas crônicos geralmente podem ser rastreadas de volta até essas memórias não processadas. Dessa forma, o passado permanece presente. Este livro oferecerá técnicas que podem ajudá-lo a entender os sintomas e a identificar suas causas. Também demonstraremos maneiras pelas quais seus pensamentos, sentimentos e reações podem ser transformados, diminuindo a perturbação e aumentando a confiança e a sensação de conforto.

Os Objetivos Deste Livro

Existem inúmeras coisas que nos levam a procurar por respostas, seja em livros ou em sessões de terapia. Algumas pessoas simplesmente precisam de informação para lidar com um novo acontecimento em suas vidas. Outras admitem que algo as esteja bloqueando. Elas são levadas a fazer o que não gostariam ou são impedidas de fazer coisas que sabem que poderiam beneficiá-las. Este livro é sobre entender o "porquê" em sua vida, e na vida das pessoas a sua volta. E, mais importante, o livro também é sobre entender o que você pode fazer a respeito da questão. Todos nós temos momentos de dor e incerteza. A pergunta não é "Será que eu vou sofrer em algum momento da minha vida?", mas sim por quanto tempo e em quantas formas diferentes. Alguns de nós passamos rapidamente por certos tipos de dor, mas não por outros. Alguns de nós somos alegres, enquanto outros ficam alegres raramente ou quase nunca. Este livro é sobre entender por que somos quem somos e aprender o que podemos fazer a respeito da dor e das reações negativas que não nos ajudam em nada. É também sobre identificar e romper os bloqueios para sentimentos de felicidade e bem-estar. Com o uso de um número de técnicas diferentes, você poderá decidir por si próprio como fazer as melhores escolhas para o seu futuro.

Também gostaria de enfatizar que, apesar do fato de nós geralmente verificarmos que experiências da infância são a raiz de vários problemas psicológicos, este livro não é sobre culpa. Enquanto crianças em um mundo de adultos, todos nós passamos pela experiência de não termos o controle de uma situação, de sermos ignorados ou de nos sentirmos menos importante do que os outros. Exploraremos em capítulos posteriores por que sintomas psicológicos e problemas se desenvolvem em certas pessoas e não em outras.

Porém, é importante ressaltar que todas essas coisas ocorreram antes que tivéssemos qualquer escolha ou poder sobre elas. Quando éramos crianças, não tínhamos influência sobre o que acontecia conosco. E, seja qual for o tipo de pais que tenhamos, eles são o que são devido as suas próprias experiências de vida, inclusive a maneira com que foram criados. Assim, se quisermos apontar algum culpado, geralmente temos que voltar a gerações passadas. Contudo, mesmo os mais enraizados padrões negativos podem ser rompidos. Como adultos responsáveis, com conhecimento suficiente, somos capazes de assumir o controle sobre nós mesmos.

Uma vez identificadas as forças que regem a nossa vida, podemos entender melhor como nós funcionamos e também as pessoas à nossa volta. Nós estamos todos lidando com processos e memórias inconscientes que governam nossos sentimentos e ações. A pergunta fundamental seria: "O que fazer a respeito disso?". No caso de Joe, por exemplo, ele veio me procurar porque, embora se sentisse infeliz no trabalho e percebesse que ele não lhe era adequado, não conseguia juntar forças para mudar de emprego. Ao explorarmos seus sentimentos, ele contou que sempre tinha a sensação de que: "Eu não consigo buscar e conseguir o que quero". Usando os procedimentos de EMDR, foi-nos permitido descobrir e processar a memória que o estava impedindo de progredir. Joe lembrou-se de estar brincando com uma bola no patamar das escadas quando era um garotinho. Sua mãe viu-o e ordenou que não descesse as escadas. Mas a bola rolou para baixo e ele correu animadamente atrás dela. A mãe alcançou-o, agarrou-o pelo braço e bateu nele, punindo-o por correr atrás do que queria. Esse simples acontecimento trancou os sentimentos e crenças negativos conectados a ele pelos trinta anos seguintes.

Devemos também ter em mente que o exemplo acima não é um caso de abuso infantil. A mãe de Joe era normalmente gentil e amorosa, mas reagiu de acordo com o seu próprio medo de que, uma vez desobedecendo, ele se machucaria. Seu estilo parental foi moldado pela própria maneira que ela fora criada. O episódio havia sido simplesmente um acontecimento na vida de Joe. Porém, memórias individuais podem ser armazenadas de forma a manter emoções sensações físicas e crenças negativas imutáveis, não importa o que venha acontecer na vida de uma pessoa.

Considerando que memórias formam a base das características de nossa personalidade e a forma pela qual respondemos ao mundo em nossa volta, exploraremos maneiras de se identificar as memórias que podem estar na raiz tanto da dor emocional quanto da física. Capítulos deste livro também explorarão problemas relacionados a autoestima, depressão, ansiedade, vícios, relacionamentos com os pais e com os outros, com o trabalho, com perdas e até mesmo com relação às doenças. Você também

aprenderá técnicas específicas que podem ser usadas como auxílio no tratamento de cada uma dessas questões, e orientações para identificar quando o caso requer uma assistência complementar. É importante ressaltar que, se, por um lado, memórias que não foram processadas são usualmente a fonte de sintomas e de dor, por outro lado, as memórias processadas constituem a base para a saúde mental. Nesse sentido, exploraremos alguns dos procedimentos que podem estimular sua força de vontade, que têm sido usados por atletas olímpicos e outras pessoas visando a atingir o desempenho desejado.

O ponto crucial é que, independentemente da maneira pela qual fomos criados, nós não somos vítimas e nossos problemas não são um sinal de fraqueza. Alguns dos heróis mais glorificados, aqueles que se arriscam pelos outros, que enfrentaram todos os obstáculos para salvar alguém, são os que mais podem sofrer desnecessariamente por causa do sentimento de culpa de não poderem ter salvo alguém ou de não ter conseguido realizar algo. Quando reconhecemos que somos impedidos de avançar na vida, a pergunta que cada um de nós deve formular é: "O que eu devo fazer a respeito disso?".

Capítulo 2: Mente, Cérebro e O Que Importa

Nós todos interagimos com o mundo a nossa volta com cérebros e corpos que possuem mais similaridades do que diferenças. A maior parte das pessoas tenta fazer o melhor para elas próprias e para suas famílias. Contudo, apesar dessa disposição, sempre surge algum obstáculo no meio do caminho. As razões para isso serão mais fáceis de serem reconhecidas depois de estabelecermos os fundamentos para compreender os procedimentos que iremos abordar no decorrer deste livro. Os fatores genéticos podem certamente ter algum peso, mas a maneira como percebemos o mundo e interagimos com outros é em grande parte baseada nas nossas experiências individuais de vida. Elas ficam armazenadas nas redes de memória que são a base de nossas percepções, atitudes e comportamento. Essas redes conectam acontecimentos similares.

Por exemplo, se alguém me pede para citar o nome de várias frutas diferentes, não tenho nenhum problema em fazê-lo. Na minha mente, elas estão associadas dentro de uma rede de memória: maçãs, laranjas, peras, mirtilos. Se vejo uma maçã, posso facilmente reconhecê-la como fruta porque eu já havia visto uma antes. O que vivencio em dado momento se conecta a minha rede de memória de acontecimentos passados, de alguma forma que faça sentido para mim. Entretanto, se uma criança nunca tiver visto uma maçã antes, talvez ela não saiba o que fazer com ela. É vermelha e é redonda: Será uma bola?

A consciência de qualquer coisa no mundo exterior penetra nossa memória de trabalho através de nossos sentidos (visão, olfato, audição, paladar). Isso automaticamente conecta-se, no cérebro, a uma vasta cadeia de redes de memória, a fim de nos ajudar a compreender o que estamos percebendo.

Esse processo acontece com todos nós o tempo todo. Até mesmo as palavras desta página têm que ser ligadas às suas redes de memória para que você entenda o que está lendo. Todo mundo que você vê, todo mundo com quem você interage, todas as experiências que vivencia no presente e a sua percepção delas ligam-se às suas redes de memória, de forma que tudo faça sentido para você. Essas redes de memória têm todas as suas outras experiências já armazenadas dentro delas. Elas tornam-se a base para a maneira como você se sente, pensa ou se comporta no momento. Assim, o modo como você reage às pessoas em sua vida e como elas, por sua vez, respondem a você é consequência tanto de experiências passadas quanto do que você ou essas pessoas fazem ou falam no presente.

Por Que O Tempo Não Cura Todas as Feridas

Se nós nos machucarmos, a não ser que haja algum obstáculo, nós nos curamos. Se removermos o empecilho que nos atrapalha, o corpo tende a curar-se. Por isso submetemo-nos a procedimentos cirúrgicos. Nós temos a expectativa de que incisões sejam curadas.

O cérebro faz parte do corpo. Além das milhões de redes de memórias já descritas aqui, nós também temos instalado no nosso cérebro um mecanismo - um sistema de processamento de informação - concebido para curar. Esse mecanismo objetiva levar qualquer tipo de transtorno emocional a um nível de saúde mental, ou o que eu chamo de nível de *resolução adaptativa*. Trata-se de uma resolução contendo informações úteis que nos permitem estar mais aptos para sobreviver. O sistema de processamento de informação destina-se a estabelecer conexões com o que for útil e desprezar o resto.

Assim funciona o sistema: imagine que você tenha tido um desentendimento com um colega de trabalho. Você pode sentir-se chateado, zangado ou temeroso, com todas as reações físicas que acompanham essas diferentes emoções. Pode ainda ter pensamentos negativos sobre aquela pessoa e sobre si mesmo. Pode também imaginar exatamente como deseja vingar-se, mas esperamos que consiga resistir a esse comportamento, pois dentre outras coisas ele iria provavelmente fazer com que fosse despedido. Então, você sai de perto. Pensa e conversa sobre o assunto. Vai dormir e talvez até sonhe com aquilo. E no dia seguinte é possível que não se sinta tão mal. Você basicamente "digeriu" a experiência e agora tem uma ideia melhor sobre o que fazer. Nesse caso, o sistema de processamento de informação do cérebro toma uma experiência perturbadora e permite que se aprenda com ela. O processo desenrola-se em grande parte durante o estágio de sono de movimento rápido dos olhos (REM-*rapid eye movement*). Cientistas acreditam que, durante esse estágio do sono, o cérebro processa desejos, informações necessárias para a sobrevivência e o aprendizado que ocorreu naquele determinado dia. Basicamente, ele processa tudo que é importante para nós. O fundamental é que o cérebro está equipado para fazer isso.

Após o processo ininterrupto de informações, a memória da discussão liga-se a outras informações mais úteis já armazenadas no seu cérebro. Elas podem incluir experiências passadas que você tenha tido com aquele certo colega de trabalho ou com qualquer outro. Você agora pode ser capaz de dizer: "Ah, este é só o jeito de ser do João. Eu já lidei com ele antes em situação parecida e no final ficou tudo bem". Quando essas memórias se ligam ao incidente desagradável atual, sua experiência em relação ao evento muda. Você aprende o que é útil do episódio do desentendimento e seu cérebro descarta o que não serve. Por não serem mais úteis, os sentimentos negativos e o diálogo crítico consigo mesmo

desaparecem. Mas o que você precisava aprender permanece, e nesse momento o seu cérebro armazena a memória do acontecimento de forma a poder guiá-lo com sucesso no futuro.

Como resultado, você tem uma melhor ideia do que deve fazer e pode conversar com o colega sem o desequilíbrio emocional intenso que tivera no dia anterior. Trata-se do funcionamento do sistema de processamento de informação adaptativo do cérebro, que está tomando uma experiência perturbadora e permitindo que se aprenda com ela. Seu cérebro está simplesmente fazendo o que está preparado para fazer.

Infelizmente, experiências perturbadoras, sejam elas traumas graves ou outros tipos de acontecimentos desagradáveis, podem sobrecarregar o sistema. Quando isso acontece, a intensa perturbação física e emocional causada pela situação impede que o sistema de processamento de informação faça as conexões necessárias para alcançar-se uma resolução. Em vez disso, a memória da situação permanece armazenada no cérebro da maneira como você a vivenciou. O que você viu e sentiu, a imagem, as emoções, as sensações físicas e os pensamentos tornam-se codificados na memória em sua forma original, não processada. Como consequência, voltando ao exemplo do colega de trabalho com quem você havia discutido, toda vez que você o encontra, em vez de ser capaz de ter uma conversa tranquila com ele, a raiva ou o medo voltam à tona. Você poderá tentar controlar seus sentimentos com o intuito de autopreservação, mas, sempre que a pessoa aparecer, sua sensação de desconforto aumentará.

Quando reações como essa persistem no presente, elas estão frequentemente ligadas a memórias não processadas do passado. Essas conexões inconscientes ocorrem automaticamente. Por exemplo, quando você tem antipatia imediata por uma pessoa que acabou de conhecer, pode ser que ela o lembre alguém que o tenha magoado no passado. Considere também o caso de uma mulher que foi estuprada. Anos depois, ela está na cama com alguém que considera ser um parceiro muito amoroso. Contudo, quando ele a toca de uma certa maneira, suas emoções e seu corpo reagem automaticamente. O terror e o sentimento de impotência que sentira durante o estupro tomam novamente conta dela. Se o sistema de processamento de informação não tiver funcionado adequadamente após o ataque, um mero toque similar ao do estuprador pode ligar-se à rede de memória e "disparar" as emoções e sensações físicas que são parte daquela memória não processada já armazenada.

O sistema de processamento de informação defeituoso armazenou a memória de forma isolada, não integrada nas redes de memória mais gerais. É impossível reverter a situação, pois a memória é incapaz de ligar-se a alguma outra coisa que seja mais útil e adaptativa. Essa é a razão pela qual o tempo não cura todas as feridas e você pode ainda sentir raiva,

ressentimento, dor, compaixão ou um grande número de outras emoções relacionadas a acontecimentos que ocorreram anos atrás. Eles ficam congelados no tempo e as memórias não processadas podem tornar-se o fundamento para problemas emocionais e às vezes até físicos. Mesmo que você não tenha passado por um grande trauma na vida, pesquisas mostram que experiências de vida de outra natureza são capazes de causar o mesmo tipo de problemas. Além disso, como as ligações da memória acontecem automaticamente, no nível do inconsciente, talvez você não tenha a mínima ideia das forças que realmente comandam o espetáculo de sua vida.

O Plano de Ação

Ao prosseguirmos, você aprenderá a compreender as reações negativas que você ou alguém que ama possa ter em várias situações diferentes. Além disso, aprenderá exercícios e técnicas para identificar memórias não processadas causadoras dessas reações e também modos de se lidar imediatamente com emoções, pensamentos e sensações perturbadoras. Esses passos que você pode dar se baseiam em novos conhecimentos sobre o funcionamento cerebral. A boa notícia é que eles são capazes de livrá-lo de amarras que possam ter atrapalhado seus relacionamentos, seu trabalho e sua felicidade em geral.

A maioria dos procedimentos e histórias que você encontrará neste livro se origina de uma terapia denominada EMDR. Neste capítulo, eu apresentarei o EMDR, e depois mostrarei como os diferentes tipos de conexões da memória que foram revelados por essa técnica podem ser razão de sua própria infelicidade. Também veremos como essas conexões podem ser transformadas em fundamento para alegria, paz e bem-estar. Nos próximos capítulos, você começará a aprender algumas das técnicas utilizadas por um grande número de terapeutas em todo o mundo. Tais técnicas ajudam pessoas com uma variedade de problemas diferentes e elas talvez se apliquem ao seu caso.

A Terapia de EMDR

De onde vem a terapia de EMDR? Como ela foi desenvolvida? Como funciona? EMDR é a abreviação de Dessensibilização e Reprocessamento pelos Movimentos Oculares. A técnica teve origem a partir de uma descoberta que fiz sobre movimentos dos olhos. Eu estava andando no parque, em um dia do ano de 1987, quando de repente percebi que alguns pensamentos perturbadores que estavam passando pela minha mente tinham desaparecido. Não me lembro sobre o que eu estava pensando. Mas sei que eles eram pensamentos persistentes e incômodos sobre um problema daquela época, o tipo que exige uma atitude deliberada para que você consiga mudá-los. Quando tornei a pensar neles,

os pensamentos não tinham mais a mesma força, simplesmente não me incomodavam mais.

Fiquei surpresa e me perguntava o que havia causado aquela reação. Então, enquanto andava, comecei a prestar uma atenção cuidadosa ao que acontecia. Eu notei que, quando aquele tipo de pensamento vinha à minha mente, meus olhos começavam a mover-se muito rapidamente para frente e para trás, de certa maneira diagonal. Então o pensamento sumia de minha mente. Quando tentava recuperá-lo, ele havia perdido sua força. Essa observação me fascinou e, como consequência, comecei a proceder dessa maneira deliberadamente. Eu trazia à mente alguma coisa que me incomodava e começava a fazer os movimentos de olhos. A mesma coisa acontecia. Meus sentimentos transformavam-se.

Durante os anos que se seguiram, muitas pessoas admiraram-se pelo fato de eu ter notado que os meus pensamentos mudavam depois dos movimentos dos olhos. Suponho que o caso seja um exemplo de uma descoberta ao acaso - e muitos anos de preparação. Felizmente, eu havia usado minha própria mente e meu corpo como um "laboratório", nos dez anos anteriores, depois de uma batalha contra um câncer. Os médicos haviam alertado: "Ele se foi, mas, em alguns casos, ele volta. Não sabemos a razão e nem com quem isso pode acontecer. Então, boa sorte".

Naquele momento, parecia-me irônico que nós estivéssemos mandando homens para a lua, mas não soubéssemos lidar com nossas próprias mentes e corpos. O campo da psiconeuroimunologia - que estuda os efeitos do estresse nos nossos sistemas imunológicos - tinha acabado de começar a ser explorado, baseado nos estudos de Norman Cousins e outros. Então, decidi procurar por qualquer informação prática que estivesse disponível e trazê-la ao público em geral.

Ao longo dos anos seguintes, eu investiguei dúzias de encontros técnicos (*workshops*), estudei junto a vários professores e ingressei em um programa formal de doutorado em psicologia. Portanto, quando, naquela mencionada ocasião, meus pensamentos mudaram de repente, o fato chamou minha atenção. Eu acreditava que tinha esbarrado no processo natural de cura do cérebro, o que vinha exatamente corroborar o que já havia explorado nos últimos dez anos - como a mente e o corpo estão conectados. Eu me perguntava se a minha observação acerca dos movimentos dos olhos estaria relacionada de certa forma com o processo que ocorre durante o sono REM. Considerando-se que os movimentos dos olhos acontecem espontaneamente durante o período de sonho do sono e nós geralmente despertamos nos sentindo melhor a respeito de situações em nossas vidas, talvez tais movimentos tivessem o mesmo efeito quando estivéssemos acordados.

Depois de ter descoberto que poderia mudar os sentimentos ligados aos meus pensamentos usando deliberadamente os movimentos dos olhos, eu perguntava-me se a mesma técnica funcionaria também com outras pessoas. Então tentei usá-la com todo mundo que sabia estar disposto a cooperar. Eu pedia para as pessoas pensarem em alguma coisa que as estivessem incomodando. Não me surpreendeu o fato de que todos tinham uma situação que podia ser focalizada - uma briga com um membro da família, um problema no trabalho, uma decisão errada que haviam tomado. Eu iniciava a sessão pedindo que eles se concentrassem na memória. Depois fazia com que eles seguissem minha mão com seus olhos por trinta segundos, a fim de recriar o mesmo tipo de movimentos de olhos que eu havia experimentado. Eu chamei aquilo de "sequência" de movimento oculares - e então indagava aos participantes como eles se sentiam depois do processo.

A maioria das pessoas começava a sentir-se melhor - mas depois seus sentimentos paravam de mudar. Nesse caso, eu pedia-lhes que se concentrassem em uma parte diferente da memória ou então no que havia sido dito. Eu também, como alternativa, mudava a direção ou a velocidade do movimento dos olhos. Já que recebia o retorno das pessoas após cada sequência de movimentos, trabalhei pelo método de ensaio e erro com mais de setenta pessoas até os resultados serem consistentes. Como as mudanças estavam acontecendo rapidamente, se alguém ficasse bloqueado após uma sessão, eu podia facilmente explorar alternativas diferentes para conseguir novamente os efeitos positivos.

No final do meu programa de doutorado, decidi desenvolver uma pesquisa mais controlada sobre o procedimento para minha dissertação. Pareceu-me que o ponto principal a ser estudado seriam as memórias antigas. Perguntei-me que grupo de pessoas deveria ter o maior problema com essas questões e a resposta parecia ser claramente as vítimas de abuso sexual e os veteranos de guerra. Essa conclusão levou-me a trabalhar com pessoas que haviam sido diagnosticadas como portadoras de transtorno de estresse pós-traumático.

No ano de 1987, o TEPT vinha sendo aceito como diagnóstico há apenas sete anos. Naquela época, não havia nenhum estudo científico sério que recomendasse alguma forma de terapia apropriada a esse transtorno, o tratamento era considerado muito difícil. Logo, decidi tentar a efetividade do meu procedimento com pessoas que sofriam desse transtorno. Os resultados de minha pesquisa foram publicados no *Journal of Traumatic Stress* (Revista de Estresse Traumático) em 1989. Como se pode imaginar, considerando-se que o artigo descrevia um novíssimo tipo de terapia que incluía o uso de movimentos oculares e relatava benefícios, em curto espaço de tempo, para vítimas de traumas, ele criou muita controvérsia. Como em qualquer outro campo de estudo, se algo não se encaixa no

formato de conhecimento vigente provoca reações como sobrancelhas levantadas, cenhos franzidos ou ambos.

Por que o movimento dos olhos poderia ter algum efeito? Como pode qualquer terapia mostrar resultados depois de apenas uma sessão? Um dos "pais" da terapia comportamental anunciou, em uma importante conferência, que minhas descobertas eram revolucionárias, mas outros questionaram como algo tão simples pudesse produzir benefícios tão dramáticos. Algumas pessoas queriam ser treinadas na terapia imediatamente, porque nenhuma das técnicas que adotavam funcionava bem com pacientes de TEPT. Outros insistiam que absolutamente nenhum treinamento deveria ser ministrado.

Um dos membros do conselho consultivo da revista *Journal of Traumatic Stress*, onde meu primeiro artigo havia sido publicado, contatou o editor e afirmou estar certo de que a revista havia sido enganada. Porém, como ele estava no comando de um programa de TEPT para o Departamento de Assuntos de Ex-combatentes de Guerra (*Department of Veteran Affairs*), participou de um programa de treinamento de EMDR. Durante o treinamento, ele focalizou uma de suas próprias experiências e constatou os efeitos produzidos. Depois, ele experimentou a técnica com seus pacientes e convenceu-se de que ela funcionava. E assim o reconhecimento da terapia de EMDR tem progredido desde 1990. Aqueles que investigam a técnica pessoalmente acabam por tornar-se apoiadores dela. Aqueles que foram influenciados pela controvérsia inicial originada por ela permanecem céticos. Entretanto, mais de vinte estudos controlados de EMDR provam hoje sua efetividade no tratamento de experiências de vida traumáticas e/ou perturbadoras. Nesta altura, um grande número de organizações no mundo inteiro, incluindo a Associação Psiquiátrica Americana (*American Psychiatric Association*) e o Departamento de Defesa dos Estados Unidos (*US Department of Defense*) reconhecem o EMDR como uma técnica eficiente no tratamento de trauma.

Como acreditei inicialmente que o efeito primário dos movimentos dos olhos reduzia a perturbação emocional da pessoa - o que era chamado de dessensibilização na terapia comportamental - denominei a terapia originalmente de Dessensibilização pelo Movimento Ocular. Só depois da primeira publicação, em 1989, foi que percebi o quanto poderia ser alcançado com o método, além da redução da ansiedade. A alteração dos procedimentos oferecia a oportunidade de revelações e mudanças automáticas em todos os tipos de emoções, reações corporais e comportamentos. Crenças sobre si mesmo, sobre os outros e sobre o mundo poderiam ser transformadas, abrindo-se então novas oportunidades para o futuro. Tornou-se claro que, com a evolução de meu método, eu poderia assegurar que as memórias focalizadas seriam totalmente reprocessadas - conectadas a outras memórias, reorganizadas e

armazenadas de uma forma melhor. Assim, depois de desenvolver o tratamento, eu acabei por mudar o seu nome incluindo a palavra "reprocessamento".

Eu também descobri que outras formas de movimentos bilaterais, além dos movimentos oculares, podiam trazer efeitos benéficos. Terapeutas também podiam usar toques alternando de uma mão para outra ou sons tocados alternadamente em um ouvido e no outro. Alguns cientistas acreditam que todas essas estratégias causam um constante redirecionamento da atenção (de um lado para outro) a chamada de "resposta de orientação", que se liga às mesmas funções cerebrais que ocorrem durante a fase do sono conhecida por REM.

Outros acreditam que, ao se focar a atenção no trauma e na estimulação externa (movimento dos olhos, batidas ou sons), ao mesmo tempo se rompe com a "memória de trabalho". Atualmente, há um número suficiente de pesquisas que me faz acreditar que ambas as teses sejam verdadeiras. Assim, se tivesse que começar tudo de novo, eu simplesmente chamaria a terapia de "Terapia de Reprocessamento". Porém, hoje em dia, a terapia de Dessensibilização e Reprocessamento pelo Movimento Ocular - mais comumente chamada de EMDR - é mundialmente conhecida. Portanto já é muito tarde para uma mudança de nome.

Por Que o EMDR Funciona?

Nos dias de hoje, milhares de terapeutas em todo o mundo já trataram com sucesso milhões de pessoas com o EMDR. A terapia desenvolveu-se em uma forma abrangente de psicoterapia, composta por oito fases e muitos procedimentos e métodos. Terapeutas conduzem seus pacientes por meio da exploração de experiências passadas que formaram a base para problemas no presente. Depois, juntamente com os pacientes, eles processam situações atuais causadoras dos distúrbios e incorporam, dentro da rede de memória, novos aprendizados, habilidades e perspectivas necessárias para futuros sucessos. A pessoa que faz a terapia de EMDR não apenas trabalha os sintomas óbvios de um problema, mas também pode, no final, passar por uma vasta gama de mudanças positivas que afetam todas as áreas de sua vida. A razão disso é que as redes de memórias que estão na base do tratamento de EMDR possuem inúmeras associações. Ao se mudar as memórias que moldam a maneira como nós nos vemos, também mudamos a forma como vemos os outros. Logo, nossos relacionamentos, nosso desempenho no trabalho, o que queremos fazer ou a que conseguimos resistir - tudo se move em uma direção positiva.

Nos últimos dez anos, os efeitos rápidos do tratamento com EMDR também proporcionaram aos pesquisadores em neurobiologia uma "janela para o cérebro". Como resultado, mais de uma dúzia de pesquisas usou

imagens do cérebro (como por exemplo imagem por ressonância magnética) para documentar como o tratamento de EMDR realmente transforma funcionamento do cérebro. Por exemplo, estudos estabeleceram que o centro de controle de memória do cérebro (o hipocampo) encolhe-se em pessoas portadoras de TEPT. Por algum tempo acreditou-se que, como havia uma mudança orgânica no cérebro, o transtorno devia ser permanente. Felizmente, como mostram hoje imagens do cérebro, o hipocampo é capaz de voltar a crescer. Apesar de existir um número limitado de pesquisas na área, um estudo recente mostrou que oito a doze sessões de EMDR em pessoas portadoras de TEPT estavam associadas com uma média de 6% de aumento no volume do hipocampo. Esses efeitos positivos tinham permanecido um ano após o tratamento.

Na verdade, o primeiro paciente de TEPT avaliado nessa pesquisa era filho de uma mulher portadora de transtorno bipolar. Ele tinha passado por experiências traumáticas na infância e seu hipocampo era muito reduzido. Após oito sessões de EMDR, o tamanho do seu hipocampo aumentou cerca de 11%. Esses tipos de resultados mostram que precisamos de mais pesquisas para investigar, não apenas como o tratamento de EMDR funciona, mas também como um cérebro adulto pode transformar-se e crescer. Essa "neuroplasticidade" é um fenômeno que os cientistas haviam por muito tempo considerado impossível. Agora que sabemos que o cérebro adulto realmente tem a capacidade de mudar, novas possibilidades foram abertas para muitos casos que não eram considerados suscetíveis a tratamento.

Apesar de o EMDR ter-se provado eficaz, assim como ocorre com qualquer outra forma de psicoterapia e com a maioria das drogas, há ainda questões abertas sobre seu funcionamento. Por que ele funciona? Por ser um processo bem complexo, há muitas variáveis envolvidas e pesquisas ainda estão em andamento. No entanto, o uso de movimento dos olhos na terapia intrigou muitos pesquisadores que têm a memória como campo de estudo. Como consequência, mais de duas dúzias de estudos exploraram as transformações que ocorrem somente com os movimentos de olhos. Foi demonstrado que, quando as pessoas guardam na mente memórias perturbadoras ou medos em relação ao futuro, uma sequência de movimento dos olhos resulta na diminuição do estresse emocional, na redução de intensidade de imagens perturbadoras, na mudança de pensamentos negativos e no aumento na exatidão da memória. Naturalmente, os movimentos oculares apenas não são suficientes para se alcançar mudanças permanentes, eis a razão de eles estarem inseridos no conjunto de procedimentos que compõem a técnica de EMDR. Durante as sessões de terapia, as pessoas permanecem acordadas e em total controle de suas faculdades. Todavia, uma teoria dominante é que os movimentos de

olhos usados na terapia estimulam o mesmo tipo de conexões biológicas e os processos benéficos originados no sono de movimento rápido dos olhos-REM. O aprendizado acontece quando os pensamentos e as informações são consolidados e integrados às outras memórias durante o sono REM. Pesquisas mostram que, se uma pessoa aprende uma técnica mas é impedida, naquele mesmo dia, de ingressar na fase de sono de REM, a habilidade pode ser perdida. Nessa fase do sono, o cérebro permite o desenvolvimento das conexões neurológicas apropriadas para as associações necessárias. A memória é processada e transformada em uma forma mais adaptativa e útil. Essa é a razão pela qual você pode ir dormir preocupado com alguma coisa e acordar sentindo-se melhor ou com a solução para o problema. Em um estado de vigília, você estaria ciente dos processos do pensamento e dos *insights* que ocorrem. Contudo, esses mesmos processos benéficos estão ocorrendo enquanto você dorme.

Infelizmente, como você sabe, algumas memórias indesejáveis persistem. Isso ocorre porque o nível de perturbação de alguns incidentes é tão alto que o sistema de processamento de informações do cérebro fica sobrecarregado e não consegue processar a memória. O fenômeno torna-se evidente, por exemplo, se você for acordado no meio de um pesadelo. O pesadelo é simplesmente o cérebro tentando processar a informação. Nele, as imagens refletem as emoções reativadas. Como exemplo, uma mulher que foi molestada quando criança pode ter pesadelos com um monstro perseguindo-a. Quando a memória é trabalhada durante as sessões de EMDR, é como se um véu fosse levantado e a razão para o distúrbio emocional torna-se clara. O monstro é o molestador perseguindo-a em sua de infância.

Como Memórias São Processadas Pela Técnica de EMDR

Na terapia de EMDR, todo o trabalho é feito durante as sessões de tratamento. Ao paciente não é solicitado que descreva a memória detalhadamente ou que faça dever de casa. Em vez disso, o terapeuta acessa a memória perturbadora, "engata a partida" do sistema de processamento de informação do cérebro, conduz os procedimentos e monitora os efeitos obtidos. Como resultado do processo de EMDR, conexões internas podem ser feitas rapidamente durante as sessões, fato esse indicado pelas mudanças positivas em emoções, novas percepções e memórias, além de uma maior compreensão de questões da vida. A teoria dominante é que a memória original é acessada, conexões são mudadas e depois armazenadas com as novas modificações, em um processo neurobiológico conhecido por "reconsolidação".

Em capítulos seguintes, explicitaremos com maiores detalhes as diferentes fases da terapia de EMDR. Neste momento, porém,

abordaremos como a terapia "reprocessa" diretamente a memória - como ela toca diretamente no inconsciente e permite que o aprendizado aconteça. Pesquisas com vítimas de traumas revelaram que o EMDR é capaz de eliminar os sintomas sem a ajuda do "dever de casa", cuja prática é comum em outras terapias. Além do mais, como não é preciso entrar em detalhes sobre as memórias desagradáveis do passado, pessoas que se envergonham do acontecido ou do que fizeram não são obrigadas a falar sobre o assunto. Mudanças significativas podem ocorrer em um curto período de tempo, como ilustraremos na transcrição de uma sessão de EMDR que tem início na página 27.

Antes de começarmos, gostaria de salientar que você aprenderá muitas técnicas e procedimentos neste livro que lhe ajudarão a compreender e a lidar com memórias perturbadoras. Porém, durante as sessões de processamento de memória com EMDR, muito material emocional pode surgir internamente, tornando-se vital, por conseguinte, que somente um terapeuta treinado e licenciado conduza o tratamento. Dessa maneira, assegura-se que o sistema de processamento de informação permanecerá ativo e o paciente estará totalmente preparado e apto para "manter os pés no presente". Terapeutas treinados sabem onde focalizar a atenção, o que fazer se o sistema de processamento de informação parar de funcionar novamente e como proceder se algo inesperado vier à tona. Veremos a seguir o caso de Aline, que apesar de começar com um forte trauma -uma experiência de terremoto que a fez temer por sua vida e a de seu filho - percebeu que havia muito mais coisas acontecendo sob seu nível de consciência.

Aline morava na Califórnia e buscou um centro pesquisas para fazer terapia, em razão de ter desenvolvido um grave TEPT depois de um terremoto. Ela já havia vivenciado dois outros terremotos anteriores, mas, naquela vez, os sintomas eram tão graves que sua vida parecia impossível de administrar. Um dos terremotos anteriores aconteceu quando ela estava em uma aula de hipnose na faculdade. O professor havia acabado de hipnotizá-la quando a terra tremeu. Entretanto, foi somente alguns anos depois que ela ficou seriamente perturbada, quando estava sozinha em casa com seu filho pequeno, e houve outro terremoto. Descreverei parte da sessão e em seguida irei reproduzir um trecho da transcrição referente ao último terremoto, de forma que você possa observar o processamento de informação adaptativo do cérebro em ação.

No começo desta sessão de EMDR, o terapeuta e Aline já haviam trabalhado juntos para identificar o que precisava ser abordado. Ela estava preparada para deixar as conexões de memória serem feitas automaticamente. O terapeuta então ajudou-a a trazer a memória à mente, de uma certa maneira. Isso incluiu tomar as medidas necessárias para monitorar o progresso da paciente. A imagem que Aline escolheu como a

pior parte da memória foi quando ela estava tentando se esconder na entrada da casa com o seu filho e o chão tremeu, objetos voaram das prateleiras e caíram ao redor deles. Dentre outras coisas, ela também identificou os pensamentos negativos a respeito do terremoto ("eu sou impotente") e as emoções que sentia quando pensava sobre isso. Aline estava sofrendo de um alto nível de ansiedade 8, em uma escala de 11 pontos (0 a 10)

Dando sequência ao procedimento, o terapeuta guiou os olhos de Aline de maneira que eles se movessem rapidamente de um lado para outro por aproximadamente trinta segundos de cada vez. Esse procedimento é denominado de "série de movimento ocular". Durante cada série, foi pedido a Aline que simplesmente notasse "qualquer coisa que viesse a sua mente" e deixasse "acontecer o que tivesse que acontecer". Apesar de ela estar completamente consciente e alerta durante a sessão, novas conexões foram feitas. Pensamentos, emoções, sensações e outras memórias passaram por sua cabeça, assim como poderia ter acontecido na fase de sono REM. No fim de cada série de movimentos, Aline foi instruída a "deixar fluir e respirar fundo". Em seguida, era feita uma pergunta do tipo: "O que veio à sua mente?". Dependendo da resposta, o terapeuta ajudava a estabelecer a direção de sua atenção durante a próxima sequência de movimento dos olhos. Dessa maneira, o profissional foi capaz de conduzir Aline mais profundamente em direção as suas memórias não processadas armazenadas e trabalhá-las até a resolução do caso.

No decorrer das primeiras séries de movimentos oculares, Aline notou várias coisas, inclusive conexões relativas à sensação de impotência e à falta de controle. Por exemplo, ela recordou-se de uma fita que ouvira sobre pessoas assistindo outras serem "esmagadas por trens". Depois de séries adicionais de movimentos oculares, foram surgindo sentimentos de tristeza e melancolia - em contraste com a ansiedade que Aline havia relatado no início da sessão. Ansiedade pode ser um termo genérico para muitas emoções que estão sob a superfície. Após outras séries de movimentos oculares, ela voltou-se em direção ao passado mais remoto. Sorrindo, lembrou-se de estar correndo pela casa juntamente com o seu irmão quando tinha seis anos de idade. "Eu queria ser um menino", ela falou, "e ele havia me dito que, se eu desse um número suficiente de voltas ao redor da casa, me tornaria um menino. Fiquei desapontada porque isso não aconteceu de verdade".

Neste ponto, mostraremos a transcrição real da sessão para esclarecer como o EMDR age na rede associativa de memórias, sem que Aline precisasse fornecer muitos detalhes sobre o que estava acontecendo com ela. Usarei o sinal > >>> para indicar que os olhos de Aline se movem em uma série de movimentos. É durante esse período que as associações e as conexões são feitas. Antes de cada série, o terapeuta pede para que a

paciente se concentre em alguma parte da memória e "apenas observe". Depois de cada série, o terapeuta pergunta: "O que está surgindo agora?". Então Aline conta-lhe um pouco sobre o que vem à sua mente de maneira que ele possa monitorar seu progresso e redirecioná-la, caso seja necessário. Transcreverei apenas as respostas de Aline para você ver como a mente dela move-se de uma memória ou de uma percepção para outra depois de cada série, um exemplo das intricadas conexões das redes de memória no cérebro. Também irei inserir alguns comentários entre parênteses, com o intuito de explicar o que acontece à medida que avançamos. Note como cada série de movimentos revela outro aspecto das associações inconscientes da memória.

Aline concentra-se na memória que emergiu para o nível consciente: a de seu irmão dizendo-lhe que, se ela corresse o suficiente em volta da casa, seria transformada em um menino. Enquanto isso, o terapeuta a conduz em uma série de movimentos oculares:

> >>>>>>>Aline: Sim, eu estava pensando no sentimento de traição a respeito de meu irmão, que ele me molestava, mas como eu o admirava (chorando).
>
> *(Embora, na superfície, a primeira memória de seu irmão parecesse engraçada, neste ponto é revelada a camada mais profunda de traição e de impotência. Além do mais, mesmo no primeiro momento, ela confiara no seu irmão e ele mentira para ela)*
>
> >>>>>>Aline: Sim (chorando). Alguma coisa passou pela minha cabeça como: "poxa", como aquilo balançou o meu senso de realidade!
>
> *(Aqui podemos ver como as diferentes associações de memória do cérebro podem ser significativas e inesperadas. O solo está literalmente sendo balançado em um terremoto e esse fato conecta-se com um acontecimento importante na sua infância quando sua confiança fora traída. Em ambos os casos, supostamente uma base que deveria ser sólida estava tremendo).*
>
> >>>>>>Aline: Eu estava pensando sobre quando jogava cartas com o meu pai à mesa.
>
> >>>>>>Aline: Eu estava pensando sobre meu pai me levando para comprar um casaco, abotoando o casaco e beliscando meu mamilo, quando eu tinha onze anos e como eu tinha ficado totalmente chocada com aquilo.

(Assim como a primeira memória que emergiu, sobre seu irmão, parecia inofensiva, essa série de associações com o pai também começou inocentemente mas também revelou o sentimento de ter sido vítima de traição. Novamente, o comportamento do pai deixa-a com a sensação da realidade sendo "sacudida").

>>>>>Aline: O que está ficando bem claro, é que fiquei doente, mais ou menos na mesma época. Estava passando muito mal, com uma dor de lado. Ninguém sabia o que poderia ser e fui levada às pressas ao hospital. Eu realmente não podia abaixar minha perna e ninguém conseguia descobrir o que tinha de errado comigo. Eu estava sentindo mesmo muita dor de lado e então eles decidiram que eu tinha um tipo de problema mental. Acho que era a única forma que eu conseguia expressar o que acontecia.

(Aline sabia que tinha uma dor forte, mas ninguém acreditava nela. Eles concluíram que ela não podia confiar nas suas próprias percepções. Mais uma vez, não havia um solo firme sobre o qual pisar.)

Como se pode perceber, diferentemente de outras formas de terapia, as associações a novas memórias e percepções ocorrem depois de cada série de movimentos oculares. O foco guiado e a estimulação permitem ao próprio sistema de processamento de informação de Aline trazer à tona espontaneamente o que for necessário para encaminhar a memória até uma resolução mais adaptativa. O terapeuta mantém o sistema de processamento de informação dinâmico e guia o processo para certificar-se de que toda a rede de memória é atingida. Agora que você viu como as associações espontâneas emergem, descreverei o resto da sessão e depois retomarei a transcrição do relato.

Quando Aline se concentrou na dor do lado, durante outra série de movimento oculares, percebeu como o seu lar tinha sido caótico e inseguro. Lembrou-se de seus pais brigando e atirando coisas um no outro enquanto ela deveria estar dormindo. Ela escondeu-se debaixo da cama com a irmã e tentou dormir, mas estava com medo demais para conseguir cair no sono. A imagem de crianças apavoradas escondendo-se debaixo da cama remetia à imagem inicial dela escondendo-se na entrada de casa envolta pelo caos de objetos caindo durante o terremoto. Isso também explica por que foi aquele último terremoto que levou Aline a desenvolver TEPT, embora ela tivesse passado por outros dois outros tremores de terra. A cena dela abraçada ao filho, cercada de caos por todos os lados, conectava-se diretamente à sua infância problemática.

Ao continuar a processar as memórias, Aline percebeu que tinha tentado proteger seu pai de sua mãe porque "simplesmente parecia mesmo algo bem maluco". Esse pensamento trouxe-a de volta para o terremoto mais recente. Ela havia pulado para fora do chuveiro, corrido até o quarto do filho, arrancado - o do berço e corrido para baixo com ele no colo, tentando servir-lhe de escudo. Um paralelo interessante veio à tona, pelo fato de ela ter tentado proteger o seu filho e seu pai. Mas essa associação também a fez lembrar-se de que precisava proteger seu filho quando ele estava com o próprio pai, que por sua vez tinha sido diagnosticado como portador de transtorno bipolar e estava sendo tratado com o medicamento Lítio. Aline sentia-se dividida entre deixar o filho na companhia do pai ou protegê-lo desse pai.

Isso lança luz sobre as possíveis conexões entre nossa infância e nossos relacionamentos futuros. A família original de Aline era caótica. Sua estabilidade era constantemente sacudida. Ela casou-se com um homem que tinha transtorno bipolar - um transtorno mental que produz mudanças profundas de humor. Seu padrão de escolha de homens deu continuidade ao sentimento de insegurança, enquanto que, ao mesmo tempo, a colocava novamente no papel de "protetora".

Neste ponto iremos interromper e avançar para o final da sessão, cerca de dez minutos mais tarde. Agora ela percebia que não era "impotente". Ela havia feito o que era necessário para proteger a si mesma e ao seu filho. Sentia que era agora capaz de lidar com problemas no futuro.

> Terapeuta: "OK, então quando você pensa naquele primeiro incidente, em pé na entrada de casa com Tim, como você se sente?
>
> >>>>>Aline: "Bem, o que me passa pela cabeça, sim, aquilo era um terremoto (rindo). É, aquilo era um belo de um terremoto".

Recorde-se de que Aline havia sido diagnosticada como portadora de TEPT. No começo da sessão, quando ela pensava no terremoto, sentia o mesmo grau de ansiedade e a sensação de impotência que sentira no momento do acontecimento original. Esse é um dos sintomas de TEPT: o passado é sentido como presente. Porém, com o uso de procedimentos de EMDR para se acessar a memória e estimular o sistema de processamento de informação, as conexões neurológicas apropriadas foram produzidas e diferentes associações ocorreram automaticamente. Aline aprendeu o que era útil e recuperou a sensação de controle. Os elementos que não eram úteis (sentimentos, sensações físicas e pensamentos negativos) desapareceram e a memória foi apropriadamente armazenada no cérebro.

Como ela não sentia mais medo de terremoto, ele ocupou o seu lugar no passado. Na verdade, ao pensar no fenômeno ela até sorria: "É, aquilo era um belo de um terremoto sim!".

Nem todos os casos de TEPT são passíveis de serem tratados tão rapidamente como o caso citado acima, pois pode haver uma variedade de fatores complicadores que torna o progresso mais vagaroso. Um psicólogo licenciado bem treinado na técnica de EMDR precisa conduzir a terapia cuidadosamente. As pesquisas sobre EMDR mostram, porém, que depois do levantamento da história clínica e da preparação, 84 a 100% dos traumas individuais podem ser processados dentro de período de três sessões de noventa minutos cada uma. Quanto maior a quantidade de memórias, mais tempo demora o processamento. Mas não é necessário focalizar cada memória separadamente, já que as memórias associadas com a memória específica a ser atingida podem também ser positivamente afetadas.

A sessão de Aline é um bom exemplo de como o processamento acontece. Mostra também quais os tipos de memória que contribuem para o desenvolvimento de problemas emocionais. Por exemplo, a tristeza que Aline sentira na infância pode também ter tido um papel importante no quadro de depressão. Também é claro que aquelas experiências na infância podem ter afetado diretamente suas escolhas de parceiros e como ela reagia nas relações afetivas. Além do mais, a dor lateral que a levara para o hospital é um exemplo de somatização, quando a dor emocional ressurge como dor física.

Isso é mais comum do que se possa imaginar, como, por exemplo, no caso de Júlia. Ela era ginasta e ávida jogadora de tênis, mas começou a sentir uma dor no ombro que a impediu de continuar jogando. Durante a terapia de EMDR, deu-se conta de que o seu problema havia começado quando jogava tênis com o seu pai, que não gostava de perder. Júlia tinha que conter as próprias habilidades para não derrotá-lo - e ele não conseguia tolerar aquilo. Depois de processar aquelas memórias, ela nunca mais teve problemas com o ombro. Em capítulos seguintes, analisaremos com profundidade essas questões - inclusive apresentando técnicas de como lidar com elas.

Personalidade e Processamento

As memórias não processadas de Aline provocaram danos maiores do que o TEPT, elas afetaram sua personalidade como um todo. Para todos nós, memórias não processadas são geralmente a base para reações, atitudes e comportamentos negativos. Memórias processadas, por outro lado, são a base para respostas, atitudes e comportamentos positivos e adaptativos. Quando nós terapeutas falamos de "personalidade", estamos nos referindo à maneira usual pela qual reagimos às pessoas e aos

acontecimentos. Além dos fatores genéticos, cada característica ou traço da personalidade baseia-se em um grupo de redes de memórias que nos leva a agir ou a pensar de forma determinada. Essas redes de memória são formadas ao longo de nossas vidas e refletem quem éramos, onde estávamos e o que estava acontecendo quando a rede foi criada. Essa é a razão pela qual podemos parecer ser bem diferentes no trabalho do que somos em casa. É possível que tenhamos reações típicas distintas, porque podemos ter tido uma vida familiar caótica na infância, mas fomos muito bem-sucedidos na vida escolar.

Quando as Redes Entram em Colisão

Agora que já estabelecemos a base para entendermos como um cérebro individual faz conexões, exploraremos o que pode acontecer quando duas pessoas com problemas se encontram. *Breno começou a terapia extremamente deprimido, com um quadro que tendia ao suicídio. A sua esposa acabara de abandoná-lo e ele parecia um homem destruído: "Eu tentei tanto ser um bom marido para ela. Como ela pôde me deixar?".*

A sua esposa Taís acabou voltando, mas o casamento deles estava definitivamente comprometido. Ao tentar agradá-la, Breno havia se perdido por completo. Ele, um homem sensível, percebera de forma acertada que sua esposa sofria. Ela havia sido ferida pela própria infância, e ele queria desesperadamente curá-la. Breno raras vezes tentava impor o que de fato queria fazer, realizava todas as vontades da esposa. Infelizmente, nada funcionava. Taís foi ficando paulatinamente mais zangada e exigente, enquanto, por outro lado, seu companheiro ficava mais passivo e evitava cada vez mais o confronto. Os dois estavam sendo conduzidos por memórias inconscientes da infância. Cada um assumia padrões de comportamento que tornavam as coisas piores para o parceiro.

Taís era a mais jovem de seis crianças. Quando nasceu, sua mãe se tornou deprimida e omissa. Os irmãos atormentavam-na e a molestavam, sem que a mãe tomasse qualquer atitude. Então, para Taís, a atitude passiva de Breno ligava-se às memórias de sua mãe. Sentia-se, automaticamente, insignificante e indigna de proteção. Ela reagia em relação a Breno de forma agressiva e exigente, assim como havia feito quando criança para tentar chamar atenção da mãe. Claro que esse comportamento não era "racional". Ao contrário de sua mãe, seu marido estava tentando agradar-lhe. Contudo, uma vez que as emoções da infância surgem, elas alteram completamente a nossa visão do presente.

Com o intuito de identificar as raízes das reações de Breno, pedi-lhe que se concentrasse na última vez que o casal havia brigado. Perguntei-lhe que pensamentos e sensações afloravam. "Impotência", ele falou. Então utilizei com ele uma técnica que explorarei em um capítulo posterior e sua mente imediatamente retornou a uma época de sua infância. Ele

lembrou-se de ouvir seus pais brigarem e sentir-se arrasado e impotente. Esse cenário repetiu-se com frequência quando ele era mais jovem e estabeleceu o modelo para o seu casamento. O seu pai, da "velha guarda", era zangado e crítico, tanto em relação ao Breno quanto a sua mãe e ele batia no filho para subjugá-lo. Para evitar a dor, Breno fugia do confronto e tentava agradar ao pai. Sua passividade era uma reação automática frente à raiva de Taís. Infelizmente essa passividade somente incitava Taís ainda mais, pois ligava-se às memórias da mãe que não a apoiara. Para ambos, a reação do outro suscitava sentimentos de perigo. Independentemente de quanto se amassem, o passado tornava-se presente. E esse passado estava destruindo o casamento deles.

Nenhum de nós é imune a esses tipos de associações. Nosso cérebro está programado para fazê-las e elas acontecem todo o tempo. Tente o seguinte experimento: escolha um lugar tranquilo e decida que, nos próximos dez minutos, tudo o que você fará é concentrar-se em suas narinas enquanto você inspira e expira naturalmente. Veja por quanto tempo você consegue fazer isto antes que sua mente comece a vagar para outra coisa sem a sua permissão. É muito difícil manter esse tipo de concentração, é por isso que há aulas de meditação em todo o lugar do mundo. É por isso que mestres Zen budistas passam anos praticando para manter a atenção focada na respiração, canções ou mantras. O cérebro faz associações automáticas em relação a tudo o que fazemos, pensamos sentimos. Nossa tarefa é reconhecer quando temos pensamentos, emoções ou reações físicas destrutivas, negativas ou que nos fazem mal - e então fazer alguma coisa a respeito disso.

Quem Nós Somos

Como você pode ver, apesar de sermos todos um produto da genética, as experiências do passado influenciam fortemente a maioria de nossas características e a maneira com que reagimos ao mundo à nossa volta. Não há dúvidas de que a nossa criação exerce influência sobre quem somos. As experiências que encontramos no caminho ficam codificadas nas redes de memórias e constituem a base da forma com que percebemos o mundo como adultos. E mesmo as famílias mais apoiadoras ainda podem deixar suas crianças com memórias não processadas.

Esses tipos de problemas podem ocorrer porque a infância é uma época em que somos vulneráveis. Nós somos pequenos em uma terra de gigantes, não temos nenhum poder. Logo, mesmo nas melhores infâncias, podemos ter experiências que foram armazenadas sem processamento junto com emoções, sensações físicas e crenças que tivemos naquela época. Essas experiências permanecem "quentes", independentemente do tempo transcorrido. Na terapia com EMDR, as memórias são identificadas e

processadas, porque elas são frequentemente o fundamento para os sintomas observados no presente.

Enquanto caminhamos pelo mundo hoje, uma variedade de eventos que podem estar ligadas a redes de memórias não processadas estão acontecendo. Quando isso ocorre, em vez de sermos capazes de lidar com pessoas e acontecimentos de uma maneira adulta, nossas emoções e sensações de criança vêm à tona e influenciam nossas reações, sem que estejamos conscientes do processo. A imagem do acontecimento no passado não vem a nossa mente, fazendo-nos pensar que: "Ah, estou agindo assim porque um dia minha mãe esqueceu-se de buscar-me na creche". Nós simplesmente ficamos com os sentimentos conectados ao fato do passado. Uma vez que identificamos e processamos essas memórias inconscientes, as emoções negativas e as sensações físicas deixam de retornar. Como consequência, podemos ser completamente adultos no presente e agir adequadamente.

É preciso ainda ressaltar que nem tudo tem origem na infância. Muitos tipos de experiências terríveis pelas quais passamos na fase adulta podem causar sintomas de TEPT ou de outros transtornos. Às vezes é o acúmulo dessas experiências que nos faz perder o controle. Mas, frequentemente, há experiências da infância que nos tornam vulneráveis, como no caso já citado de Aline.

Também, como sabemos, alguns fatos do período da adolescência podem causar muitos danos. É o caso por exemplo de Maria, que buscou a terapia com um quadro de extrema insegurança, timidez e falta de confiança em si mesma. Ela sempre se sentia como se as pessoas tivessem a observando ou julgando, mesmo quando estava simplesmente aguardando a sua vez em uma fila no mercado.

Descobriu-se, no final, que os problemas de Maria tinham origem em uma experiência na adolescência que ela esperava ser positiva. Seus pais haviam se divorciado quando tinha dois anos e ela só foi ver o pai novamente aos 13 anos de idade. Ela foi visitar parentes na Flórida e seu pai levou-a para passarem alguns dias juntos. Ela ficou muito animada e contente quando o pai a levou à praia. Mas, infelizmente, a menina nunca havia ido à praia antes e não sabia nada a respeito do uso de protetor solar, o que resultou em graves queimaduras.

No dia seguinte, na casa de seu pai, ela devia ajudar na limpeza, mas estava sentindo tanta dor por causa das queimaduras que não pôde fazer nada. Seu pai fitou-a com desdém e disse: "Não acredito que você foi tão boba a ponto de não passar protetor solar". Aquela visita foi a última ocasião em que ela viu o pai ou ouviu falar dele. Ao recuperar a memória para processamento, apesar de muitos anos já se terem passado, para Maria foi como "um soco no estômago". A vergonha que era parte daquela memória aflorava sempre que alguém a olhava, o que lhe causava

insegurança e timidez. Basicamente, aquela memória havia envenenado a percepção que tinha de si mesma por um período de mais de vinte anos.

Nosso cérebro está constantemente fazendo conexões que fogem ao escopo de nossa consciência. Mesmo durante o processamento de memórias, somente algumas conexões chegam à nossa consciência. Quando vejo uma maçã, por exemplo, essa visão liga-se às redes de memórias relacionadas a: vermelho, redonda, fruta, descascar, cozinhar, torta e todas as demais experiências a ela pertinentes. Se eu vou comê-la ou não depende dos sentimentos que surgem internamente. Estou com fome ou não? Caso já tenha passado mal por ter comido uma maçã estragada, talvez nunca mais queira tocar em uma outra novamente. A questão é: Estamos sendo guiados apropriadamente por nossas memórias ou elas estão nos levando a fazer coisas que não deveríamos fazer - ao mesmo tempo que nos impedem de fazer o que seja preciso? Comer ou não comer? Tomar drogas ou respirar fundo? Assumir uma posição na vida ou recolher-me? Aproveitar um sucesso ou preocupar-me com que algo venha a atrapalhá-lo? Escolher um relacionamento que seja benéfico ou um problemático? Deixar "reações irracionais" provenientes de memórias não processadas definirem quem somos ou gozar plenamente de saúde mental?

Como iremos ver nos próximos capítulos, há várias maneiras de identificar-se as memórias inconscientes que nos conduzem, bem como maneiras de se lidar com as reações incômodas que elas possam causar. Primeiramente, temos que reconhecer que algumas de nossas reações não se baseiam na realidade presente, mas são principalmente causadas por memórias do passado. Obviamente, algumas vezes a raiva, o sofrimento, o medo ou a ansiedade são apropriados - mas às vezes não. Algumas vezes somos levados a pensar, enganados pelas nossas reações, que os sentimentos são válidos simplesmente porque os estamos vivenciando. Mas o fato de termos medo não significa que há um tigre no aposento. Rosas são vermelhas - algumas vezes. E violetas não são azuis - mesmo que nossa mente diga o contrário.

Capítulo 3: É O Clima ou O Tempo?

Apesar de haver mais de mil maneiras de se sofrer, ao longo dos últimos vinte anos tem ficado cada vez mais claro que motivo para as pessoas procurarem terapia geralmente envolve um tema principal: "Sinto-me estagnado na vida". Com frequência, as pessoas falam: "Não sei porque continuo fazendo essas coisas"; ou então: "Por que não consigo me sentir melhor comigo mesmo?"; ou ainda: "Sei que deveria pensar de maneira diferente, mas eu não penso"; ou "Eu deveria ser capaz de tomar uma atitude, mas não consigo". Em outras palavras, as pessoas são impelidas a responder ao mundo de maneiras que podem ser dolorosas, impedindo-as de fazer ou de alcançar o que querem. E também há aqueles que já tentaram buscar ajuda e dizem: "Terapia não funciona comigo". Todavia o que eles não levam em consideração é que existem mais de 100 modalidades de terapia distintas. Portanto a escolha do tipo mais adequado e do terapeuta certo pode ser uma questão de sorte. Todas as abordagens terapêuticas, porém, têm algo a ensinar, e exploraremos alguns desses ensinamentos neste capítulo.

O Que Eu Posso Aprender Com Isso?

Durante a minha carreira, dei palestras em centenas de conferências por todo o mundo. Assim, tive a oportunidade de interagir com diversas pessoas de culturas diferentes e explorar tanto as nossas diferenças como as similaridades. Foi impressionante constatar que os mesmos princípios de cérebro, mente e corpo aplicam-se a todas as culturas, qualquer que seja a idade, o sexo ou o lugar onde nos encontramos. Para entender melhor como os conceitos deste livro têm relação com você, tentaremos fazer alguns exercícios que já utilizei em praticamente todas as minhas palestras. Nós já discutimos aqui como memórias não processadas podem afetar pessoas, uma vez que sensações físicas e emoções perturbadoras armazenadas no cérebro emergem automaticamente. Levando-se em conta que o corpo é um importante aspecto nesse contexto, tentemos então o primeiro exercício. Primeiramente, respire fundo e solte o ar devagar. Depois feche os olhos por um momento e observe como sente o seu corpo - e a seguir abra-os novamente para ler as próximas linhas. Espero que você não esteja sentindo nenhum tipo de perturbação e tenha a sensação de que o seu corpo se encontra em estado neutro. Agora respire fundo novamente e note como o seu corpo reage se você fechar os olhos de novo e repetir algumas palavras. Abra os olhos e repita a palavra "não"- de preferência em voz alta, ou na sua mente se você não estiver sozinho - por mais ou menos dez segundos: Não. Não. Não. Não. Não. Não. Não.

Apenas observe. Por exemplo, houve qualquer alteração em seus ombros, peito ou estômago? Agora respire fundo novamente, feche os seus olhos de novo e veja o que acontece quando você muda a palavra para: Sim. Sim. Sim. Sim. Sim. Sim. Sim.

Você notou alguma diferença? Para a maioria, a reação do corpo mudou, mesmo que se tenha trocado apenas uma palavra. Mas as palavras têm muitas associações com fatos em nossas vidas, e há uma resposta física automática ao que ocorre em nossa mente. Dessa forma, no próximo capítulo, investigaremos quais são as experiências armazenadas que originam as reações emocionais e físicas que, por sua vez, podem deixá-lo estagnado, sem ação. Mas antes disso, neste mesmo capítulo, abordaremos ainda um conteúdo básico e ensinaremos algumas ferramentas que podem nos ajudar a lidar com qualquer perturbação que eventualmente surja.

Neste ponto, eu deveria mencionar que há algumas pessoas que tentaram fazer o exercício e não obtiveram nenhuma resposta. Seria útil, nesse caso, ver se é possível tirar algum ensinamento do meu relato sobre a interação entre participantes de um *workshop* que presenciei. Em todos os treinamentos certificados de EMDR, há exercícios práticos para que os profissionais que estão se qualificando na terapia de EMDR também tenham a experiência direta de como é ser um paciente em tratamento. Os alunos são divididos em grupos pequenos, sendo que cada um tem a oportunidade de tomar a posição do "paciente" enquanto o outro faz o papel do terapeuta. Cada "paciente" usa uma memória real que o esteja incomodando, de forma que o exercício se torne uma experiência verdadeira de aprendizado. Há também um profissional treinado que supervisiona e monitora o progresso individual. Em um exercício, o supervisor observou uma "paciente" que estava prestes a cair em prantos e o terapeuta com quem ela estava trabalhando falou: "Não, não, você não precisa fazer isso aqui!".

Felizmente, o terapeuta aprendiz estava aberto para ser monitorado e a paciente processou a memória sem ser solicitada a reprimir suas emoções. Como você deve se lembrar do capítulo anterior, para que as conexões espontâneas internas ocorram, torna-se importante "apenas observar o que vem à mente e deixar o que tiver que acontecer simplesmente acontecer". Depois foi a vez do terapeuta ser o "paciente" e trabalhar com algo de sua própria vida. Ele avisou que não tinha nada a ser trabalhado, exceto o som da voz de sua filha ao falar "papai", que o incomodava por alguma razão. Portanto, esse foi o alvo focalizado.

Logo após iniciar o processamento, o terapeuta lembrou-se de estar na entrada de casa com sua mãe quando tinha aproximadamente seis anos de idade. Ela contava-lhe que o seu pai havia perdido o emprego e encontrava-se em outra cidade procurando trabalho. Eles teriam que se mudar da casa onde nascera. O menino começou a chorar e sua mãe dava-lhe tapinhas de leve em suas costas dizendo: "Agora seja o meu homenzinho. Não faça a mamãe ficar

triste!". Portanto, aos seis anos de idade, a criança forçou-se a conter o seu choro e a ser um "homem". Essa experiência e a impressão de que não era correto sentir ficaram trancadas em sua memória.

Dessa época em diante, ele reprimiu suas próprias emoções e distanciou-se de qualquer sensação física perturbadora. Apesar de já terem se passado muitos anos e hoje ele ser um terapeuta, aquela experiência ainda o mobilizava, e era assim que ele se relacionava com os seus próprios pacientes. O ponto essencial é que não importa quem você seja; as memórias armazenadas fisiologicamente formam a base para nossas percepções do presente. Memórias não processadas, além de intensificar nossas sensações e reações emocionais podem também nos impedir de sentir. Logo, a pergunta a ser feita a si mesmo, no caso de você não ter notado nenhuma diferença entre o "não" e o "sim" no exercício anterior, seria: O exercício não foi adequado para a mim ou isso indicaria que eu normalmente não estou em contato com o meu próprio corpo e com minhas emoções? Se a última alternativa for o seu caso, memórias não processadas podem estar envolvidas na questão. Porque independentemente de você estar ou não em contato com as sensações do seu próprio corpo ou com as emoções, as conexões inconscientes do seu sistema de memória continuam afetando suas reações no presente. Basicamente, o computador ainda está em funcionamento, mesmo com a tela desligada.

Os Pontos de Conflito

Antes de prosseguirmos, preciso ser bem clara sobre o que é possível atingir - e o que não é. Primeiramente, você não consegue eliminar por completo a infelicidade de sua vida. As coisas acontecem, as coisas mudam. Emoções podem ir e vir de um momento para outro, como a fome aumenta e diminui, como nós perdemos e ganhamos, recebemos notícias boas e ruins, Vênus surge ou a lua se esconde. A questão é: O quão penetrantes são os sentimentos e quanto tempo eles duram? Em outras palavras, será que o sentimento de tristeza, raiva, medo, ansiedade, solidão, timidez ou outro qualquer é temporário, e existe por uma boa e óbvia razão? Ou será esse sentimento o meio no qual fico submerso na maior parte do tempo? É o tempo de hoje ou o clima em geral? Para descobrirmos a resposta, é aconselhável observarmos com que frequência e onde nós nos encontramos estagnados.

Tomaremos como exemplo Nancy, que buscou terapia se queixando de medo ao voar de avião. Tudo havia começado quando ela voara em um pequeno avião de uma ilha do Caribe a outra em uma tarde de tempestade. Com o decorrer do tempo, ela passou a ficar com mais medo dos futuros voos. Finalmente, ela decidiu buscar terapia, porque tinha recebido uma promoção que exigiria visitas mensais a muitas cidades.

O problema de Nancy poderia ser entendido e tratado por um número de abordagens diferentes de psicoterapia. Um terapeuta psicodinâmico, por exemplo, encorajaria Nancy a explorar seu medo de avião na tentativa de desvendar seus temores e conflitos ocultos. Ela seria estimulada a descrever o que a atemorizava em viagens de avião, quais eram suas preocupações acerca do piloto, copiloto etc. Será que ela se sentira dessa forma a respeito de pessoas que cuidaram dela no passado? Ela tem problemas de falta de confiança em si mesma e sensação de incompetência? O seu medo de avião poderia ser uma sensação de insegurança em relação ao mundo no qual vivera quando era criança? Seria a sua ansiedade um reflexo da insegurança que sentia no mundo e estaria ela zangada com os seus pais por não a protegerem?

Sejam quais forem as razões subjacentes, o procedimento da terapia, assim como em qualquer terapia psicodinâmica, inicia-se por meio da identificação dos "conflitos" de Nancy. A seguir, interpretam-se os conflitos que serão trabalhados verbalmente com a ajuda do terapeuta, a fim de desvendar o significado do medo no contexto de uma relação terapêutica. "Trabalhar" os conflitos significa falar sobre a experiência e vivenciá-la novamente na "transferência"- transferir os sentimentos da infância para a relação atual - com o terapeuta. Ao mesmo tempo, Nancy aprofundaria sua compreensão do problema atual, de seus sentimentos com relação a seus pais e ao terapeuta e de como a sua experiência de hoje relaciona-se com o passado. A exploração dessas questões é conduzida dentro de uma atmosfera de terapia segura e afetuosa, com o intuito de encorajar um entendimento interior mais profundo.

Depois de algum tempo e de várias interações, Nancy finalmente conseguiria entender melhor seus sentimentos com relação aos seus pais, a ela mesma e ao resto do mundo. Ao entender melhor os seus problemas e a desenvolver uma percepção (*insight*) maior acerca de suas próprias reações, ela seria mais eficientemente capaz de abrir mão do controle em várias circunstâncias. Nessa forma de terapia, há o reconhecimento da importância de experiências passadas e a ênfase em reconectar-se, no momento, com as emoções e perspectivas vividas na infância. O agente primário de mudança é a relação atual com o terapeuta, dentro do contexto de "terapia verbal". Além de promover novos *insights* e um melhor autoconhecimento, o terapeuta psicodinâmico também pode sugerir alguma forma de dessensibilização para ajudar a superar a reação de ansiedade.

Se Nancy fosse tratada por um psicólogo adepto da terapia comportamental cognitiva (TCC), o tratamento mais recomendável para o seu tipo de ansiedade seria um dia inteiro de terapia, incluindo uma "experiência comportamental". Nesse caso, o paciente seria exposto a uma situação real, que consistiria em viajar junto de avião com o terapeuta em

um voo de 45 minutos. Normalmente os dois pegariam juntos um ônibus ou trem para o aeroporto, partindo do consultório do terapeuta. Nancy contaria ao terapeuta todas as crenças negativas que tivesse sobre cada aspecto da viagem: o trajeto até o aeroporto, a espera pelo voo, o embarque, todo o caminho até a aterrisagem. Depois de chegarem ao destino, eles imediatamente fariam um novo *check in* e tomariam o avião de volta. O papel do terapeuta seria o de prever as circunstâncias nas quais Nancy poderia ter pensamentos negativos, de orientá-la a pensar de maneira diferente face à situação e depois de comparar o que realmente aconteceu com os seus medos. Durante a viagem de volta do aeroporto, Nancy seria encorajada a resumir o que ela aprendera ao longo do tratamento e como essas experiências poderiam contribuir para que ela conseguisse voar no futuro sem a presença do terapeuta. Em outras formas de TCC, haveria várias sessões de terapia no consultório que simulariam o voo mentalmente, via de regra com dever de casa diário.

Nessa forma de terapia, apesar de haver o reconhecimento que alguma coisa no passado causou a ansiedade, o tratamento focaliza essencialmente os sintomas no presente. Os agentes de mudança são a manipulação direta de comportamentos e crenças. Por exemplo, pessoas medrosas geralmente querem evitar o acontecimento ou objeto temido, então a terapia implica encarar o medo de frente. Como os profissionais de terapia comportamental acreditam que crenças negativas e irracionais sobre o que poderia acontecer são os motivos para se evitar algo, o terapeuta projeta uma "experiência comportamental" ou uma exposição - do tipo vida real - ao objeto ou circunstâncias, para desafiar essas crenças, demonstrando que a esperada catástrofe - nesse caso a queda de avião - não ocorrerá. Dessa forma, espera-se do paciente que ele aprenda que o medo não tem fundamento e que reaja de acordo com esse aprendizado. Nesse tipo de tratamento, Nancy seria encorajada a voltar a viajar de avião no prazo de um ano e a monitorar suas reações com as técnicas aprendidas, com vistas a evitar uma recaída.

Quando Nancy levou seus problemas a um terapeuta de EMDR, a abordagem foi bastante diferente. O foco volta-se para as memórias armazenadas que estão provocando o medo. O terapeuta identifica as experiências passadas que contribuem para a existência do problema, as situações atuais que estão causando a perturbação e o que é preciso ser feito no futuro. Tudo isso será abordado durante o processamento. No entanto, em vez de discorrer detalhadamente sobre as experiências perturbadoras, a terapia inclui o processamento direto das memórias armazenadas, permitindo assim que o cérebro as armazene com pensamentos e sentimentos mais adaptativos. Essa forma de processamento gera simultaneamente novos *insights* e uma "dessensibilização" da ansiedade e do medo.

Então, orientado pela perspectiva do "processamento da informação de forma adaptativa", o terapeuta examinou a história clínica de Nancy para saber o que estava acontecendo em sua vida quando ela começou a desenvolver os sintomas. Claro que viajar em um avião pequeno, em meio a uma tempestade, pode ser aterrorizante. Mas isso acontece com muitas pessoas que não desenvolvem ansiedade e medo de voar persistentes. Alguma coisa a mais devia estar acontecendo. Aquele também não havia sido o seu primeiro voo. Ela viajara de avião sem apresentar sintomas várias vezes antes de ficar com medo

No levantamento da história clínica, Nancy e seu terapeuta mapearam a primeira, a pior e a mais recente das experiências de voo que lhe haviam causado perturbação. Descobriu-se que os sintomas começaram em uma viagem quando ela cursava o primeiro ano de faculdade. Pouco tempo antes, seus pais tinham se separado e depois se divorciado - uma conexão que ela não observara anteriormente e nem pensava que poderia de alguma forma existir. Entretanto, ao se concentrar no voo no qual sentira pela primeira vez o medo, a separação dos seus pais surgiu associada àquela memória. Ela descreveu como se sentira responsável pela decisão de seus pais e todo o tumulto emocional que veio na esteira da separação à época. Nancy acreditava que, se não tivesse deixado sua casa para ir estudar na faculdade, seus pais teriam permanecido juntos.

Basicamente, a turbulência da tempestade durante o seu voo no Caribe juntou-se ao medo e à ansiedade em sua situação em casa, tornando-se o fundamento para sua ansiedade ao voar. Mas a história não terminava ali, pois os seus sentimentos de responsabilidade sobre as ações de seus pais não estavam limitados ao divórcio. Não é incomum que crianças e adolescentes se sintam culpados quando os pais não se entendem bem. Essa conclusão pode ficar armazenada na memória e causar problemas mais tarde em suas vidas. Mas a questão era ainda mais complexa do que isso. Contatou-se, no final, que o senso de responsabilidade excessivo era um tema presente em toda a vida de Nancy. O seu pai era alcóolatra, a mãe sofria de depressão e coube à filha a tarefa de cuidar deles.

Depois de completado o processamento da memória, Nancy deixou de ter medo de viajar de avião e conseguiu continuar com o seu planejamento de viagens a serviço sem problemas. Porém, naquela altura, ela teve que fazer uma escolha. Será que queria parar com a terapia agora, já que o processamento da memória havia eliminado o seu medo de voar? A outra alternativa seria abordar as questões maiores, uma vez que havia ficado claro que ela possuía uma excessiva sensação de culpa e responsabilidade com relação à sua família - e a todos os seus relacionamentos afetivos. Esse fato explicava muitas dificuldades em sua

vida amorosa. Existiam vários comportamentos de "cuidadora" ou de submissa que não lhe faziam bem, mas ela os havia adotado automaticamente, sem perceber. Nos oito meses que se seguiram, Nancy escolheu continuar com a terapia para trabalhar aquelas áreas onde se encontrava bloqueada, e as questões foram então resolvidas. Isso significa que ela foi capaz de escolher um bom companheiro e teve a felicidade de sentir-se "de igual para igual" em seu relacionamento. Ela sentiu-se livre para receber, em vez de apenas dar, amor e carinho.

Já que todos nós andamos por aí respondendo automaticamente ao mundo em nossa volta, é importante começarmos a notar se uma reação perturbadora é apropriada. Caso contrário, seria reação exagerada? Ela só existe frente a uma situação específica ou vai além? Por exemplo, eu trabalhei com uma paciente que estava grávida e tinha pavor do parto. Há muitas reações que são desejadas na gravidez, mas o pavor não é uma delas. Então, investigamos o problema e ele parecia estar baseado no fato de ela ser a filha mais velha de uma família numerosa. Para ela, ter um filho era como tornar-se a sua própria mãe, que havia envelhecido prematuramente. Isso foi processado e a paciente pôde dar à luz alegremente. A descoberta também afetou a maneira com que ela enxergava a si mesma, pois percebeu que, em quase toda a sua vida, preocupara-se excessivamente com a aparência, passando horas diante do espelho antes de sair de casa para ir a uma festa.

Não importa quais sejam as emoções, crenças e ou reações físicas negativas habituais, elas geralmente são causadas por memórias sem processamento mais antigas que as estão disparando. O passado torna-se presente. O que temos que questionar é se as reações são apropriadas ou não. Se a resposta for negativa, devemos nos perguntar se elas ocorrem somente em uma área de nossas vidas ou se essas memórias não processadas estariam formando uma rede mais abrangente. Mais uma vez: será que se trata do clima ou do tempo?

Mantendo-se O Equilíbrio

Como todos nós temos memórias não processadas que podem ser disparadas, todos já nos sentimos ansiosos, amedrontados, tristes, zangados ou inseguros em momentos diferentes sem saber exatamente o porquê. Antes de começarmos a investigar algumas dessas questões pessoais, é importante que tenhamos uma maneira de nos livrar do incômodo quando ele surgir. Assim poderemos obter o equilíbrio necessário para manter-nos no presente enquanto exploramos o passado. Apesar de todos nós já termos lidado com sentimentos negativos antes, podemos investigar mais facilmente a questão se não tivermos medo das emoções. A melhor maneira de conseguir isso é sabermos que é possível

nos livrarmos dessas emoções quando quisermos. Nesse sentido, aprenderemos algumas técnicas de autocontrole, também usadas como parte da fase da preparação na terapia de EMDR.

Um Lugar Seguro ou Tranquilo

Nos termos de processamento de informação de forma adaptativa, estamos aumentando o seu acesso às redes de memórias positivas - as que possuem as experiências agradáveis de sua vida, como, por exemplo, os tipos de experiências nas quais você se sentiu calmo e relaxado. Desse modo, se você se sentir incomodado a qualquer hora e quiser parar, há um acesso imediato a emoções positivas. As práticas que serão mostradas são basicamente técnicas de mudança de estado emocional. Com elas, pode-se mudar o foco de atenção e o estado da mente ao mesmo tempo - como contar até dez quando você está com raiva pode acalmá-lo o suficiente para lidar com um problema. O uso da técnica não muda a razão pela qual você ficou zangado ou magoado, mas pode fornecer-lhe um intervalo para tomar ar entre a causa e sua reação automática. Todos nós precisamos de maneiras de voltar ao estado de equilíbrio, não importa qual tenha sido a causa do incômodo.

Nesse sentido, para começar, aprenderemos a técnica de "**Um Lugar Seguro**". Essa técnica envolve um conjunto guiado de imagens usualmente utilizado no hipnotismo ou na meditação, mas nesse caso a pessoa permanece totalmente desperta e consciente. Ela proporcionará a você um bom conjunto de procedimentos para o autocontrole. Para algumas pessoas, é mais fácil gravar as instruções e segui-las depois com os olhos fechados, o que também pode ser uma opção para você, caso sinta necessidade. Também darei algumas opções alternativas no Apêndice A.

Começaremos com uma imagem positiva. Buscaremos uma imagem de uma experiência positiva que você tenha tido no passado. Talvez ir a praia faça você sentir-se muito bem, ou quem sabe talvez uma floresta ou um topo de montanha lhe traga boas memórias. Deve ser uma experiência positiva que não esteja conectada com nada negativo. Alguns pacientes dirão: "Bom, meu lugar seguro costumava ser o meu armário, junto com o meu ursinho de pelúcia. Toda vez que minha mãe e meu pai brigavam eu ia para lá". Esse então não é um bom lugar. Ou então: "Ah, a praia é realmente um lugar maravilhoso, com exceção da vez em que eu fui estuprada lá". Essa também, definitivamente, não é uma boa escolha. Em alguns casos, as pessoas sentem-se mais seguras quando se imaginam ao lado de uma figura religiosa.

Identifique um lugar que lhe proporcione uma sensação de segurança. Ou, se você preferir, pode ser um sentimento de tranquilidade. O que estamos buscando, neste momento, é uma memória que o ajude na recuperação de uma emoção positiva, que você poderá

trazer de novo à mente para substituir uma perturbação. Peço que não continue com o exercício se você não puder identificar um lugar seguro ou tranquilo que não esteja conectado com algo negativo. Além disso, interrompa o exercício se surgirem sentimentos negativos, pois, nesses casos, há claramente memórias não processadas que demandam a assistência de um terapeuta para serem trabalhadas.

Se estiver certo de ter uma boa conexão de memória que possa lhe trazer sentimentos de segurança ou tranquilidade, podemos começar o exercício. Primeiramente acabe de ler o parágrafo e depois siga as orientações a partir do primeiro passo. Daqui a pouco, gostaria que você apenas fechasse os olhos e fizesse, por mais ou menos um minuto, o seguinte: **concentre-se em uma imagem daquela cena, observe as cores e qualquer outra experiência sensorial que acompanhe a imagem. Note como você se sente e as sensações que aparecem em seu corpo - no seu peito, estômago, ombros ou face.** Perceba agora se os seus sentimentos são agradáveis, bons e positivos, depois abra os olhos. Agora, tente fazer o exercício.

Você achou que o fato de trazer à mente uma imagem e permitir-se fazer parte dela, observando suas cores e formas, deixou aqueles sentimentos positivos emergirem? Se surgiu algum sentimento positivo, agora **identifique uma única palavra que combine com esse sentimento -** como "pacífico", que pode descrever o sentimento, ou "floresta", que descreveria o cenário. Esse é um nome para a experiência. No final deste parágrafo, voltarei a pedir que **feche os olhos, traga a imagem à mente, observe as sensações agradáveis e diga a palavra mentalmente**. Apenas observe os sentimentos enquanto você se permite mergulhar na cena ao mesmo tempo que repete a palavra mentalmente. Depois de alguns momentos, abra os olhos. Agora feche os olhos e faça o exercício.

Se os sentimentos positivos aparecerem, faça tudo de novo, fechando os olhos, pensando na imagem e na palavra que vem junto com ela. **Repita esse procedimento cinco vezes, durante aproximadamente um minuto por vez**. Isso deve ajudar a fortalecer as conexões. Tente fazer o exercício completo agora.

Técnica de Mudança de Respiração

Agora tentaremos fazer novamente o exercício, mas, desta vez, note a mudança em sua respiração quando pensa na imagem e na palavra. Depois que você sentir que as emoções positivas aparecem, coloque a mão sobre a parte do seu abdômen ou tórax onde a respiração se inicia. Esse é o padrão de respiração que você tem quando está se sentindo seguro e calmo. A técnica é também útil porque, sempre que você se sente estressado, o seu padrão de respiração será alterado. Ele geralmente se moverá mais para cima em

seu corpo. Se notar isso acontecer, você pode levar a respiração de volta para baixo, para aquele padrão de relaxamento. Agora, feche os olhos e tente fazer o exercício.

Testando os Efeitos

A esta altura, se você foi capaz de confortavelmente entrar e sair da memória, sentindo as emoções positivas e pensando na determinada palavra, iremos então testar a técnica. Leia cada parágrafo por vez e siga as instruções. **Fique atento ao seu corpo e depois pense na imagem junto com a palavra. O sentimento positivo vem à tona com elas?** Feche os olhos e avalie, depois abra-os quando você tiver a resposta. Tente fazer o exercício agora.

Se sentimentos positivos surgirem quando você traz à mente a imagem e a palavra, seguiremos para o último passo. **Tente lembrar-se de alguma coisa que o tenha deixado levemente perturbado e observe as mudanças em seu corpo. A seguir, pense na imagem positiva e na palavra e veja se o sentimento positivo voltou.** Tente fazer o exercício agora.

Se tiver funcionado, então você pode usar a técnica para sentir-se melhor quando estiver perturbado. A lembrança da imagem juntamente com a palavra deve possibilitar o acesso ao Lugar Seguro ou Tranquilo e ajudá-lo a lidar com problemas que às vezes nos levam a perder o equilíbrio. Para assegurar-se de que a técnica continue funcionando, é recomendável fazer o exercício diariamente quando não apresentar nenhum incômodo. Essa prática diária facilitará a transição de um estado de perturbação para um estado de tranquilidade. Também tente executar o procedimento junto com a técnica de Mudança de Respiração. **Se você trouxer à mente alguma coisa que o incomode ligeiramente, feche os olhos e observe o padrão de respiração. Depois mude sua respiração de volta ao padrão de relaxamento, ao respirar pelo lugar identificado previamente** - mais abaixo no seu abdômen ou no peito.

Adicionando a Estimulação Bilateral

Uma vez que você tenha um lugar seguro ou tranquilo, há uma maneira de ajudá-lo a promover os sentimentos positivos: usando a estimulação bilateral com leves toques alternados. No entanto, é importante que você monitore suas próprias sensações e pensamentos, e, se eles começarem a se transformar em algo negativo, pare e retorne ao padrão de respiração positivo. Seguem-se dois tipos de estimulação que você pode usar: o primeiro é apenas colocar as palmas da mão sobre as coxas e bater levemente primeiro em uma depois na outra. Após nos concentramos no lugar seguro ou tranquilo, apenas damos leves tapas

devagar em uma perna e na outra alternadamente, de quatro a seis vezes, por um período de cinco segundos. Nós não fazemos sequências longas e não as executamos rapidamente, porque as sequências longas e rápidas que usamos no reprocessamento de EMDR podem às vezes trazer associações desagradáveis, à medida que novas memórias emergem.

Outra maneira de fazer a estimulação é denominada Abraço de Borboleta. Ela foi desenvolvida no México para trabalhar com um grupo de crianças vítimas de um furacão. Desde então, tem sido usada em todo o mundo para se promover os sentimentos positivos de um "lugar seguro". Para executar esse exercício, cruze os braços à sua frente com a mão direita no ombro esquerdo e vice-versa. Em seguida, vagarosamente, dê leves toques sobre os ombros, de forma alternada, de quatro a seis vezes. Para testar a técnica, **traga à lembrança a imagem de um lugar seguro ou tranquilo junto com aquela palavra positiva que você associou a ela e permita-se entrar naquele estado de segurança e tranquilidade. Quando tiver essa sensação, toque levemente sobre as coxas, de forma alternada, ou faça o "Abraço de Borboleta" de quatro a seis vezes. Depois pare, respire e veja como você se sente.** Faça a sequência uma vez e depois abra os olhos.

Se o estado positivo intensificar-se, feche os olhos novamente, deixe os sentimentos tomarem conta de você e pense na palavra escolhida. Quando sentir que a sensação positiva aumenta, novamente toque de maneira alternada, em cada lado, por quatro a seis vezes. Essa é uma boa forma de você reforçar e expandir o poder do Lugar Seguro/Tranquilo, para que possa lidar com uma perturbação momentânea. Isto pode proporcionar-lhe uma sensação de equilíbrio, quando você começar a explorar algumas de suas próprias memórias não processadas. Tente fazer o exercício mais uma vez. Se a estimulação bilateral ajudar, então use-a diariamente. Caso contrário, continue apenas com a imagem e a palavra, sem a estimulação. Lembre-se de que você pode também usar a técnica de Mudança de Respiração para transportar-se de volta aos sentimentos positivos, quando estiver perturbado. Utilize o exercício do Lugar Seguro/Tranquilo todos os dias quando você estiver se sentindo bem, a fim de se certificar de que emoções positivas serão recarregadas e estarão fortalecidas o suficiente para ajudá-lo a livrar-se de uma perturbação quando for necessário.

A Técnica de Personagem de Desenho Animado

A seguir, apresentarei uma outra ferramenta útil para ajudar em caso de diálogo interior negativo. Algumas vezes, fazemos algo e nossa mente fica repetindo que estávamos errados ao agir daquela maneira; que fizemos - ou somos - um grande erro. Nesse caso, você pode experimentar uma outra técnica: pense em um personagem de desenho animado que

tenha uma voz engraçada, como Pato Donald, Patolino, Hortelino ou Marinheiro Popeye. **Feche os olhos, traga à mente aquela voz crítica e observe o que acontece com o seu corpo. Depois faça a voz em sua mente soar como a do personagem de desenho animado e observe novamente o que acontece.** Tente fazer o exercício agora. Para a maioria das pessoas, os sentimentos perturbadores que acompanha a voz desaparecem. Esses personagens têm associações de memórias tão engraçadas e agradáveis que o sentimento não perdura. O uso desses tipos de técnicas mostra que podemos controlar muitas de nossas reações, se apenas formos capazes de perceber como elas são perturbadoras - e nos dedicarmos a fazer algo a respeito delas.

Como eu disse anteriormente, essas técnicas não eliminam as razões pelas quais nos sentimos incomodados, mas nos transportam novamente para um lugar de equilíbrio, de modo que possamos lidar com a situação presente de forma mais apropriada. Caso se trate de reações perturbadoras crônicas - emoções, pensamentos, sensações e comportamentos negativos que aparecem com frequência -, elas geralmente são traços com os quais podemos lidar melhor investigando suas causas. Talvez o processo leve algum tempo, mas saber como usar as técnicas mencionadas pode auxiliar-nos. Ao longo do livro aprenderemos outras.

Uma Fonte De Sofrimento Comum

Em minhas centenas de palestras, em todo o mundo, sempre fiquei impressionada com o grande número de características semelhantes que nós compartilhamos, qualquer que seja o país ou a cultura. Por exemplo, sempre pergunto à audiência: "Quantos de vocês se lembram de ter sido humilhados alguma vez na escola fundamental? Onde quer que eu esteja e qualquer que seja o público, ao menos 95% dos presentes levantam a mão. Então, vamos tentar fazer um exercício para saber se você tem um tipo parecido de memória - e verificar se a memória foi processada ou não. Se ela não tiver sido processada, alguma perturbação pode surgir. Nesse caso, você quase sempre poderá usar uma das técnicas aprendidas para livrar-se do incômodo. No entanto, se você estiver em terapia por causa de um transtorno complexo, ou se sentir que tenha um, por favor não faça esse exercício. A exploração pessoal, nesse caso, é mais eficaz com a orientação de um terapeuta. Este livro só deve ser usado como fonte de informação geral sobre a condição humana e sobre o que faz as pessoas se comportarem de determinada maneira.

Caso você se sinta confortável o suficiente para executar o exercício, então feche os olhos, perceba as sensações no seu corpo e depois traga à mente a lembrança daquela humilhação na escola. Observe o que acontece, as sensações no seu corpo e quaisquer os pensamentos que surjam - apenas

observe. Depois, imagine-se lavando a imagem com uma mangueira de alta pressão ou apagando-a com uma grande borracha, em seguida abra os olhos. Essa é uma outra técnica que você pode usar para alterar imagens mentais negativas. Experimente fazer o exercício agora.

Se você sentiu qualquer perturbação com a experiência, use então a técnica de Mudança de Respiração ou a do Lugar Seguro/Tranquilo para voltar ao normal. Agora, ao fazer a experiência, alguns de vocês podem ter sentido o seu corpo estremecer - você sentiu o calor da emoção que existia naquele momento, bem como, talvez, o pensamento que passava por sua mente. Poderíamos então dizer que sua memória não foi processada apropriadamente, porque, junto com a imagem, apareceram antigas emoções, sensações físicas, crenças e pensamentos negativos e perturbadores, que são parte do que está trancado no seu sistema de memória. Mesmo que tenha sentido algo no estômago ou no peito, a origem do incômodo está realmente em seu cérebro. O que você pode ter sentido é o resultado da transmissão neural de seu cérebro para as glândulas e os músculos do corpo e vice-versa. A lembrança da experiência perturbadora dispara as sensações físicas que foram associadas a ela.

Agora examine o que estava acontecendo por ocasião daquela memória que você acessou. Perceba se ela está relacionada com um professor ou um treinador, um grupo de amigos ou refere-se a uma situação de *bullying*. Aquilo aconteceu na sala de aula, em um jogo ou em uma festa? Qualquer que seja a situação, apenas observe os diferentes aspectos da memória e veja se algum tentáculo daquela experiência está envolvendo o seu presente. Ou seja, será que você tem, no presente, algum problema com autoridade ou com certos tipos de pessoas, dificuldades para falar em público, aprender, representar ou desconforto em participar de um grupo? Observe se você tem algum problema que pode ter como origem aquele acontecimento no passado. Que aspectos daquela memória não processada podem ser responsáveis pelas restrições que você sente agora? Talvez você queira anotá-los para uso futuro.

Por outro lado, alguns de vocês, ao se recordarem daquela antiga experiência, pensaram: "Nossa, ela não deveria ter sido professora!", ou então, com um sorriso: "Eu não era mesmo fácil!". Em outras palavras, um comentário adulto veio junto com a lembrança, e não houve qualquer sensação especial no seu corpo ao pensar no incidente. Poderíamos dizer que a experiência foi totalmente processada e não contém mais as emoções, as reações físicas e as crenças negativas que você tinha naquela ocasião. Você pode lembrar-se de ter ficado chateado naquela época, mas não se sente assim agora. A memória processada foi integrada ao resto de suas redes de memórias e agora você tem uma resposta adulta apropriada diante de algo que acontecera na infância. Consequentemente, não deve

haver nenhuma característica disfuncional, no seu presente, originária daquele incidente, porque o que é inútil - as emoções, sensações e crenças negativas - já foi descartado.

Por que alguns reagem dessa maneira apropriada e outros não? Basicamente, é uma questão de sorte. Talvez o barulho de um caminhão o tenha acordado na noite anterior e você estava tão cansado que ficou com uma impressão negativa do incidente. Quem sabe suas experiências anteriores na infância formaram uma base suficientemente positiva, evitando assim que você tivesse sido afetado. Ou ainda, quando aquilo aconteceu, um amigo veio, abraçou-o e disse: "Tudo vai ficar bem". Há um momento, uma janela de oportunidade, logo depois do acontecimento, permitindo que uma ligação positiva seja estabelecida, de forma que ele possa ser completamente processado. Talvez tenha sido a genética. Há fraquezas respiratórias e cardíacas, bem como graus diferentes de sensibilidade diante de situações de estresse que são capazes de sobrecarregar o sistema de processamento do cérebro. Porém, isso realmente não importa. Não há culpados nessa situação.

Independentemente do motivo pelo qual a memória não foi processada, é importante ter em mente que não há nenhum estigma ligado a ela. Você não pediu para ter aquela experiência perturbadora armazenada de forma negativa no cérebro quando era criança. E você não pediu pelos efeitos negativos posteriores de qualquer coisa que tenha acontecido. O fato de um acontecimento não se enquadrar em algo que um adulto consideraria como "horrendo" não importa. Se você lembrar-se novamente daquela humilhação no passado, constatará que foi apenas um evento comum. Todos vivem acontecimentos desse tipo, e, no entanto, para alguns de nós, eles têm um efeito negativo duradouro. A razão é que, mesmo que possa parecer algo sem importância na perspectiva de um adulto, para a criança o incidente não foi irrelevante, foi terrível. Ser humilhado na escola fundamental pode ser o equivalente, do ponto de vista da evolução, a ser banido do bando; e nesse ponto a pessoa desenvolve medo de sobrevivência - exclusão significa potencialmente morte. Muitas experiências na infância estão conectadas com o medo de sobrevivência - não ser amado, morte. Não ser querido, morte. Não ser aceito, morte. Todos esses medos de sobrevivência surgem automaticamente e podem sobrecarregar o sistema de processamento. Basicamente, essa é a maneira pela qual as experiências negativas podem ser armazenadas. Não importa então que seja ou não algo que um adulto enxergaria como um trauma. Caso a experiência tenha tido um impacto negativo na infância, pode ser a causa de problemas no presente.

A Cobra Escondida No Arbusto

É importante lembrar que não devemos ser definidos pelas nossas memórias não processadas, apesar de elas existirem e constituírem a base de muitas reações e traços negativos. Quando nos referimos a processamento, queremos dizer que acontecimentos perturbadores têm a capacidade de ligarem-se em nossas redes de memórias de forma adaptativa/positiva. Dessa forma, a humilhação na escola fundamental liga-se a memórias de outros amigos que foram ridicularizados ou ignorados, e percebemos que não os depreciamos por causa disso. Ou percebemos que aquela tal professora realmente não deveria nunca ter lecionado, comparando-a com outras que conhecemos. Ou que aqueles que praticavam *bullying* eram cruéis e nós não queremos ser como eles. Sentimo-nos melhor a respeito de nós mesmos porque tivemos boas experiências, bons amigos, e a memória da humilhação liga-se a tudo isso. Mas, quando o acontecimento é muito perturbador, ele é armazenado de uma maneira que não permite a sua ligação a algo mais adaptativo - apesar de a informação adaptativa existir em nosso cérebro.

Por exemplo, é claro que os ex-combatentes da Guerra do Vietnã que ainda se atiram ao chão para se protegerem ou estão enfurecidos já tiveram experiências positivas em suas vidas. Eles leram livros de autoajuda e participaram de alguma terapia de grupo. Todas essas coisas aconteceram e também encontram-se armazenadas em seus cérebros. Eles podem funcionar bem em certas circunstâncias, mas não em outras. Podem ser amorosos com suas famílias em um momento, baseados em suas memórias positivas, mas ficar enfurecidos no momento seguinte, porque alguma coisa disparou as memórias negativas. As duas redes de memórias não conseguiram se ligar. Mas nunca é tarde demais.

Exploraremos esses tipos de acontecimentos e sintomas mais graves no Capítulo 6. Entretanto, apenas para ilustrar o que quero dizer, darei um exemplo. Recentemente, uma senhora de 80 anos pediu que seu terapeuta entrasse em contato comigo. Ela passou a infância no Japão, durante a Segunda Guerra Mundial, e buscou terapia, queixando-se de depressão e ansiedade. Seu marido tinha perdido grande parte da audição e seus berros, juntamente com a televisão no volume máximo, estavam disparando algo dentro dela. Não é necessário dizer que havia graves questões por trás de tudo aquilo. Quando ela tinha apenas três anos de idade, sua mãe abandonou a família. Um dia, enquanto estava na escola, seu pai foi levado pelo exército japonês e nunca mais voltou. Ela sobreviveu aos bombardeios e foi estuprada. Imagine todas as dificuldades que enfrentou! Depois de poucas semanas de tratamento, sua vida mudou. Ela contou ao seu terapeuta: "Pela primeira vez na minha vida, eu me sinto livre". Mesmo aos 80 anos de idade, seu cérebro foi capaz de digerir e armazenar apropriadamente a informação

não processada que havia ficado aprisionada nas últimas sete décadas. Novamente a mensagem nesse caso é: nunca é tarde demais.

O essencial é ter em mente que ninguém está imune à possibilidade de inconscientemente ter memórias não processadas. Talvez olhando à sua volta, você tenha a impressão de que os outros têm mais sucesso na vida do que você. Mas isso pode ser apenas a superfície. Algumas vezes alguém pode ser extremamente bem-sucedido no mundo por causa de experiências adaptativas positivas, apesar de possuir uma terrível imagem de si próprio devido a acontecimentos não processados.

Por exemplo, Samuel era um padre de 60 anos de idade que estava prestes a se tornar o presidente de uma organização de caridade de grande prestígio. Infelizmente, apesar de ser uma pessoa muito capaz, ele sempre tinha lutado contra baixa autoestima, vergonha e ansiedade. Samuel queria livrar-se desses sentimentos, porque sabia que eles seriam prejudiciais à sua nova posição.

Na fase de levantamento da história clínica na terapia de EMDR, ficou claro que as suas memórias de infância e situações vividas já na fase adulta relacionavam-se a sentimentos e crenças desconfortáveis, tais como: "eu sou um tolo", "eu sou inadequado", "eu não sou confiável" ou ainda "eu sou inferior". Durante as sessões de processamento de EMDR, ele acessou um grande número de memórias da infância que incluíam: sentir-se esquisito em um restaurante, sentir-se intimidado no campo de beisebol e enfrentar problemas na aula de latim. A seguir, a memória maior veio à tona. Era uma memória de infância de seu pai enraivecido, atirando comida e ameaçando sua mãe, totalmente fora de controle. Samuel viu a si mesmo protegendo-se perto do aquecedor. Ele não conseguiu ajudar a sua mãe e sentiu-se completamente inadequado.

O acontecimento estabeleceu a base para os problemas posteriores com seus colegas. Os sintomas desapareceram depois que as emoções, as sensações físicas e as crenças associadas às memórias transformaram-se durante o processamento com EMDR. Samuel chegou à conclusão de que era um "adulto de valor", e foi então capaz de aceitar sua nova posição e exercer suas funções sem o sentimento ou de inadequação e ansiedade que sentia anteriormente. As experiências positivas que tivera em sua vida estavam agora claramente definindo quem ele era, como reagia e o que escolhia fazer.

Mas, às vezes, as pessoas podem achar que suas vidas estão completamente nos trilhos certos e não têm ideia de como uma de suas memórias não processadas está comandando o seu espetáculo. Elas não sabem de nada até que a memória surge para dar o bote. Esse foi o problema de Paul, um homem de negócios de origem europeia, que começou a terapia quanto estava na faixa dos 40 anos. Pela primeira vez na vida, ele estava sofrendo de depressão e ansiedade (dificuldade em

relaxar, concentrar-se e dormir), que estavam afetando sua produtividade e sua relação com a esposa e filhos. Até então ele considerava ter uma vida boa. Ele alcançara sucesso no trabalho, ganhara muito dinheiro e sua família possuía tudo o que precisava. Basicamente, ele havia alcançado tudo o que tinha se proposto a atingir. Mas o que estava causando a depressão e a ansiedade parecia óbvio para ele, pois havia recentemente perdido quase todos os recursos investidos, devido a uma combinação de dois fatores: uma crise na economia e uma traição de um colega. José, um colega no qual ele confiara, havia dado o calote em alguns empréstimos que eles haviam feito em parceria. Depois ele sumiu, e recusava-se a atender os telefonemas de Paul.

Em uma perspectiva superficial, a depressão de Paul certamente parecia fazer sentido. Ele havia acumulado investimentos por muitos anos, para a educação de seus filhos e a aposentadoria do casal. Até então, desfrutara de uma relação bem próxima e saudável com sua esposa e filhos, e eles tinham um bom círculo de amizade. Orgulhava-se de cuidar de sua família e a atender suas necessidades. Entretanto, algumas bandeiras vermelhas apareceram durante a fase de levantamento da história clínica. Paul descreveu sua infância como sendo muito feliz até a idade de aproximadamente sete anos, quando o seu pai se tornou dependente de álcool, perdeu o emprego e a família ficou pobre. Ele insistia, durante esse levantamento, que sua perturbação estava relacionada à situação financeira atual e não às dificuldades da infância. Acreditava ter aprendido com elas e superado a questão. Contudo, somente para ter certeza, é melhor explorar todas as possibilidades. Será que é o clima ou é o tempo?

Paul e seu terapeuta usaram a técnica que iremos aprender no próximo capítulo e identificaram as "Memórias-Chave" - os acontecimentos mais distantes lembrados que podem estar causando problemas no presente. Uma das "Memórias-Chave" de Paul incluía uma experiência na qual, com a idade de oito anos, ele fora deixado para trás em um evento familiar. Sua crença negativa a partir do episódio era: "eu não sou importante". Quando essa memória foi processada, *várias* experiências de sua vida emergiram, nas quais ele procurava a aprovação de outras pessoas, particularmente de outros homens. No decorrer do reprocessamento, ele percebeu que suas dificuldades quando era adolescente e jovem adulto - baixa autoestima, relacionamentos ruins com outras pessoas e abuso de drogas - estavam diretamente relacionadas as suas experiências mais antigas com o pai alcoólatra. Naquele ponto, Paul notou que suas experiências da infância haviam afetado toda a sua vida, particularmente o relacionamento com o colega que o enganara. Ele havia tentado ajudar José a começar a carreira de negócios, e agora percebia que tinha ignorado a confiabilidade questionável do colega e sua ética de

trabalho. Basicamente, ele tentou estabelecer uma relação de mentor com o colega, como a que ele tanto desejara ter quando era mais jovem.

O pai de Paul estava quase sempre ausente e, quando ficava em casa, estava alcoolizado. Ele costumava maltratar a esposa - e o filho não conseguia se manifestar, com medo da ira paterna e das agressões físicas. Apesar de Paul ser um bom jogador de futebol, o pai nunca assistiu a nenhum de seus jogos. Ele nunca se sentiu bom o suficiente para conquistar a aprovação do pai. Basicamente, o pai ora tinha raiva dele, ora o ignorava. Então esse padrão de relacionamento forneceu a base para a "cobra" que o mordeu quando ele tentara dar ao colega mais novo o apoio que nunca tivera. Não se trata de uma situação incomum. Todos nós estamos sujeitos a reações que os pesquisadores denominam "efeito halo": vemos um traço de personalidade em alguém que nós gostamos e automaticamente atribuímos àquela pessoa todos os tipos de outras boas características que ela talvez não possua. Por exemplo, podemos gostar do senso de humor de alguém e pensar que a pessoa também compartilha nossa visão política. Ou podemos ser levados a pensar que alguém que tenha como profissão ajudar outras pessoas terá os mesmos objetivos humanitários que nós possuímos. Essas são nossas associações automáticas, e, assim como "violetas são azuis", elas talvez não tenham nenhum fundamento.

Às vezes as associações são inofensivas, mas outras originam-se de memórias que nos cegam. Paul viu um homem jovem que o lembrou de sua própria infância, e quis ajudá-lo. As similaridades também impediram-no de perceber todos os traços negativos da personalidade de José - fazendo-o acreditar que o colega merecia ser ajudado. Infelizmente, José também tinha sido prejudicado pela sua própria infância. No entanto, as memórias não processadas nos afetam de maneiras diferentes - e, diferentemente de Paul, José não era confiável. Quando as memórias que Paul tinha de seu pai e da traição de José foram processadas, foi como se tudo de repente ocupasse seu devido lugar e ele lembrou-se de todas as coisas que havia perdoado ou ignorado. Essas vendas nos olhos causadas pelas suas memórias não processadas são as razões pelas quais muitos casais sentem-se atraídos por relacionamentos doentios. Nós exploraremos mais profundamente a questão no Capítulo 8.

A depressão profunda sentida por Paul era também explicada pelas suas experiências da infância. O alcoolismo de seu pai fez a família cair na pobreza. Para ele, o seu pai tinha "perdido a integridade" e "não tinha colocado a sua família em primeiro lugar". Logo, Paul se comprometera a agir de maneira diferente, oferecendo segurança financeira à família e sendo um bom marido e pai. Mas, agora, as suas perdas financeiras tinham o deixado arrasado, porque ele sentia que seria incapaz de sustentar sua família - exatamente como o seu pai.

Assim, ao tentar ser diferente do pai fracassado, Paul havia se tornado um cidadão exemplar, acumulado riqueza, e feito o melhor para oferecer apoio à sua família. Todas essas eram características maravilhosas. Mas, bem escondidos da visão, estavam os tentáculos das memórias não processadas, que permitiram que ele confiasse em alguém que iria traí-lo - e que ele se sentisse totalmente devastado quando sua situação financeira entrou em colapso. Entretanto, depois de processar as memórias das atitudes de seu pai - assim como os seus sentimentos de ter traído a confiança da própria família - sua depressão foi controlada. Ele percebeu que já havia acumulado riqueza com sucesso antes e que tinha talento suficiente para conseguir de novo a mesma proeza. Mas agora ele poderia fazer isso sem vendas nos olhos.

Um outro ponto a ser levado em consideração é que, ao identificarmos e eliminarmos "a cobra atrás do arbusto", ela não aparecerá mais para dar o bote. Claro que há vários caminhos alternativos quando decidimos que precisamos de ajuda para vencer uma depressão. Um caminho que as pessoas normalmente escolhem é o dos medicamentos. Contudo, seria aconselhável tentar a psicoterapia primeiro para verificar a verdadeira necessidade de medicação. Apesar de os antidepressivos serem certamente úteis em certas condições físicas, talvez eles não sejam a melhor opção em outras circunstâncias. Além dos efeitos colaterais, há estudos que indicam a possível volta dos sintomas quando a medicação é suspensa. Por exemplo, um estudo publicado na revista *Journal of Clinical Psychiatry* (Revista de Psiquiatria Clínica) considerou a terapia de EMDR superior ao Prozac no combate a sintomas de trauma e depressão. No estudo com dois grupos, cada um foi tratado por um dos métodos. Depois de oito semanas, o tratamento foi interrompido e pessoas que participaram do grupo tratado com antidepressivos começaram a apresentar recaídas, enquanto membros do grupo de EMDR continuaram a progredir. Os antidepressivos ajudavam na mudança do "estado mental", mas o processo era revertido assim que a medicação era suspendida. Por sua vez, a terapia de EMDR eliminou a causa da depressão. Em última instância, o que nós desejamos é uma mudança no "clima", e não apenas no "tempo".

No Piloto Automático

Como a esta altura você já deve ter percebido, os relatos de casos neste livro mostram como as memórias inconscientes governam nossas respostas ao mundo em nossa volta. Como Samuel, Paul e Nancy, não importa o quão religioso, rico ou inteligente você seja - ninguém está imune. Toda associação que fazemos é baseada em nossas redes de memória - seja ela boa ou ruim. O primeiro passo para qualquer um de nós é reconhecer quais são as reações negativas que temos no presente. Em seguida, podemos usar umas das técnicas de autocontrole que nós já

aprendemos, ou outras que serão descritas nos próximos capítulos, para lidar com nossas reações. Isso significa que precisamos nos monitorar para perceber quando estamos fora de equilíbrio.

Infelizmente, isso nem sempre é fácil, porque geralmente estamos com o piloto automático ligado. Com isso eu quero dizer que frequentemente andamos pelo mundo apenas reagindo a sentimentos, pensamentos ou sensações interiores e a situações externas. Podemos planejar fazer alguma coisa, mas nossa vida interior assume as rédeas e nossa atenção é desviada. Para explorar essa reação, sugerimos um outro exercício: proponha-se a, pelo resto do dia, somente entrar ou sair de um aposento cruzando o patamar da porta com o pé esquerdo. Escreva o seu plano em um papel e ponha-o na mesinha ao lado de sua cama para que seja a última coisa que você veja de noite. Depois, antes de dormir, pense em quantas vezes você agiu conforme planejado. Caso se comporte como a maioria das pessoas, você provavelmente irá se esquecer da sua intenção mais vezes do que se lembrar. Isso ocorre porque as associações de nosso mundo interior tornam-se mais imediatas, mais imperiosas do que lembrar de monitorar o nosso corpo e fazer alguma coisa de forma diferente.

Um objetivo deste livro é identificar as memórias não processadas que podem estar nos controlando, para ficarmos mais conscientes de quais reações estão sendo disparadas e quando isso acontece. Com o uso das técnicas de autocontrole, você pode perceber o quanto consegue atingir sozinho, e também quando você precisará de ajuda. Portanto, depois de um pouco mais de preparação, no próximo capítulo começaremos a identificar algumas das memórias que podem estar na raiz das reações perturbadoras que você já identificou, ou outras que podem estar à espera para dar o bote na hora certa, quando as circunstâncias forem favoráveis.

Por enquanto, é recomendável que você comece a praticar diariamente as técnicas de autocontrole que já aprendeu. Lembre-se de praticar a técnica do Lugar Seguro/Tranquilo todos os dias para consolidá-la, assim, quando você se sentir perturbado, poderá resgatar sentimentos positivos. Se sua mente não vagar para algo negativo, use os toques bilaterais nas coxas ou o Abraço de Borboleta para aumentar as emoções e sensações positivas. Você também pode usar a Mudança de Respiração para acalmar-se quando estiver estressado, bem como a técnica do Personagem de Desenho Animado para lidar com a sua voz interior negativa; ou use a Mangueira de Água ou a Borracha para lidar com imagens negativas persistentes. Todas essas ferramentas podem ajudá-lo a lembrar-se de que você é capaz de controlar seu corpo e sua mente. À medida que explorar seus próprios processos inconscientes, você perceberá que compreender a razão das coisas estarem acontecendo pode ajudar ainda mais.

Capítulo 4: O Que Está Comandando O Seu Espetáculo?

A maioria das pessoas que procura terapia tem um mistério a ser resolvido. Em mais de vinte anos de trabalho na área da psicologia clínica, nunca tive um paciente que tenha pedido ajuda por razões como: "Meu pai não me amava". As pessoas buscam o auxílio da terapia devido a algo no presente. Basicamente, elas estão fazendo, sentindo ou pensando em alguma coisa que sabem ser destrutiva, mas não conseguem parar. A maioria das pessoas acredita que, mesmo se tivessem tido uma infância infeliz, muito tempo já se passou e isso *deveria ser* irrelevante. Mas é esse "deveria" que piora ainda mais o quadro, porque acreditar que "eu deveria estar fazendo, sentindo ou pensando de forma diferente" deixa as pessoas sentindo-se ainda mais fracassadas e aumenta qualquer visão negativa que elas tenham de si próprias.

Tudo Está Trancado na Caixa

Um problema que observamos, em geral, é que a maioria das pessoas vê o passado como uma mera "experiência de aprendizado". Elas pensam: "Alguma coisa aconteceu, então eu aprendi a agir ou a me sentir de certa forma. Mas isso foi há muito tempo e agora estou mais velho e maduro e sei que não é a coisa certa a fazer - então por que eu não consigo agir de outra maneira? Deve haver algo de errado comigo".

Precisamos ter em mente que, mesmo que algo possa estar errado, isso não necessariamente define o que somos. Significa apenas que certamente existem memórias não processadas, fisiologicamente armazenadas no nosso cérebro, contendo as emoções e sensações físicas presentes na época do acontecimento. Por essas memórias não terem sido processadas, elas continuam gerando pensamentos e sentimentos negativos toda vez que são disparadas. Por esse motivo, pode ser que você veja alguns amigos muito bem-sucedidos, de repente, começarem a falar e agir como crianças quando estão ao telefone com um membro da família. Você pode até perceber suas expressões faciais e posturas modificarem-se à medida que começam a se sentir mais vulneráveis ao conversarem com os pais ou com irmãos mais velhos. As emoções, pensamentos e sensações físicas que surgem podem tomar conta do espetáculo se não fizermos nada a

respeito. *"Eu não sou capaz o suficiente. Eu vou me magoar. Eu não consigo ser bem-sucedido"*. Tais são os tipos de sentimentos que podem sempre reaparecer. Neste capítulo, começaremos a explorar quais memórias podem imobilizá-lo e forçá-lo a ter reações indesejadas.

Gostaria de enfatizar que a genética, assim como as situações atuais que precisam ser enfrentadas, podem certamente estar também envolvidas nessa questão. É possível que a maneira com que o nosso cérebro funciona, determinado pela carga genética, nos torne mais ou menos suscetíveis ao impacto de diferentes acontecimentos. Nossos genes também podem nos predispor a desenvolver diferentes transtornos mentais se determinadas condições são satisfeitas. Entretanto, mesmo nesses casos, é necessário que uma experiência de vida precipite os sintomas, ao passo que outros tipos de experiência talvez nos ajudem a combatê-los. Nós não temos o poder de mudar a genética, mas podemos focalizar diretamente nossas experiências de vida.

Ao trabalhar com milhões de pessoas, constatamos, na terapia de EMDR, que a causa principal das reações perturbadoras e fora de controle são as experiências armazenadas no cérebro como memórias não processadas. Memórias que foram processadas naturalmente, ou com a assistência de um terapeuta, são transformadas em experiências de aprendizado de forma que as emoções, crenças e sensações físicas perturbadoras não mais permaneçam em nossas redes de memória. Dessa maneira, os acontecimentos que queremos acessar - os que são "quentes" ou negativos - podem ser um evento isolado como um trauma grave que provocaria um TEPT; ou podem ser eventos corriqueiros da infância como: ser vítima de *bullying* ou de gozação, cair da bicicleta, ouvir os pais discutirem, descobrir que um amigo o traiu, ser rejeitada pelo namorado, não ser convidado para uma festa, e a lista continua. Sejam quais forem os acontecimentos negativos, se estiverem armazenados e ainda *"quentes"*, podem acarretar um efeito negativo no presente.

Também é importante ressaltar que às vezes o que está causando um problema é algo que *não* aconteceu. Por exemplo, ter sido negligenciado pela família ou ter um pai ou mãe indisponível em determinado momento, na maioria das vezes, ou apenas durante uma tempestade, pode ser um ponto altamente sensível. Crianças choram automaticamente porque estão programadas para pedir ajuda e ser atendidas por um protetor. Caso contrário, a experiência pode facilmente ficar trancada no cérebro da criança como uma memória não processada. Isso explica porque muitas pessoas da geração do *"baby boom"*[1] às vezes têm uma sensação de desespero que talvez não

faça sentido algum. Imagine quantas crianças foram deixadas sozinhas chorando e com fome no escuro porque havia "regras" para ditar a frequência com que elas deveriam ser alimentadas.

Quando praticamos a terapia de EMDR, a avaliação tem início assim que a pessoa entra no consultório. O terapeuta, basicamente, pensa no problema como se ele fosse uma caixa com a tampa parafusada e o paciente estivesse trancado dentro dela. Então, o que fazer com a caixa? Você pode usar um martelo ou tentar forçar a tampa para abrir a caixa. Mas o melhor método é procurar os parafusos que precisam ser afrouxados para levantar a tampa. E é isso que começaremos a fazer neste capítulo. Quais são as memórias específicas que estão na base de seus problemas?

Será Que É Sempre Sobre A Infância?

Antes de começarmos, é preciso deixar claro que cada um de nós é um indivíduo único, e nem tudo se origina nas memórias da infância. Apesar de pesquisas comprovarem que acontecimentos mais antigos têm a capacidade de nos tornar vulneráveis a problemas posteriores, algumas vezes uma situação recente, por ser tão terrível, pode nos desequilibrar completamente. Como exemplo, descreverei a situação de Antônio, um dos primeiros veteranos da guerra do Vietnã com quem trabalhei. Antônio tinha ficado muito isolado depois do retorno do Vietnã, que acontecera havia mais de uma década. Ele tinha ido morar em uma floresta e, como eu oferecia terapia gratuita, decidiu vir ao consultório mesmo que, como descreveu: "Eu pensei, o que tenho a perder? Eu não espero que funcione. Mas, sabe de uma coisa, por que não?"

Antônio buscou terapia porque estava sofrendo com frequentes ataques de pânico. Toda vez que ouvia um avião passar, atirava-se no chão para proteger-se. Esse grave nível de reação pode manifestar-se em alguns pacientes portadores de TEPT. Pareceu-me, ao tomar ciência da história, que havia uma questão maior de controle embutida no caso. Ele tentava de toda maneira manter o controle da situação, e, quando sentia que o estava perdendo, o pânico dominava-o. Eu sugeri então que explorássemos o sentimento de perda de controle por meio do processamento da memória que, para ele, melhor representasse esse sentimento. Diante da proposta, Antônio respondeu-me: "Ok, está bem. Não tenho nada a perder mesmo". Ele não esperava que qualquer coisa funcionasse mesmo. Antônio não queria conversar sobre nada que tinha vivenciado no Vietnã, mas dispunha-se a lidar com a memória do episódio em que sua mulher havia

[1] NT : Crianças nascidas no período pós-guerra, entre 1945 e 1964 nos Estados Unidos

sido responsável pela sua prisão. Certa noite ela embebedou-o, expulsou-o do trailer e chamou a polícia. Ele foi preso por dirigir alcoolizado quando tentava ir embora de carro. Essa experiência definitivamente representava seu sentimento de falta de controle.

Depois de processar aquela memória, e outra relacionada com um encontro sexual fracassado, Antônio alegou que não podia estar no controle da situação porque, em suas palavras: "vou provavelmente fracassar como em tudo que já fiz". Mas, naquele momento, ele estava disposto a falar sobre uma memória do Vietnã.

Ele é um socorrista e sua unidade não tem mais estoque de plasma sanguíneo - então ele é mandado pelo oficial no comando a outra unidade para buscar mais suprimento. Ele atravessa correndo o campo de batalha, pega o material, começa a correr de volta, uma bomba explode e ele perde os sentidos. Antônio acorda sem ter ideia de quanto tempo ficara desacordado, com os dois braços deslocados. Então abaixa-se, pega a bolsa de plasma com os dentes e volta correndo para sua unidade. Ao chegar lá, joga a bolsa no chão e seu superior corre em sua direção e fala: "Parabéns, você acabou de matar dois homens." - por causa do longo período de tempo que ele estivera ausente.

Juntos, começamos a processar essa memória envolvendo o comandante e a questão de autoridade - e como essa memória se ligava à pessoa de seu pai. Depois de processar a memória para que ela não o perturbasse mais, ele começou a pensar da seguinte forma: "posso facilmente estar no controle". Quando verifiquei seu estado no mês seguinte, ele relatou que os ataques de pânico haviam acabado. Só depois de três dias, percebera que, quando um avião voava sobre sua cabeça, seu pensamento era: "Por que eles ao menos não somem daqui?", em vez de atirar-se ao chão para proteger-se.

Como geralmente acontece, as mudanças após o processamento foram automáticas, sem que Antônio tivesse tomado consciência delas em um primeiro momento. Suas reações de pânico tinham sido acionadas devido às informações não processadas armazenadas de forma inadequada. Durante o processamento, as memórias saíram de um estado de "aprisionadas" para se tornarem uma experiência de aprendizado. Agora elas passaram a estar armazenadas adequadamente no cérebro, como base para as suas novas reações saudáveis.

O ponto essencial é que, apesar de já ter problemas com autoridade decorrentes de sua relação com o pai, foi aquela experiência horrenda de guerra, armazenada em suas redes de memória, que estava diretamente relacionada aos ataques de pânico. Ele fora para guerra como um agente de saúde e sua aspiração era auxiliar no alívio da dor e do sofrimento. Provavelmente, qualquer um teria problemas ao passar pelas mesmas circunstâncias: ser comunicado que havia matado seus

companheiros de guerra, mesmo tendo feito tudo que estava ao seu alcance para ajudar - passou por dor e por exaustão depois de ter deslocado os dois braços e perdido a consciência. Mas a questão é: por quanto tempo os problemas permaneceram? Se eles não desaparecerem por si mesmos, com o passar do tempo, eles merecem mais atenção.

Encontrando As Memórias - Chave

Como já foi mostrado antes, a maioria dos sintomas, características negativas, emoções e crenças perturbadoras crônicas são causadas por memórias que se encontram armazenadas no cérebro sem processamento. Para que uma experiência atual faça sentido, as sensações (o que é visto, ouvido e sentido) têm que se ligar à nossas redes de memórias já existentes. Quando uma memória não processada é acionada por alguma semelhança com a situação atual, nós vemos o mundo de maneira distorcida, uma vez que essa memória contém emoções, crenças e sensações de uma época passada. Mesmo que tenhamos 30, 40, 50, 60 anos de idade, ou mais, é como se estivéssemos segurando a mão de nós mesmos quando éramos crianças, e essa criança está nos dizendo o que fazer.

Na terapia de EMDR, a memória não processada mais antiga que estabelece a base para um problema específico é chamada de "Memória-Chave". Neste capítulo, você poderá começar a trabalhar algumas de suas áreas problemáticas e as memórias subjacentes a elas associadas. Dessa forma, como percepções perturbadoras da infância podem surgir quando a "Memória-Chave" não processada é disparada, antes do iniciar nossa exploração, precisamos ter certeza de podermos usar as técnicas de autocontrole aprendidas no capítulo anterior. Por favor, certifique-se de que você as testou. Nós usaremos uma escala de perturbação emocional de 0-10, largamente utilizada em psicologia clínica e em pesquisas. Ela é chamada de escala de Unidades Subjetivas de Perturbação (em inglês SUD - *Subjective Units of Distress*). De agora em diante, se eu pedir para você anotar o grau de SUD, refiro-me a como você se sente em uma escala de 0 (nenhuma perturbação) a 10 (perturbação máxima).

Agora faça uma pausa, pense em alguma coisa que o aborreça em um grau de 4-5 (dentro de uma escala de 0 a 10) e, em seguida, use a técnica de Mudança de Respiração para trazer de volta o seu Lugar Seguro/Tranquilo. Se os sentimentos negativos forem embora, você pode continuar com os exercícios deste capítulo, porque isso indica que você será capaz de usar as técnicas para lidar com qualquer perturbação que surja. Geralmente respirar fundo algumas vezes e, se necessário, pensar em uma imagem positiva ou em seu Lugar Seguro/Tranquilo bastará para limpar a sua mente. No entanto, lembre-se de tomar cuidado com o que mencionei anteriormente: se você já estiver em processo de terapia devido

a um transtorno complexo, ou se achar que possa ter um, por favor, não faça os exercícios de recuperação de memória. Nesse caso, a exploração pessoal é melhor quando feita sob a tutela de um terapeuta, e este livro deve ser usado apenas como fonte de informação genérica.

Há geralmente entre dez a vinte memórias não processadas que são responsáveis por grande parte da dor e do sofrimento em nossas vidas. Essas memórias contêm as emoções, percepções e sensações físicas que você vivenciou na época do acontecimento original. Apesar de ser possível que a imagem do acontecimento não o incomode no presente, como geralmente seria o caso se você sofresse de TEPT, o diálogo interno negativo que possa ocorrer está diretamente relacionado com a perspectiva que você tinha na ocasião da experiência negativa. O nó no estômago, o aperto no peito, os sentimentos de medo, vergonha ou impotência estão todos diretamente relacionados com o acontecimento no passado. Os dois exercícios seguintes podem ajudar a identificar algumas dessas experiências passadas que constituem a base de seus problemas.

Nós exploraremos diferentes aspectos da vida ao longo de cada um dos capítulos. Logo, se você quiser registrar o que irá descobrir, use um bloco para anotar suas reações.

Começando com Acontecimentos Recentes

Como em qualquer outra terapia, o EMDR começa com o paciente identificando as circunstâncias perturbadoras atuais. Se, para a solução do problema, for necessário apenas que o paciente colha algumas informações ou identifique as etapas para resolver uma situação complicada, então o desconforto irá desaparecer rapidamente. Em muitos casos, tanto em sessões de terapia como na vida, o processamento pode ocorrer naturalmente por meio de leitura ou de conversa com o intuito de estabelecer as conexões apropriadas. É assim que todo o aprendizado acontece: estabelecendo as conexões necessárias entre redes de memória.

Porém, quando os sintomas não se modificam dessa forma, geralmente torna-se necessário um tratamento mais direcionado. É importante começar a reconhecer quando se trata de uma memória não processada, uma vez que a maneira como ela está armazenada impede que novos aprendizados ocorram. Nesse sentido, quando você pensa nas coisas que o perturbaram recentemente, elas são do tipo que podem ser tratadas apenas adquirindo mais informações ou executando uma ação específica que você sabe que irá eliminá-las? Ou seria essa reação perturbadora que você está sentindo apenas o exemplo mais recente de uma longa lista de reações semelhantes?

Talvez as razões que você atribui à sua reação pareçam razoáveis, tais como: "Eu sempre fico extremamente irritado no trabalho com alguém incompetente. Afinal de contas, as pessoas devem fazer bem o seu

trabalho, assim como eu!". Mas essas situações surgem todo o tempo em nossas vidas. Se você olhar para o seu ambiente de trabalho, notará que outras pessoas não ficam tão irritadas quanto você. Porque será? Para um dos meus pacientes, a causa era sua experiência como soldado na Guerra do Vietnã: se alguém era incompetente, significava que pessoas iriam morrer. Durante o processamento com EMDR, ele percebeu que: "Ninguém está morrendo. É só um punhado de computadores e não há nada que seja irreversível". Para outro paciente, a fonte do problema acabou por ser uma humilhação na sala de aula, quando um colega em quem confiara atrapalhou a avaliação de um trabalho de grupo.

Se você identificar alguma coisa que o tenha aborrecido recentemente e ela contiver uma perturbação que frequentemente o leve a perder o controle, procuraremos então a Memória-Chave. Como as suas percepções atuais estão ligadas a uma rede de memória, se esta última contiver uma experiência não processada, as emoções e sensações físicas perturbadoras nela embutidas poderão vir à tona. Assim, quaisquer que sejam os seus sentimentos, eles irão distorcer sua percepção do evento no presente. Nesses casos, podemos dizer que a situação atual dispara novamente a antiga perturbação.

Para manter um registro sistemático do que você encontrar, seria aconselhável intitular a primeira página de seu bloco de anotações de Lista de Memórias-Chave e depois dividir a página ao meio com uma linha. A primeira coluna seria chamada de "Acontecimentos Recentes" e a segunda de "Memórias".

Para começar, identifique algumas situações que o tenham chateado recentemente ou que ainda o incomodem. Poderia ser uma situação na qual você sabe que reagiu de forma exagerada, mas foi assim que você se sentiu emocionalmente naquela ocasião. Em alguns casos, você pode achar seu comportamento justificado. Em outros casos, você imaginou que um problema poderia ocorrer caso fizesse ou não alguma coisa. Em uma escala SUD de perturbação, onde 0 é o estágio neutro e 10 o mais perturbador que você possa imaginar, o aborrecimento recente deve estar pelo menos no grau 6. Na primeira página de seu caderno, abaixo do título "Eventos Recentes", anote uma frase curta que descreva o ocorrido. Bastam algumas palavras para que você se recorde do assunto quando retornar a ele mais tarde.

Escaneamento de Afetos

Agora siga as instruções abaixo enquanto você se concentra no evento que o aborreceu. Não deixe de usar a técnica de Mudança de Respiração ou a do Lugar Seguro/Tranquilo depois de completar o processo. Siga passo a passo o procedimento, completando todas as dez etapas. Essa técnica é chamada de "Escaneamento de afetos" porque ela se concentra principalmente na emoção e na sensação física que você está sentindo no momento. Não fique preocupado se o exercício não funcionar para você.

Nós usaremos outras técnicas para acessar as memórias antigas à medida que seguirmos adiante. Leia as etapas de 1 a 5 antes de iniciar, e decida se será necessário anotar algumas das respostas para tornar as coisas mais fáceis para você.

1. Quando você pensa no incidente, qual é a parte mais perturbadora?
2. Que imagem na sua memória representa a pior parte do acontecimento? Como por exemplo, a maneira que a pessoa aparentava, ou o que eles disseram, ou quando a pessoa foi embora. Se não houver uma imagem que represente o incidente ou se você estava antecipando um problema, apenas pense na pior parte dele.
3. Quando você se concentra na imagem ou incidente, quais são as emoções que surgem?
4. Onde, no seu corpo, você sente a perturbação?
5. Que pensamentos negativos também são ocasionados pelo acontecimento?
6. Agora retenha na mente a imagem junto com o pensamento negativo e perceba as sensações físicas em seu corpo.
7. Concentre-se nesse sentimento, deixe sua mente vagar de volta à sua infância e observe a memória mais antiga que aparece quando você se sentiu da mesma forma.
8. Em uma escala SUD (0-10), o quanto a memória antiga o mobiliza no momento?
9. Se sentir o seu corpo mudar para pior e o grau de SUD é 3 ou mais, essa memória provavelmente não foi totalmente processada. Se esse for o caso, escolha algumas poucas palavras que podem ser a sua dica para identificar a memória da infância (como exemplo, estar perdido em um *shopping center,* apanhar em um acampamento, ser ignorado pelos pais, estar sozinho no porão, ser pego roubando em sala de aula).
10. Escreva a memória ao lado do acontecimento recente, incluindo a idade que tinha quando o incidente aconteceu na coluna de Memórias, juntamente com o grau de perturbação do evento na tabela SUD

Voltando ao Estado Neutro

Certifique-se de que você está usando a técnica de Mudança de Respiração ou Lugar Seguro/Tranquilo para retornar ao estado neutro. Se a imagem da infância for perturbadora demais, você também pode imaginar que ela esteja por cima de uma lata de tinta e simplesmente misture a tinta. A técnica da Lata de Tinta pode ajudá-lo a afastar a imagem, assim como o Personagem de Desenho Animado é uma técnica

útil para lidar com o diálogo interior negativo. Ambas as técnicas são maneiras de se respirar um pouco e acessar mais facilmente o Lugar Seguro/Tranquilo.

Se o exercício tiver funcionado e você identificou uma memória passada que ainda o incomoda, aquela memória não processada provavelmente estabeleceu a base para suas reações na situação atual. Essa constatação pode levá-lo a entender melhor as forças que o conduzem. Além do mais, o fato de estar ciente de que as suas reações no presente estão sendo alimentadas pelo passado pode lhe proporcionar o distanciamento necessário para lidar com as emoções negativas quando elas surgirem. Quando perceber que o processo foi disparado, você pode voltar ao estado neutro por meio do uso de umas das técnicas que já mostramos ou de outras que mostraremos nos capítulos seguintes.

O próximo item contribuirá para o entendimento ainda maior de suas reações. No final, você estará mais apto a identificar a fonte de suas reações toda vez que achar que elas podem se tornar um problema. O objetivo final é ampliar a possibilidade de escolha sobre a maneira como nós nos sentimos e impedir que, de forma inconsciente, sejamos guiados por emoções que escapem de nosso controle.

Cognições Negativas

Usaremos um exemplo para ilustrar a próxima etapa do processo:

Jon tinha dificuldades no trabalho. Seus objetivos de vida eram modestos e ele esperava sempre fracassar. Ele tinha propensão para ter ataques de raiva e perder a cabeça em casa e no trabalho. Isso estava prejudicando tanto a sua família quanto a sua carreira.

Na terapia de EMDR, usamos o termo cognições negativas - que são tipos específicos de ideias negativas. Algumas formas de terapia confrontariam as crenças de Jon por intermédio de perguntas, exercícios escritos e sugestões sobre diferentes maneiras de se abordar o problema. Na terapia de EMDR, as crenças negativas são identificadas para se ativar e acessar as memórias que precisam de processamento. Essas cognições negativas são uma expressão verbal das emoções e pensamentos que compõem as memórias não processadas. No caso de Jon, quando ele pensava no último incidente no trabalho, sua cognição negativa era: "eu sou um fracasso".

Jon e seu terapeuta de EMDR usaram a técnica que apresentaremos neste capítulo chamada de Flutuar ao Passado, para identificar a memória que era a fonte de seu problema. Sua Memória-Chave era a de seu pai dando-lhe uma surra,

sem razão aparente, quando ele tinha quatro anos de idade. As surras continuaram até ele sair de casa com a idade de 16 anos. Ele acabou descobrindo que suas reações eram ativadas quando pessoas usavam uma expressão ou tom similar ao que seu pai usara durante toda a sua infância. O tom que algumas pessoas às vezes usavam no trabalho e em casa ligava-se às suas memórias antigas e trazia os sentimentos antigos de inadequação, de raiva e de dor - então, em resposta, ele agia agressivamente. Depois de processar a memória, seus ataques violentos pararam. O tom deixou de disparar reações negativas e seus sentimentos de fracasso também desapareceram e foram substituídos pelo pensamento positivo de que: "eu posso ser bem-sucedido".

Exploração Pessoal

Com o intuito de identificar as cognições negativas que contribuem para as suas reações, comece por trazer de novo à mente aquele acontecimento perturbador recente, o mesmo com o qual você já iniciara sua investigação no começo do capítulo. Uma cognição negativa corresponderá ao incidente - e ao acontecimento na infância que forneceu a base para sua reação negativa. Você pode chegar a uma cognição negativa por si mesmo, ou pode usar a lista de cognições negativas encontrada na página 66. A cognição negativa não é uma descrição. Logo, se suas reações forem disparadas por colegas de trabalho que continuamente atrapalham tudo, a cognição no caso não seria "eu estou sobrecarregado" e nem "ele é um incompetente", mas sim alguma coisa como: "eu sou impotente", porque essa expressão descreve melhor *seus sentimentos sobre si mesmo* em determinada situação.

Se voltarmos aos acontecimentos antigos da infância, podemos aplicar o mesmo método. A sentença "meu pai era violento" não é uma cognição negativa e sim possivelmente a descrição de um fato, como era o caso de Jon. Também uma expressão como "minha mãe não me amava" não é necessariamente uma cognição negativa e sim possivelmente uma descrição de um fato. Mas, caso seja verdade, como esse fato faz você sentir-se a respeito de si mesmo? Pode ser que a resposta seja: "eu não tenho valor", ou que você se sinta da seguinte forma: "eu não mereço ser amado". Ambas as formas de pensar são cognições negativas.

Da mesma forma, se uma vítima de estupro começa o tratamento e fala: "eu estava em perigo", isso é verdade e não é uma cognição irracional. Entretanto, se a memória do estupro não estiver processada e se a vítima se recordar do fato, os sentimentos que surgirão junto com a memória incluem o pensamento de que: "eu estou em perigo". A crença é irracional porque a paciente está salva no presente, pois está segura no consultório do terapeuta. Foi uma afirmação correta sobre o passado, mas a questão é como ela se sente agora. No final de um tratamento bem-sucedido, trazer à lembrança o estupro não deve suscitar a impressão de que: "eu não estou a

salvo". Mas a cognição negativa irracional verbaliza os sentimentos que ela experimenta no momento, no presente, e essas palavras são um sintoma. Elas são uma expressão da informação armazenada.

Assim, nós usamos as cognições negativas que sentimos no presente para identificar as memórias não processadas que estão as alimentam. Se você identificou a cognição negativa relacionada ao evento recente anotado em seu caderno, escreva-a abaixo do evento, na mesma coluna. Essa cognição negativa deve corresponder também à memória na coluna ao lado.

Logo, por exemplo, as anotações no caderno de Jon sobre o que acontecera quando ele tinha quatro anos de idade seriam:

Acontecimentos Recentes	Memórias
Gritei com Larry no trabalho	4 anos - apanhei do meu pai
Sou um fracasso	Grau SUD 8

Como Identificar As Cognições Negativas

No próximo exercício, você examinará algumas de suas possíveis crenças. Apesar de termos muitas maneiras de verbalizar nossa perturbação, geralmente elas podem ser divididas em três diferentes categorias:

- Responsabilidade (eu sou um errado ou eu fiz algo errado)
- Falta de segurança
- Falta de controle ou poder

Se pedirmos para que você olhe a lista de cognições nas páginas 66-68, você achará um número de sentenças diferentes que verbalizam as cognições negativas pertencentes a uma dessas três categorias. Por exemplo, sob a categoria "Responsabilidade", há uma grande lista de maneiras de se achar inferior: "eu não mereço ser amado", "eu não sou bom o suficiente" e outras. Apesar de realisticamente sabermos que essas cognições negativas não são verdadeiras, elas expressam a maneira como nós nos sentimos - e é o seu sentimento a respeito de si mesmo que, em última estância, controla sua vida.

Como exemplo, reflita e identifique a primeira memória negativa de sua vida. Como você era criança, certamente a memória está relacionada com o sentimento de impotência, incapacidade ou insegurança. Ou então pode ser uma mistura de todos os três. Atente-se

para a memória identificada: em que categoria ela melhor se encaixa? O sentimento de inadequação? De insegurança? De falta de controle? Poderia ser interessante observar se esses mesmos sentimentos encaixam-se nas situações do presente nas quais você reage de maneira exagerada. A lista abaixo irá enumerar esses sentimentos e atribuir palavras específicas a eles sob cada uma das três categorias. O exercício de expressar em palavras os sentimentos o ajudará a se conhecer melhor e a identificar das memórias que acarretam no presente sentimentos negativos.

Ao ler a lista, lembre-se de que as cognições negativas descrevem os sentimentos que vivenciamos durante nossos piores momentos. Em geral, elas se originaram na infância antes de podermos fazer qualquer escolha. Outras vezes, começaram porque pessoas foram cruéis ou nos trataram mal. E ainda, em outras ocasiões, elas começaram por causa de um completo mal entendido. Como no caso de um menino pequeno que parou de usar sapatos porque tinha medo deles. O terapeuta descobriu que quando sua avó morrera, seus pais lhe disseram que "sua alma tinha ido para o céu". O garotinho então pensou que a sola do seu sapato também o faria desaparecer[2].

Cognições Negativas	Cognições Positivas
Responsabilidade: sendo defeituoso	
Eu não mereço o amor	Eu mereço o amor, eu posso amar
Eu sou uma pessoa má	Eu sou uma pessoa boa
Eu sou terrível	Eu estou bem do jeito que sou
Eu não sou de nada (sou inadequado)	Eu tenho valor, eu valho a pena
Eu sou uma vergonha	Eu tenho orgulho
Eu não sou digno de ser amado	Eu sou digno de ser amado
Eu não sou bom o suficiente	Eu sou bom, eu tenho merecimento

---

[2] Em inglês a palavra *soul* - alma e *sole* - sola de sapato são pronunciadas de maneira semelhante

Eu só mereço coisas ruins	Eu mereço coisas boas
Eu estou estragado para sempre	Eu sou ou posso ser uma pessoa saudável
Eu não mereço o amor	Eu mereço o amor, eu posso amar
Eu sou feio (meu corpo é detestável)	Eu estou bem (sou atraente)
Eu não mereço...	Eu mereço...
Eu sou um imbecil (não sou inteligente suficiente)	Eu sou inteligente (sou capaz de aprender)
Eu sou insignificante (não sou importante)	Eu tenho importância
Eu sou uma decepção	Eu estou bem do jeito que eu sou
Eu mereço morrer	Eu mereço viver
Eu mereço me sentir na pior	Eu mereço ser feliz

Falta de segurança-vulnerabilidade

Eu não posso confiar em ninguém	Eu posso escolher em quem eu confio
Eu estou em perigo	Já passou, estou seguro agora
Não estou seguro	Estou seguro agora
Não é bom (seguro) sentir (mostrar) minhas emoções	Eu posso sentir (mostrar) minhas emoções com segurança

Falta de controle ou poder

Eu não tenho o controle	Eu agora tenho o controle

Eu não posso fazer nada	Agora eu tenho escolhas
Eu não posso conseguir o que quero	Eu posso conseguir o que quero
Eu não posso me defender	Eu posso defender o que quero
Eu não posso me soltar	Eu posso escolher quando quero me soltar
Eu não posso confiar em mim mesmo	Eu posso (aprender a) confiar em mim
Eu sou um fracasso (vou fracassar)	Eu posso ter sucesso
Eu não posso ter sucesso	Eu posso ter sucesso
Eu tenho que ser perfeito	Eu posso ser eu mesmo
Eu não posso lidar com a situação	Eu posso lidar com a situação
Eu não posso confiar em ninguém	Eu posso escolher em quem confiar

Inicie pensando nas três coisas que o aborreceram recentemente - ou que mais o aborreceram neste último ano - particularmente naquelas sobre as quais você tem a impressão de ter reagido de forma exagerada. Escreva-as abaixo do título Acontecimentos Recentes, deixando algumas linhas entre cada uma delas. Depois, veja a lista de Cognições Negativas. Concentre-se no primeiro incidente, veja em qual cognição negativa ele se encaixa melhor e escreva-a abaixo do acontecimento. Se você tiver a sensação ou crença de que: "a culpa é minha, eu devia ter feito alguma coisa diferente"; faça a si próprio a seguinte pergunta: "O que isso diz a respeito de mim mesmo?". Em outras palavras, o acontecimento faz você se sentir envergonhado (eu sou uma vergonha), tolo (eu sou um imbecil) ou uma pessoa má (eu sou mau)? Então escolha a cognição negativa que melhor se encaixa na situação e escreva-a sob o acontecimento recente. Se você não conseguir achar nenhuma cognição apropriada, simplesmente deixe o espaço em branco por enquanto.

Como pode ser visto, eu também incluí uma coluna de cognições positivas que se contrapõem às negativas. É assim que você se sentiria se tivesse recebido a mensagem oposta durante a sua fase de crescimento, ou em qualquer outra situação específica. Em vez de pensar que: "eu sou errado", você pensaria: "eu tenho valor". De novo, trata-se de um tipo de situação para o qual não há

culpados. Esse procedimento apenas lhe dá uma ideia de possibilidades futuras.

Quando expressamos nossos sentimentos por meio das cognições negativas, obtemos mais informações sobre os processos inconscientes e as memórias que nos regem. Mais do que simplesmente termos "uma sensação", podemos perceber que tipos específicos de pensamentos e de crenças estão por detrás deles. Nós não temos que nos esforçar demasiadamente para identificar a cognição negativa. Ela é simplesmente um sintoma das memórias armazenadas provocando uma determinada reação. Vejamos quantas das outras situações que o aborreceram possuem a mesma emoção e cognição negativa. As cognições são semelhantes ou diferentes? Depois de identificar a emoção negativa que corresponde ao primeiro incidente, repita o procedimento para cada um dos outros incidentes que você escreveu na coluna dos Acontecimentos Recentes. Em uma frase curta, descreva o acontecimento e adicione uma das cognições negativas que melhor represente como você se sentiu naquela ocasião embaixo dela. Se não for capaz de identificar uma cognição negativa para um dos acontecimentos recentes, apenas deixe o espaço em branco por enquanto.

Agora faça uma pausa para explorar o que descobriu. Todos os acontecimentos selecionados têm a mesma cognição negativa? Ou eles são diferentes, mas dentro da mesma categoria de Responsabilidade, Segurança ou Controle? Ou estariam eles em categorias diferentes?

Identificando As Memórias

Caso queira descobrir a origem de suas reações negativas, você pode tentar fazer outro exercício utilizado na terapia de EMDR chamado de técnica de Flutuar ao Passado. Ela adiciona um novo componente à técnica de Escaneamento do Afeto que pode ajudar a trazer à tona memórias adicionais. Ao utilizar as cognições negativas como auxílio para acessar a memória, você pode ter uma ideia melhor de quais elementos estão comandando a sua vida. Lembre-se de que o exercício é mais facilmente executado com a assistência de um terapeuta, mas ele também abre as portas para a exploração pessoal, desde que você tenha certeza de que suas técnicas de Lugar Seguro/Tranquilo e Mudança de Respiração estejam fortes o suficiente para reduzir a perturbação. Se esse for o caso, escolha um dos acontecimentos recentes já identificados e siga passo a passo as instruções abaixo. Certifique-se de que você irá parar depois de ter identificado a memória e use a técnica de Mudança de Respiração ou Lugar Seguro/Tranquilo para voltar novamente ao estado neutro. Depois, escreva a Memória-Chave na coluna de Memórias.

A seguir, mostraremos um pequeno exemplo de como ficaria a tabela:

Uma parte do trabalho de Sandra como consultora corporativa era dar palestras para grandes públicos. Mas sua ansiedade era tão grande que ela tentava

se "preparar" tomando alguns copos de vinho para poder se apresentar frente à audiência. Ela identificou a conexão negativa: "Eu não sou boa o suficiente" e a técnica de Flutuar ao Passado trouxe de novo a memória de um episódio quando ela estava na quarta série primária. A professora escolhera algumas crianças para descrevê-las à professora do ano seguinte. Ela pediu para Sandra levantar- se e comentou com a futura professora: "Ela é uma dorminhoca".

Acontecimento recente	Memórias
Apresentação em Houston	10 anos de idade - Mrs. Alpert falou: "Ela é uma dorminhoca"
Eu não sou boa o suficiente	SUD 7

Lembre-se de que não há regras claras. Se nada vier à sua mente, não insista. Se não for fácil com um incidente recente, simplesmente tente fazer o exercício com outro. Para algumas pessoas, será necessária a assistência de um terapeuta na condução do processo. Para outras, pode haver muitas memórias conectadas pela mesma emoção. Logo, não se preocupe com a quantidade. Anote com palavras-chave a memória mais antiga e a mais perturbadora. Não deixe de usar suas técnicas de Mudança de Respiração e de Lugar Seguro/ Tranquilo para retornar ao estado neutro.

Técnica de Flutuar ao Passado

1. Enquanto você pensa em uma cognição negativa e no acontecimento recente, concentre-se nos dois juntos. Em que parte do corpo você sente alguma perturbação?
2. Enquanto você pensa no incidente recente e na cognição negativa, observe as sensações em seu corpo e deixe sua mente flutuar de volta à infância. Que memória vem à mente quando você se sentiu dessa maneira? Se alguma coisa vier à sua mente de forma automática, então escreva-a na coluna da Memória, juntamente com sua idade na época e o grau de SUD.
3. Usando palavras-chave, liste as memórias mais antigas e as que têm o maior grau de SUD.
4. Escreva-as na coluna da Memória ao lado do acontecimento recente.

Se você não consegue decidir quanto à escolha de uma cognição negativa apropriada para qualquer um dos acontecimentos, então retorne e use a técnica do Escaneamento do Afeto que fizemos no começo do capítulo. Caso você identifique uma Memória-Chave, então examine a lista de cognições negativas e veja qual melhor se adapta à situação. Quando você retém na mente aquela memória antiga, como você se sente *agora*? Às vezes é mais fácil identificar uma cognição negativa quando você se volta para uma memória antiga do que quando você está preso nas reações a situações do presente. De qualquer forma, uma vez identificada uma cognição que pareça apropriada, você perceberá que ela geralmente poderá ser aplicada, tanto à memória antiga, como à situação no presente. Depois, você poderá inseri-la na coluna adequada.

Neste ponto, reserve alguns minutos para explorar o que descobriu. Quando você olha para as experiências mais antigas na coluna de Memórias, é possível ver como elas têm alimentado suas reações? Você pode ver os tentáculos daquelas experiências envolvendo seu presente de quaisquer outras formas? Por exemplo, você percebe agora que suas reações em casa e no trabalho são nutridas pelos mesmos sentimentos que tivera na infância - ou há diferentes acontecimentos para cada uma das reações?

E Agora?

Ao longo dos capítulos seguintes, faremos mais exercícios e exploraremos mais assuntos, mas para aqueles que conseguiram identificar memórias, já é um bom começo. Para os que não conseguiram, talvez fique mais fácil quando lançarmos luz sobre diferentes aspectos de suas redes de memória. E lembre-se também de que há pessoas que necessitam de mais ajuda por causa de características que foram cristalizadas na infância. Não se trata de atribuir culpa nesse caso, e sim de fornecer informação. Mesmo se não tiver identificado as memórias mas somente as cognições negativas, isso significa que você pode começar a reconhecer quando os sentimentos que as acompanham são disparados no presente. Além do mais, mostraremos outros exercícios que talvez funcionem com você.

Em certo momento, tanto por conta própria quanto com a ajuda de um terapeuta, as pessoas geralmente identificarão de dez a vinte memórias que acarretam problemas no presente. Essas memórias usualmente causam alguma reação física. Ou seja, ao fechar os olhos e pensar nelas, você pode sentir que seu corpo reage ao também lembrar-se de pensamentos e sentimentos que teve naquela ocasião. Cada uma dessas memórias são capazes de afetar diretamente sua sensação de bem-estar no presente. Algumas contribuíram para a formação de sua personalidade, e outras podem dar o bote toda vez que forem ativadas.

Ao passo que muitas memórias podem causar reações físicas, experiências semelhantes geralmente são também conectadas dentro da mesma rede de memória. Traumas graves podem ocorrer e permanecer não processados em qualquer idade. Apesar de serem diferentes de tais traumas, as memórias mais antigas ou as mais perturbadoras são a chave para problemas atuais. Se essas Memórias-Chave são processadas, muitas outras memórias que estão associadas na mesma rede automaticamente serão também alteradas. Uma vez que as memórias estejam adequadamente armazenadas, os antigos pensamentos, emoções e sensações físicas perturbadoras não surgirão mais. Em vez disso, emoções e pensamentos positivos, que acompanham os sentimentos de "eu tenho valor", "eu posso ser bem-sucedido" ou " eu posso fazer escolhas" podem vir à tona automaticamente.

Há várias maneiras de administrar suas reações negativas no presente. Uma delas envolve o auto monitoramento e o uso de técnicas de autocontrole para lidar com a perturbação quando ela aparecer. Agora que os exercícios lhe mostraram como as memórias antigas estão conectadas com algumas de suas reações e crenças negativas, você é capaz começar a identificar os padrões que o comandam. Isso significa também que talvez você fique mais sensível às suas reações e pense: "isso é uma coisa minha" - em vez de ser dominado pela emoção. Quando se sentir ficando bravo, com medo, inseguro etc., você pode usar a técnica de Mudança de Respiração ou a do Lugar Seguro/Tranquilo. No caso de excesso de autocrítica negativa, recorra à técnica do Personagem de Desenho Animado. Se vier uma imagem à mente que insista em incomodá-lo, você pode usar a técnica da Lata de Tinta e "mexer a tinta" até ela desaparecer; ou a técnica da Mangueira d'Água; ou da Borracha para "lavar" a imagem e livrar-se dela. Essas e outras técnicas que continuaremos a aprender neste livro podem ajudá-lo a passar de um estado de espírito (ou emoção) para outro. Você consegue fazer escolhas muito melhores no contexto de um estado de calma ou segurança do que de raiva ou insegurança.

Relatório DICES

Como um dos objetivos da terapia de EMDR é processar as memórias que causam problemas no presente, pedimos aos pacientes para identificar as situações que disparam as perturbações. Uma maneira útil de fazer isso é manter um relatório diário DICES, que você pode começar a usar para monitorar suas próprias reações. Inicie uma nova página em seu bloco de anotações e faça cinco colunas com linhas

verticais. Coloque a letra D no topo da primeira coluna, I na segunda e daí por diante. Você usará as colunas para escrever algumas poucas palavras que descrevem suas reações a situações perturbadoras no presente.

D - de disparador. Como sabemos, a situação atual liga-se à sua rede de memória. Se você reagiu de forma exagerada, geralmente é porque a situação dispara uma memória mais antiga não processada. Então, o que aconteceu? Foi uma briga de família, um olhar, um gesto, algo dito que o fez sentir insultado ou excluído, um problema com um colega? Apenas escreva algumas palavras para lembrar-se do que aconteceu.

I - de imagem. Na segunda coluna, escreva qual imagem vem em sua mente quando você pensa no acontecimento agora. Para a maioria das pessoas, a imagem será a pior parte do evento. É a parte que realmente o perturba, que o faz corar de constrangimento, ficar com raiva, sentir tristeza e assim por diante.

C- de cognição. Na terceira coluna escreva a cognição negativa da lista que melhor corresponde aos seus sentimentos quando você pensa sobre o evento.

E- de emoção. Quais emoções você sente ao pensar no evento?

S- de sensação e SUD. Em que parte do corpo você sente a perturbação e qual o grau de SUD correspondente?

Depois de anotar suas respostas, certifique-se de usar a técnica de Lugar Seguro/Tranquilo ou a de Mudança de Respiração para voltar ao estado neutro.

Lembre-se de que nem todas as experiências se originam na infância. Traumas graves podem ter um impacto em qualquer fase da vida, como por exemplo no caso de

Daniel, um veterano da guerra do Iraque que buscou terapia. O uso do relatório DICES ajudou Daniel e seu terapeuta a identificar as situações que o incomodavam e a procurar quaisquer reações exageradas. Por exemplo, depois de retornar da guerra, ele percebeu que ficava chateado toda vez que seu filho Parker chorava. Se ele estava com o menino no colo e aquilo acontecia, tinha que entregá-lo imediatamente para a esposa. A cognição negativa era: "eu não consigo lidar com isto". O relatório de Daniel ficou assim:

Relatório DICES

D	o choro de Parker.
I	lágrimas escorrem pelo seu rosto
C	"eu não consigo lidar com isto".
E	tristeza, vergonha
S	dor no peito e no estômago e grau 8 na escala SUD

Depois que Daniel e o terapeuta analisaram o relatório, eles utilizaram a técnica de Flutuar ao Passado. Esse processo revelou que o problema vinha de um incidente na guerra. Durante um confronto, uma mulher foi tomada como refém. No tiroteio que se seguiu, a mulher morreu e seu filho saiu correndo em prantos chamando pela mãe. O incidente naturalmente perturbou toda a tropa, apesar de não ter havido nada que eles pudessem ter feito para evitar a batalha. Para Daniel, o distúrbio emocional que ele sentiu durante aquela experiência de guerra permaneceu em uma memória não processada que era disparada pelo choro de seu filho no presente. Depois do processamento da memória, Daniel parou de reagir de forma exagerada toda vez que Parker chorava e foi capaz de tirar todo o proveito do convívio com o seu filho.

Fundamentalmente, podemos concluir que, seja ela uma inabilidade de comportamento no ambiente de trabalho, com a família, com amigos ou com estranhos na rua, uma reação exorbitada é geralmente consequência de uma memória não processada. Se você usar o relatório DICES, poderá obter a informação de diversas maneiras a sua escolha:

1. Você pode usar suas respostas para identificar a memória que causa a reação exagerada por meio da técnica de Flutuar ao Passado ou do Escaneamento de Afeto. Ao utilizar esse procedimento, escreva o evento recente, a cognição negativa e a memória (juntamente com a idade na época e o grau na escala SUD) na coluna apropriada em sua lista de Memórias-Chave. Se for uma memória que você já tenha identificado, então faça um asterisco perto dela. Isso o ajudará a identificar as memórias que exercem forte influência sobre você. Eu mostrarei, em capítulos posteriores, várias formas diferentes de organizar a Lista de Memórias-Chave.

2. Você pode manter uma tabela para registrar quantas vezes reage de forma negativa a diferentes situações e observar se os dados obtidos aparentemente se agrupam em torno de certas emoções ou cognições negativas.
3. Você pode perceber que suas reações não são misteriosas ou aleatórias. Elas são reações específicas a certos tipos de situações disparadoras de memórias não processadas que, por sua vez, são a causa de emoções, reações físicas e pensamentos perturbadores.

É possível que você se sinta amedrontado, triste, inseguro ou impotente - mas agora também pode estar consciente do motivo de sua reação. Você é muito mais do que esse sentimento, pois é capaz de observar suas reações e tomar uma atitude a respeito delas. A atualização diária do relatório DICES permitirá que você reveja o seu dia e esclareça para onde precisa direcionar sua atenção. Você tem reações negativas esporádicas ou elas acontecem com frequência? Elas acontecem em relação a uma pessoa específica em sua vida ou em relação a muitas? As reações acontecem basicamente quando você está em família, no trabalho, com certos amigos, conhecidos, estranhos ou sozinho?

Suas respostas ao relatório permitirão que você fique mais consciente, não somente de quem você é, mas também dos tipos de experiências e memórias que o influenciam. Dessa maneira, poderá preparar-se melhor antes de enfrentar certos tipos de situações. O relatório também poderá ajudá-lo a permanecer alerta a fim de usar suas técnicas de autocontrole para lidar com reações negativas e transformá-las em formas mais adaptativas. Aprenderemos um pouco mais sobre essas técnicas ao longo do livro.

A experiência com o uso de técnicas também o ajudará a perceber se a assistência de um terapeuta seria benéfica em seu caso. Algumas memórias são simplesmente mais problemáticas do que outras, e às vezes o auto monitoramento e a determinação não são suficientes. Em algumas situações, as reações negativas são intensas demais para serem evitadas. Se suas reações continuarem a ser disparadas pelas mesmas circunstâncias, talvez seja recomendável a assistência de um terapeuta treinado. Sugestões sobre como escolher um terapeuta adequado são encontradas no Apêndice B. É como qualquer outro problema físico que demande atenção. O seu cérebro não é diferente do resto de seu corpo. Você procuraria um médico se quebrasse um braço - e então o processo natural de cura iria acontecer. Mas a cura não seria satisfatória sem que tivesse primeiro uma ajuda médica para que os ossos do braço fossem alinhados. O mesmo ocorre no caso das suas memórias e do sistema de processamento de informação de seu cérebro.

Nos próximos capítulos, identificaremos mais memórias que exercem influência sobre você. Também exploraremos áreas problemáticas que afetam milhões de pessoas em todo o mundo. Caso você se identifique com algumas das descrições, poderá compreender melhor o que está comandando o seu espetáculo ou o de outras pessoas em sua vida - as quais você ama, gosta ou com quem mantém alguma relação.

Capítulo 5: A Paisagem Oculta

Neste capítulo, iremos examinar com maior profundidade os tipos de questões com as quais a maioria de nós lidamos. Utilizarei exemplos da vida real para mostrar a dinâmica e as razões ocultas que levam o indivíduo a desenvolver um sentimento negativo de si próprio. Iremos também explorar os motivos pelos quais muitas pessoas não conseguem alcançar satisfação e bem-estar na vida.

O melhor lugar para se iniciar é o começo. Acredita-se que o amor dos pais é o ponto de partida para a história de qualquer ser vivo. Os bebês devem ser alimentados e protegidos, uma vez que estamos intrinsecamente programados para buscar a sobrevivência da espécie. É por meio do amor de nossos pais que aprendemos as peculiaridades do mundo e que somos seres valorosos, capazes de atingir nossos objetivos na vida. É quando somos amados que aprendemos a amar também. Mas nem sempre a coisas funcionam dessa maneira.

Em seguida apresento uma situação que é mais comum do que você imagina:

Lucille estava grávida do primeiro filho. Apesar de ser a mais nova em uma família de três filhos, ela era a primeira a ter um bebê. Todos na família estavam empolgados e ansiosos por causa do grande acontecimento, mas Lucille não podia esperar para se ver livre daquela gravidez. Infelizmente, assim que ela soube que estava grávida, o seu marido foi transferido, obrigando-os a mudar para longe de seus amigos e de sua família. Para complicar ainda mais a situação, sua gravidez foi muito difícil - ela sofreu com náuseas e vômitos frequentes durante praticamente toda a gestação. O momento de dar à luz também não foi nada fácil, pois, depois de um longo e sofrido trabalho de parto, ela foi submetida a uma operação cesariana de emergência. Após acordar da cirurgia, Lucille pediu para ver o bebê e as enfermeiras lhe disseram que ela só poderia vê-lo pela manhã. Mas, quando finalmente lhe trouxeram a sua filha e a puseram nos seus braços, ela olhou para a criança e pensou: "Alguma coisa está errada comigo, eu não sinto nada".

A mãe queria amar sua filha Amanda mas não conseguia. Apesar de procurar fazer o que era melhor para a criança, ela não se conectava com ela, somente se sentia deprimida e fisicamente horrível. Estava de fato arrasada devido à culpa pela sua falta de amor maternal. Porém, a culpa não era de Lucille - ou de Amanda. As memórias da gravidez e do parto que não haviam sido processadas ficaram armazenadas no cérebro da mãe, e essas emoções e sensações físicas negativas eram sempre disparadas com a presença de Amanda.

Lucille tentou usar antidepressivos e submeter-se a sessões de aconselhamento, mas nada mudou o seu sentimento pelo bebê. Apesar de alimentar e acalentar Amanda, dar-lhe a mamadeira quando chorava e trocar-lhe as fraldas, a mãe não tinha nenhum sentimento de carinho ou amor pela filha. Em vez disso, suas emoções giravam em torno dos sentimentos de tristeza, angústia e raiva. Lucille comunicava seu desgosto por meio do modo com que segurava e tratava sua filha. Essa, por sua vez, ficava agitada e enjoada, o que só piorava as coisas. Era o começo de uma série de problemas que se originaram na falta de carinho e amor verdadeiros. Nem Amanda e nem tampouco Lucille tinha feito algo de errado. Amanda poderia ter crescido não se sentindo digna de receber amor, mas isso não era verdade. Ela teria sido amada se a situação tivesse sido diferente. Infelizmente, o sistema de processamento de informação de sua mãe havia ficado sobrecarregado devido às experiências da gravidez e do parto. Lucille não podia sentir amor por Amanda, apesar de querer desesperadamente amá-la, porque as experiências negativas não processadas estavam bloqueando o seu caminho.

Os problemas de Lucille foram resolvidos com a terapia de EMDR. Suas memórias da gravidez foram processadas e também as situações atuais perturbadoras, permitindo que experimentasse os bons sentimentos que poderiam ter existido se as experiências da gravidez e parto tivessem sido diferentes. Depois da terapia de EMDR, nas palavras de Lucille, Amanda passou "de uma obrigação para ser o amor de minha vida". Essa mudança de perspectiva de Lucille salvou Amanda de uma vida potencialmente marcada pela mágoa e insegurança. Mas muitos outros não tiveram essa sorte. No final das contas, a relação pai e filho é uma das peças que ajudam a definir quem nós somos.

Mais uma vez gostaria de enfatizar que às vezes existem fatores genéticos que nos levam ou predispõem a reagir ao mundo de uma determinada forma. Por exemplo, algumas crianças nascem com uma maior sensibilidade ao estresse do ambiente, o que se pode tornar um grande desafio para os pais. Como eu afirmei antes, este livro não é sobre culpa - é sobre a compreensão da condição humana. Enquanto exploramos as dinâmicas que influenciam a importante relação inicial entre pais e filhos, seria interessante que você tentasse identificar qualquer uma delas em sua própria família.

Vínculo e Apego

Pessoas que crescem sentindo que não são amadas pelos pais, talvez estejam certas. Milhares de mulheres encontram-se na situação de Lucille, sem saber que atitude tomar. Enquanto muitas de suas amigas dão à luz alegremente, essas mulheres se isolam, sentindo-se mal adaptadas e

vazias. Os motivos para essas reações são geralmente as experiências não processadas que envolvem separação física ou emocional durante a gravidez, parto ou no período pós-parto. A lista de experiências inclui gravidez ou parto difícil, separação forçada durante horas após o parto e uma grande variedade de perdas e problemas emocionais que podem ter começado anos antes do parto. Algumas das causas potencialmente mais comuns estão listadas a seguir.

Separação Física

- A mãe foi separada da criança depois do nascimento ou nos meses posteriores a ele.
- A mãe teve um trabalho de parto muito difícil.
- A criança foi prematura ou nasceu doente e/ou foi hospitalizada, ficou em uma unidade de tratamento intensivo ou na incubadora.
- A mãe foi anestesiada durante o parto.
- A mãe ficou muito doente após o parto.
- A criança foi adotada.
- Alguma outra separação significativa ocorreu.

Separação Emocional

- A mãe apresentou problemas emocionais durante a gravidez.
- A mãe apresentou problemas emocionais após o parto.
- A mãe enfrentou uma morte na família dentro do período de dois anos após o parto.
- A mãe sofreu um aborto dentro do período de dois anos após o parto.
- Houve sérios problemas conjugais entre os pais e/ou eles se separaram antes ou logo depois do parto.
- A mãe era viciada em álcool ou drogas na época do parto.
- A mãe mudou-se antes ou logo depois do parto.
- O casal passou por graves problemas financeiros.
- A gravidez foi indesejada.
- A criança era gêmea ou trigêmea.
- Outros acontecimentos podem ter ocorrido que interferiram no estabelecimento do vínculo entre mãe e filho.

O importante é que, para aqueles de nós que já sentimos algo como "Minha mãe (ou pai) não me amava", o sentimento poderia muito bem ser verdadeiro. No entanto, como nós já exploramos no capítulo anterior, sem terapia as razões poderiam fugir do controle dos envolvidos.

A falta de amor de Lucille por Amanda foi uma reação emocional e física automática baseada em tudo o que tinha acontecido com ela. Imagine os sentimentos negativos envolvendo a mudança para uma outra cidade, o que a fez sentir-se saudosa e sozinha, a náusea extrema e os vômitos durante a gravidez, o parto longo e doloroso, a cirurgia arriscada (cesariana), sua exaustão e depressão após o parto. Tudo isso fora demais para o seu sistema de processamento funcionar sem nenhuma ajuda. Na verdade, qualquer um desses fatores isolados já teria sido suficiente para impedir a criação de vínculos emocionais.

Os homens podem ter os mesmos tipos de dificuldades, com base em sua própria criação e no tipo de estresse que ocorreu antes, durante ou depois do nascimento do seu filho. Essa também é a razão pela qual algumas crianças crescem em uma família com a sensação de que os seus pais amam seus irmãos, mas não as amam. Isso pode ser verdadeiro, devido a diferenças nas condições na época do nascimento. Todavia, se uma criança sente que "mamãe e papai não me amam", geralmente um outro sentimento acompanha esse primeiro: "deve ter algo de errado comigo". Não é verdade, mas mesmo assim esse sentimento é codificado no sistema de memória da criança. Apesar de nem todos os casos serem tão diretos como o de Lucille, como veremos, há muitas razões pelas quais os pais não conseguem criar vínculos - e, consequentemente, pelas quais seus filhos se sentem indesejados e mal-amados.

Vários fatores afetam o estado de humor e a habilidade de estabelecer vínculos no período de pós-parto, incluindo parto traumático, relacionamentos difíceis com o parceiro ou familiares, trauma de infância e acontecimentos mal resolvidos na gravidez, bem como mudanças hormonais na mãe. As experiências relacionadas à operação cesariana também podem contribuir para o problema. Diante do grande número de operações desse tipo praticadas hoje em dia, devo salientar que, mesmo sendo o procedimento necessário em muitos casos, é recomendável preparar-se para uma possível necessidade de recuperação, tanto psicológica quanto física.

Citemos por exemplo o caso de Marta, que passou igualmente por um longo e doloroso trabalho de parto, seguido por uma operação cesariana. Ela ficou em estado de delírio e não conseguia se lembrar dos detalhes do nascimento e do ocorrido na sala de pós-operatório. A única coisa que sabia era que sentia dor intensa, náusea e fraqueza. Nas semanas e meses seguintes. Marta tinha medo de que todo o trauma do nascimento tivesse afetado o seu filho Davi. Ela relatou: "Eu estava apavorada por ser mãe de primeira viagem, e ele chorava depois de mamar e vomitava. Ficava o tempo todo pensando se eu poderia ter feito mais por ele. Será que o problema dele com a alimentação era decorrente do trauma pelo qual tinha passado?"

O medo sentido por Marta não é incomum. Mães que não estabelecem vínculos geralmente sentem medo, insegurança ou "nada", quando seguram seus filhos nos braços. Devido às memórias não processadas, ela sentia-se distante de seu filho Davi. Marta conferia seus sentimentos todo o tempo e sempre achava que estava fazendo algo de errado com o bebê. Ela era incapaz de abraçar o filho com amor e tinha medo de machucá-lo. Como consequência, Davi tornava-se cada vez mais difícil.

Após processar suas memórias na terapia de EMDR, Marta conseguiu relaxar e aproveitar a convivência com o seu bebê. Ela tornou-se capaz de sentir e expressar o seu amor e Davi reagiu positivamente à mudança. A ironia da situação é que, até as memórias serem processadas, a inabilidade de Marta de sentir amor estava ligada ao medo de machucar o seu filho - e o que na verdade o machucava era exatamente a incapacidade de amar da mãe.

Os efeitos em crianças que têm a sensação de não serem amadas podem ser devastadores. Enquanto são bebês e crianças pequenas, elas parecem nunca estar satisfeitas - tornam-se deprimidas, ansiosas, enjoadas.

Quando há uma falta permanente de apego, isto é, quando os pais não estão atentos e sensíveis às necessidades das crianças, o resultado pode ser uma trajetória de problemas por toda a vida, incluindo problemas físicos e psicológicos. Muitas dessas crianças são tachadas de "encrenqueiras" na escola e permanecem nessa categoria por muito tempo em suas vidas. Ou então, outras reações negativas podem ocorrer, baseadas no que se denomina de "estilos inseguros de apego". Isso ajuda a explicar como nós escolhemos um número de diferentes características que afetam, não apenas quem somos, mas também como nos relacionamos com os outros. Na verdade, esses estilos de apego podem passar de uma geração à outra, uma vez que a comunicação entre pais e filhos causa realmente mudanças no cérebro que moldam nossa capacidade de lidar com a emoção e a maneira como nos enxergamos. Ademais, os diferentes estilos de apego talvez expliquem características que você provavelmente reconhecerá em si mesmo, em membros da família ou em amigos.

Diferentes Comprimentos de Ondas

Quando os pais estão em sintonia com seus filhos, pode-se dizer que eles estão no mesmo comprimento de onda. Isso constitui um estilo de apego "seguro". Durante os primeiros anos de vida, essas conexões até mesmo auxiliam o cérebro da criança a se desenvolver completamente, ajudando-a a adquirir a habilidade de permanecer calma durante períodos de estresse e de se relacionar bem com outras pessoas. A criança chora e chama por seus pais, que respondem com amor e carinho. O contato visual e a interação entre os pais e a criança são como uma dança em que os dois

lados se movem no mesmo ritmo. Essa interação harmônica ao longo de toda a infância, quando as necessidades emocionais da criança são supridas, torna-se a base para um sentido seguro de si mesmo (*self*) e para futuras relações bem-sucedidas. Naturalmente, como já vimos, há uma variedade de maneiras pelas quais o sentimento de bem-estar e satisfação pessoal pode sair dos trilhos. Mas, de qualquer forma, vidas domésticas felizes do tipo mencionado proporcionam um bom começo.

Infelizmente, muitos pais não estão em sintonia com os seus filhos. Psicólogos estimam que esse problema ocorra em 35% dos casos e denominam esses desajustes na interação pai-filho de: "estilos de apego inseguros". Por exemplo, por várias razões originárias de sua própria criação e de experiências posteriores de vida, muitos pais não se sentem à vontade com a proximidade e com manifestações de amor ou de outras emoções mais fortes. Quando seus filhos choram ou os chamam, eles se esquivam e rejeitam o contato.

Citemos, por exemplo, o caso de Joan. Ela relatou que, já aos 40 anos de idade, ao assistir a um vídeo caseiro de quando tinha aproximadamente dez anos, ficara totalmente perturbada. No filme, sua mãe estava sentada e Joan foi em sua direção para beijá-la. Sua mãe moveu-se para o lado e para trás repetidamente para evitar o beijo. Além disso, a mãe nunca a abraçava ou usava expressões como "eu te amo", porque dizia que trocar beijos e carinhos "parecia vulgar". Um dia, a filha ouviu a mãe comentar que gostava de bebês, mas não de crianças, pois elas eram muito exigentes.

Logo, Joan, quando estava crescendo, apendeu a não pedir ou procurar conforto na figura de sua mãe ou pai, que também, por sua vez, tratava-a da mesma forma. Ela cresceu sentindo-se mal amada e guardou para si mesma as suas emoções. Como não esperava que alguém atendesse as suas necessidades, ela não encontrava motivos para expressá-las. Psicólogos diriam que os seus pais tinham em relação à Joan um estilo de "apego indiferente" - e havia uma boa probabilidade de que Joan viesse a agir da mesma maneira como mãe. É assim que certos comportamentos são transmitidos de uma geração à outra. Os pais de Joan criaram-na da mesma forma que eles próprios haviam sido criados. Eles cuidavam de suas necessidades físicas mas não das emocionais. Entretanto, não havia necessariamente nenhuma maldade ou mesmo falta de amor. O estilo de criação dos seus pais era simplesmente uma resposta automática, nada diferente do estilo que eles próprios tinham visto em seus pais ou irmãos em relação aos respectivos filhos. Então tudo parecia natural - como as coisas deveriam ser.

Um outro estilo de apego inseguro entre pais e filhos é o tipo "preocupado". Nesse estilo, geralmente as próprias experiências de vida perturbadoras dos pais interferem em seu comportamento e eles tornam-se

extremamente angustiados ou irritados. Algumas vezes, esses pais dão retorno positivo aos filhos, mas quando suas próprias "questões" são disparadas, eles não se sintonizam com os filhos de forma alguma. As crianças aprendem que têm que ser muito insistentes para conseguir o que querem. Podem tornar-se angustiadas, exigentes, demasiadamente apegadas e dependentes. Esse comportamento basicamente inseguro continua a manifestar-se em relacionamentos posteriores em suas vidas.

A última categoria é o estilo de "apego desorganizado". Nele, as próprias memórias de trauma e abuso dos pais fazem com que eles transmitam o trauma para seus filhos por meio de comportamentos assustadores, como expressões carrancudas, explosões de raiva, mal tratos e surras; ou por intermédio de comportamentos angustiados, como o de esquiva ou o uso de expressões faciais amedrontadoras. As crianças encontram-se nesse caso em uma situação de duplo vínculo. A mesma pessoa para qual elas querem correr em busca de conforto é ao mesmo tempo a fonte de sua ansiedade. Quando chegam à idade de ir para a escola fundamental, crianças "desorganizadas" podem tornar- se controladoras e querer punir os pais - gritam, dão ordens ou têm ataques de fúria se não conseguem o que querem. Outras crianças com a mesma história podem parecer paralisadas ou deprimidas. Elas conseguem interiorizar a ansiedade e exibir um comportamento "perfeito", na tentativa de manter todo mundo feliz. De uma maneira geral, assim como nos outros estilos de apego inseguro, os "pecados" observados nos pais são também transmitidos para a geração seguinte.

No entanto, nesse caso também não significa necessariamente que haja falta de amor. Os pais geralmente dirão que são simplesmente motivados pelo desejo de que seus filhos sejam educados corretamente. Mas seus estilos de educação são, com frequência, reações que se originam de sua própria educação familiar, disparadas pelas ações de seus filhos.

Apresento como exemplo o caso de Moema. João, seu pai, havia sido criado em uma família cuja filosofia era a de punir fisicamente as crianças para não deixá-las mimadas. O pai de João usava um chicote para se certificar de que todos os filhos obedeceriam e cresceriam com um senso de responsabilidade. João, por sua vez, reagia ao mal comportamento de seus filhos com berros, surras e um cinto.

Coube à Moema, que era a mais velha, a pior parte e ela cresceu com a sensação de que tinha sempre que controlar a situação para não ser ferida. Mas a sua irmã mais nova, Clara, costumava esconder-se debaixo da cama enquanto Moema apanhava. Ela cresceu angustiada e medrosa. A menina tinha tanta certeza de que não conseguiria suportar uma surra, que tentou se tornar invisível e se retraiu - era aquele tipo se criança quietinha que nunca causa problemas. Mais tarde, ao longo da vida, ela desenvolveu uma depressão crônica. Para ambas, Moema e

Clara, os caminhos na vida foram moldados por um pai traumatizado, cujo "apego desorganizado" provocou seu estilo de educação abusivo. Não se tratava de falta de amor pelas filhas. Ele simplesmente fora moldado pela sua própria criação e por suas memórias não processadas.

Felizmente, estilos negativos de apego inseguro podem ser revertidos por meio de experiências positivas com professores, técnicos, amigos e terapia, quando necessário. No entanto, primeiramente seria útil reconhecer que os problemas observados em você mesmo ou em outros podem ter origem nesses tipos de experiências de infância não processadas. Ou talvez você seja um pai que precise observar suas reações automáticas, porque elas podem ter um efeito prolongado e devastador na personalidade dos seus filhos. É até possível que você diga: "Eu nunca apanhei e também não bato em meus filhos". Mas as palavras são igualmente capazes de causar estragos duradouros. Michael, por exemplo, foi descrito por sua terapeuta como sendo um dos piores casos de depressão que ela já havia visto. Ele apresentava baixa autoestima e praticamente nenhuma motivação para a vida. Seus pais nunca haviam batido nele. Contudo ele lembrava-se das muitas vezes que seu pai lhe dava tarefas a cumprir, como limpar o quintal. Depois da tarefa concluída, seu pai fazia com que ele se sentisse diminuído quando expressava descontentamento dizendo algo como: "Isto é tudo o que você conseguiu fazer?"

Muitas pessoas sentem-se deprimidas, ou diante das características e reações que as fazem infelizes pensam: "Meus pais eram assim e eu tenho sido desse jeito desde que me entendo por gente. Deve ser uma questão de genética". Mas essa não é a única explicação possível. Lembre-se de que a influência de seus pais existe desde o início - e os pais deles os influenciaram também. Mesmo quando há fatores genéticos envolvidos, as pesquisas indicam que as experiências pessoais geralmente contribuem de maneira substancial.

Todavia, seja qual for o motivo, não seria o caso de se apontar culpados. É uma questão de libertação. Qualquer coisa que tiver ocorrido na sua infância ajudou a forjar quem você é hoje. Enquanto criança, você não tinha controle nem escolha, mas a situação é diferente quando você é um adulto. Uma vez identificados os pontos sensíveis, é possível usar algumas técnicas para lidar com eles e tentar localizar qualquer memória não processada que possa estar alimentando-os. Para ajudar na exploração pessoal, acrescentaremos alguns itens à sua lista das técnicas de autocontrole já aprendidas e, em seguida, continuaremos com a identificação de outras memórias que estariam comandando seu espetáculo.

Expandindo A Rede de Segurança

Se você foi capaz de identificar um Lugar Seguro ou Tranquilo, então já tem uma técnica bem útil para ajudar a se livrar de perturbações quando elas aparecerem. É importante fazer uso dela diariamente quando você não esteja aborrecido, para se assegurar de que a técnica permanecerá forte o suficiente para funcionar. Se você somente usá-la quando estiver perturbado, ela ficará desgastada. Assim, se você não observou sua mente se movendo para associações negativas, certifique-se de praticá-la regularmente e reforce-a com o Abraço de Borboleta ou toques alternados nas pernas.

Expandindo o Arsenal de Lugar Seguro

Uma outra prática pode melhorar seu acesso a boas memórias. Comece por anotar uma frase que descreva uma memória positiva, quando você sentiu bem-estar, satisfação ou alegria. Pode ser tanto uma memória recente quanto uma da infância - qualquer lembrança que provoque um sentimento positivo mais intenso. Que imagem representa o melhor momento? Feche os olhos e permita-se sentir aquele momento. Qual seria a palavra que melhor descreveria a imagem? Depois, como você fizera com o Lugar Seguro, retenha a imagem e a palavra na mente e perceba onde você sente isso em seu corpo. Aproveite a sensação e desfrute da memória. Em seguida, deixe a memória ir embora e repita o procedimento algumas vezes. Veja se você pode trazer de volta as boas sensações juntamente com a imagem ou a palavra.

Verificar se você tem uma memória positiva e sólida produzirá dois resultados. Primeiramente, a memória positiva proporcionará um recurso que você poderá lançar mão quando se sentir em perigo ou perturbado. Em segundo lugar, é uma boa maneira de testar sua base de memórias. Se você estiver deprimido, talvez não consiga resgatar uma memória boa, que lhe traga uma sensação de puro prazer e bem-estar. Pode ser que você não encontre uma memória boa ou talvez você saiba que um acontecimento foi agradável quando ocorreu, mas agora ele retorna com um toque de tristeza. A causa é simples: pesquisas mostram que o resgate da memória é afetado pelo nosso estado emocional. Se estamos deprimidos, temos dificuldade em vivenciar qualquer coisa no presente ou no passado como puramente prazerosa.

Na hipótese de você se sentir deprimido há algum tempo, e nada parece lhe trazer alegria, seria aconselhável que você considerasse a possibilidade de procurar assistência profissional. No Apêndice B encontram-se algumas indicações de profissionais americanos de destaque na área. Também seria melhor não fazer os exercícios "Exploração Pessoal" deste capítulo. O próximo exercício deve ajudá-lo a aliviar alguns sentimentos negativos, e os casos relatados podem ajudá-lo a compreender

melhor o que o aflige. Porém, provavelmente, seria melhor, nesta altura, não mergulhar muito profundamente em suas redes de memória por conta própria. Talvez seja só um dia ruim e você possa voltar aos exercícios em outro momento qualquer. Mas se o sentimento de tristeza for realmente o seu estado espírito usual, ou se ele se alternar com outros extremos, então leia este capítulo com o objetivo principal de entender porque essas variações de humor acontecem com você e com milhões de outras pessoas. Depois você pode decidir o que fazer a respeito da questão.

Técnica do Espiral

Essa técnica tem origem na tradição de fantasia dirigida e é útil para se lidar com emoções perturbadoras, tais como medo, ansiedade ou raiva. Se você praticá-la no conforto de sua casa, poderá usá-la rapidamente a qualquer momento. Leia completamente os passos na abaixo por volta de três vezes, ou até ter certeza de que os memorizou. A seguir, feche os olhos e siga-os na ordem indicada. Se você não conseguir memorizar todos os passos, grave-os e deixe sua própria voz guiá-lo passo a passo. Lembre-se, mais uma vez, de que nem toda a técnica funciona com todas as pessoas. Por isso aprendemos um número de técnicas diferentes para identificarmos as que melhor funcionam com você.

Identifique algo que o aborreça no nível aproximadamente 3 em uma escala de 0-10.

1. Pense em uma imagem que represente para você essa perturbação.
2. Enquanto pensa na imagem, perceba em que parte do corpo você sente a perturbação.
3. Agora imagine que o sentimento seja uma "energia". Se ele fosse uma energia em espiral, em que direção estaria se movendo: no sentido horário ou anti-horário?
4. Agora, com seu pensamento, gentilmente mude a direção do espiral em seu corpo. Por exemplo, se ele se movia em sentido horário, mude vagarosamente para o sentido anti-horário.

Observe o que acontece com as sensações em seu corpo. Para muitas pessoas, as sensações começam a desaparecer assim que elas mudam a direção do espiral. Caso isso ocorra, continue até você sentir-se confortável. Se não funcionar em uma direção, tente girar para o outro lado e veja se assim a perturbação diminuirá. Se a técnica do espiral foi eficaz, pratique-a em outras oportunidades no conforto de sua casa até você ter memorizado todos os passos. Ela pode ajudá-lo toda vez que estiver perturbado e ser útil quando você se deparar com uma questão ou memória que o perturbe. Se esse procedimento não funcionar, não se

preocupe. Você pode usar o Lugar Seguro/Tranquilo, a Mudança de Respiração ou outras técnicas que mostramos nos Capítulos 3 e 4.

Cognições Negativas Revisitadas

No capítulo anterior, você identificou as cognições negativas que verbalizavam seus sentimentos quando passava por alguma situação perturbadora no presente. A lista de Cognições Negativas é dividida em três categorias: Responsabilidade, Falta de Segurança e Falta de Controle/Poder. Você concentrou-se em determinado acontecimento e identificou uma cognição negativa, em qualquer uma das três categorias, que se relacionasse aos sentimentos que surgiam: "eu não mereço ser amado", "eu não sou bom o suficiente", "eu serei abandonado", "eu estou em perigo", "eu não tenho força", "eu sou um fracasso" e assim por diante. Considere isso uma amostra, uma vez que as situações selecionadas por você são aquelas que surgiram mais recentemente. Agora chegou a hora de fazermos uma exploração pessoal mais aprofundada analisando diferentes questões que nos afetam.

Para começar, identificaremos algumas cognições negativas da primeira das três categorias - Responsabilidade – que possivelmente ainda estejam encobertas. Essas crenças negativas podem ser disparadas a qualquer momento e afetar todas as áreas de sua vida. Dessa forma, analisaremos a lista metodicamente e procuraremos aquelas cognições que podem afetá-lo sem que você perceba. Veja o exercício como uma caça ao tesouro. Depois que identificar o que comanda seu espetáculo, você poderá decidir o que fazer a respeito. As cognições negativas não constituem as causas de seus problemas. São apenas os sintomas. Como já expliquei anteriormente, a causa é geralmente as memórias não processadas que acarretam os problemas.

Nós já vimos neste capítulo como os estilos de apego parental ajudam a moldar quem somos no presente. Entretanto, como um exercício já praticado neste livro mostrou, os pais nem sempre estão envolvidos na questão. Muitos dos tipos de humilhações na infância e adolescência - ser excluído, sofrer "bullying", ser provocado, insultado por um professor - podem ter um efeito terrível e duradouro. Ao olhar para o passado, você sabe que crianças podem ser cruéis ou que algumas pessoas não deveriam lecionar. Mas quando as memórias não são processadas, são as emoções antigas que comandam o espetáculo. Todos esses tipos de experiências com os pais, outras pessoas em posição de autoridade e colegas talvez causem problemas que podem ser verbalizados por cognições negativas em todas as três categorias. Entretanto, a primeira categoria pode ter um significado especial e mais nuances do que as duas outras juntas. Assim, iremos analisar essa categoria de cognições negativas e tentar determinar se algumas delas estariam provocando algum impacto no seu presente.

Responsabilidade - É Minha Culpa

Esta categoria significa que a pessoa se sente culpada por qualquer problema que tiver. De certa forma, a sensação de ter algum defeito torna-se parte de sua psique. Há sempre o sentimento de que: "eu sou um errado na vida" ou "eu fiz algo errado" - que também significa que "eu tenho um defeito" de alguma forma. Embora muitas dessas experiências possam originar-se em nossa criação, elas não resultam necessariamente de relacionamentos com pais abusivos ou relapsos.

O caso de Ethan enquadra-se nessa situação. Aos doze anos de idade, Ethan foi levado à terapia pelos pais por ser extremamente ansioso, bem como ter ataques de pânico e medo de ir à escola. Possuía baixa autoestima, ficava curvado como se estivesse tentando sempre se esconder, era tímido e envergonhado. Descobriu-se que grande parte de seus problemas era causada pelos pais superprotetores que monitoravam todos os seus movimentos. Isso ocorreu porque Ethan tinha sido um bebê prematuro. Ao nascer, pesava menos de um quilo e meio e permaneceu por meses em um respirador no hospital com problemas cardíacos e respiratórios.

A preocupação extrema contínua de seus pais com seu bem-estar - ficavam aflitos até mesmo quando ele corria - fazia com que Ethan se sentisse fisicamente inferior e um peso para a família. Seus sentimentos sobre si mesmo também se manifestavam na sala de aula, onde, pela sua postura curvada e timidez extrema, era provocado e humilhado. Todas essas experiências negativas com os colegas pioraram o quadro até ele ficar com medo de ir à escola. Portanto, as memórias principais por trás dos problemas de autoestima de Ethan envolviam tanto seus pais quanto a crueldade de seus colegas. Mas o fundamento de seus problemas estava no amor e na preocupação de seus pais - e não na indiferença ou na maldade. As atitudes de seus pais tinham origem nas suas próprias memórias não processadas dos meses que haviam passado, no hospital e em casa, temendo pela vida do seu frágil bebê prematuro.

Felizmente, Ethan ingressou na terapia com a idade de 12 anos. Mas se ele tivesse iniciado aos 40 anos, com queixas de relacionamentos insatisfatórios e insegurança, a base teria sido a mesma: seus sentimentos de inadequação provenientes de sua infância. Como exemplo disso, vejamos o caso da Elaine, enfermeira, em seus 60 anos de idade, que procurou a terapia de EMDR para lidar com sua dificuldade em leitura. Ao explorar com maior profundidade a razão de suas queixas, fico claro que ela sofrera com depressão e problemas de autoestima durante toda a sua vida e nunca compreendera o motivo de não ter sido capaz de resolver suas dificuldades apesar de anos de psicoterapia.

Elaine tinha ciência de que a depressão pós-parto de sua mãe a afetara. Como enfermeira que havia lidado com inúmeras mulheres, sabia

que, quando mães passam por depressão pós-parto, elas simplesmente não são capazes de estabelecer o vínculo que as crianças necessitam para se desenvolver. Ela sabia que, todas as vezes que procurara por sua mãe e achara um espaço vazio, não era sua culpa. Também sabia que havia sido extremamente afetada pela morte de sua avó, quando tinha seis anos de idade - a avó era a pessoa que mais cuidava dela. Porém a consciência do impacto desses acontecimentos não tinha sido o suficiente para atenuar os anos de depressão profunda.

Durante a fase de levantamento da história clínica, muitas experiências passadas foram identificadas, nas quais a conclusão geral era que Elaine sentia "não ter valor". O processamento de EMDR começou com a memória de seu sexto ano de escola, quando o professor comunicou para a turma que Elaine e outros alunos que haviam tirado nota muito abaixo da média nunca iriam conseguir entrar na faculdade. Essa experiência foi tão devastadora que, mesmo 40 anos depois, ainda provocava nela uma forte reação emocional. A memória claramente refletia sua dificuldade de leitura, assim como em sua crença de que era burra e "não tinha valor"- ao contrário de seu esperto e competente irmão.

Quando a memória do sexto ano escolar foi processada, veio à sua rede de memória a associação com a morte de sua avó e como Elaine tomou conhecimento do ocorrido. Ela tinha sido levada para a casa da avó, mas, como a avó não estava por lá, a menina foi à sala e pegou o seu livro de Cinderela para ler durante a espera. Durante a leitura, sua tia debruçou-se sobre ela e apontou a palavra "morte" no livro, como uma maneira de contar que a avó havia morrido. Foi um momento transformador no processamento quando ela percebeu que a associação inconsciente da notícia da morte de sua avó com o livro de Cinderela foi o começo de sua dificuldade de leitura, especialmente por prazer. Após algumas sessões, a memória focalizada dissolveu-se completamente, adquirindo um grau 0 de perturbação na escala SUDS, e sua crença positiva de que "eu tenho valor" tornou-se sólida a forte. É preciso salientar, mais uma vez, que a tia de Elaine não agira por crueldade ou com intenção de magoar. Mas muitas experiências desse tipo podem ficar trancadas em nosso cérebro como memórias não processadas. Elas moldam nossas personalidades e conduzem nossas vidas de maneiras que não nos beneficiam.

Apesar de podermos ficar furiosos com as emoções negativas que não queremos e nem entendemos, elas são em geral simplesmente parte da paisagem oculta de nossas redes de memórias. Ninguém está imune, pois questões que envolvem o sentimento de vergonha podem influenciar qualquer pessoa, independentemente da idade, inteligência ou habilidade.

Raphael, por exemplo, lutou com o sentimento de inadequação durante toda a sua vida. Ele tinha sido criado pela mãe, que era divorciada e tinha um namorado na cidade vizinha. Como o pai não estava

disponível, a mãe trabalhava durante o dia em casa como costureira, preparava o jantar para os filhos e por volta das seis da tarde pegava o trem para a cidade vizinha a fim de passar a noite com o namorado. No outro dia cedo, ela voltava para casa e preparava o café da manha para as crianças. Infelizmente, Raphael tinha fortes dores de ouvido quando criança, e foi deixado com um sentimento de vergonha e a sensação de irrelevância (eu não sou importante), por ter sofrido sozinho, com dor e no escuro.

Quando Raphael ingressou na terapia, ele estava na faixa dos 50 anos. Caso lhe tivessem perguntado se estaria certo deixar crianças pequenas sozinhas à noite, a resposta teria sido um ressonante "NÃO". Mas independentemente da quantidade de informação que nós tenhamos adquirido de outras fontes, as memórias antigas não processadas estão presas na própria rede e não se ligam a nada mais adaptativo. Essa também é a razão pela qual ex-combatentes podem ouvir com compaixão o relato de companheiros sobre experiências guerra, mas odeiam a si próprios, considerando-se "fracassados" por terem agido da mesma maneira em circunstâncias similares.

Da mesma forma, vejamos o caso de Márcia, uma corretora de imóveis bem-sucedida de 69 anos que tinha cognições negativas do tipo: "eu não mereço ser amada, eu não sou inteligente". Seu pai morrera quando ela completara três anos de idade de e sua mãe tornou-se física, verbal e emocionalmente violenta. Ela dizia a Márcia, durante toda a sua infância: "Se não fosse você, minha vida seria melhor". Márcia nunca sentia que era boa o suficiente. Já adulta, ficou óbvio que sua mãe tinha vários problemas e que era completamente desequilibrada. Ninguém deveria tratar uma criança daquela maneira. Mas saber e sentir são duas coisas diferentes. O conhecimento que possuía sobre o que era correto estava armazenado em uma rede, separado das experiências com a sua mãe abusiva. Depois de processar as memórias da infância, Márcia agora sente-se forte e com boa autoestima. O seu passado não ficou diferente, o que mudou foi o modo pelo qual as memórias foram armazenadas em seu cérebro.

Exploração Pessoal

Neste ponto, vamos dar mais um passo no sentido se identificar suas antigas memórias. Quando eu uso, por exemplo, uma palavra como "insegurança", é como se eu lhe pedisse para imaginar a cor verde. Eu não tenho meios de saber que nuance de verde você imaginou. Da mesma forma, quando você admite para si mesmo que é "inseguro", temos apenas uma parte da história. Sentimentos distintos aparecem de acordo com a circunstância e memórias diferentes podem estar provocando-os. Portanto, é útil identificar o que exatamente acontece quando você se sente inseguro em certas situações em sua vida.

Apesar de você ter identificado, no capítulo anterior, as cognições negativas que estão conectadas a alguns acontecimentos recentes, elas podem ser apenas a ponta do *iceberg*. A lista de cognições negativas na próxima página dá-lhe a oportunidade de ter uma ideia melhor de suas áreas problemáticas, porque as próprias palavras podem ligar-se a redes contendo memórias não processadas. Já que, não somente os pensamentos mas também as sensações físicas negativas dos acontecimentos originais são armazenados em seu cérebro, eles podem ajudar por meio de *feedback* a identificar os sentimentos que o controlam. Começaremos por examinar cognições negativas da primeira categoria para verificar quais são as mais relevantes para você. Ao ler a lista de cognições negativas no próximo exercício, você deve observar os sentimentos negativos que vêm juntamente com ela.

Escreva o título "Responsabilidade" em seu caderno, e depois leia todos os passos abaixo antes de começar a seguir as instruções.

1. Veja a lista das cognições negativas e depois leia a primeira crença - devagar e com cuidado. Observe como o seu corpo reage enquanto você lê as palavras.
2. Ao ler a crença negativa, observe se ela provoca uma sensação de desconforto em seu corpo ou uma mudança em sua respiração (ritmo mais acelerado, mais lento ou dificuldade para respirar). Se esse for o caso, então anote a cognição abaixo do título "Responsabilidade".
3. Respire fundo para deixar os sentimentos negativos irem embora. Espere o tempo necessário para que o seu corpo volte ao estado neutro antes de continuar. Se precisar de mais ajuda, use as técnicas do Lugar Seguro e da Mudança de Respiração que você aprendeu nos capítulos anteriores.
4. Continue a ler a lista, item por item, vagarosamente e cuidadosamente, enquanto você observa se há alguma reação em seu corpo.
5. Anote cada cognição que provoca uma reação, respirando fundo algumas vezes entre cada uma delas.

Não julgue o que *deveria* estar acontecendo, apenas fique atento ao que acontece. Como já mencionei em um capítulo anterior, algumas pessoas não são sensíveis a mudanças no corpo. Se esse for o caso, não se preocupe se este exercício não funcionar para você.

Agora comece com a lista abaixo:

Responsabilidade: Ser defeituoso

Eu não mereço amor.
Eu sou uma pessoa má.
Eu sou terrível.
Eu não tenho valor (inadequado).
Eu sou uma vergonha.
Eu não mereço ser amado.
Eu não sou bom o suficiente.
Eu mereço apenas coisas más.
Eu estou prejudicado para sempre.
Eu sou feio (meu corpo é detestável).
Eu não mereço...
Eu sou um burro (não sou inteligente o suficiente)
Eu sou insignificante (não tenho importância).
Eu sou uma decepção.
Eu mereço morrer.
Eu mereço me sentir arrasado.
Eu sou diferente (não consigo me entrosar).

Agora leia as afirmações abaixo. Se elas parecem se encaixar no seu caso, pergunte-se: "o que isso diz sobre mim?". Por exemplo: "eu sou uma vergonha/ eu sou um burro/ eu não tenho valor.

Eu devia ter feito algo.
Eu fiz algo errado.
Eu devia saber disso.

Explorando a paisagem

Quais as cognições negativas que repercutem para você? Talvez você tenha achado algumas cognições negativas nessa categoria ou talvez nenhuma. Lembre-se de que as palavras de cada crença simplesmente verbalizam a emoção e a perspectiva que estão armazenadas em suas redes de memórias não processadas. Examine algumas das coisas que mais o aborreceram nos últimos anos. Essas palavras correspondem aos seus sentimentos naquelas ocasiões? Você percebe os tipos de situação que disparam suas reações negativas?

Em caso afirmativo, é possível preparar-se com antecedência municiando-se com as técnicas de autocontrole antes de enfrentar as situações, como a técnica do Lugar Seguro ou outras conexões de memórias positivas que você identificou anteriormente neste capítulo. Dessa forma, se suas reações forem disparadas, você pode usar as técnicas

de Mudança de Respiração, Lugar Calmo/Seguro ou memória positiva para lidar com a perturbação. Depois, se ainda houver sentimentos negativos, utilize as técnicas da Lata de Tinta, Personagem de Desenho Animado ou Espiral para se livrar dos resíduos. Basicamente, você perceberá que seus sentimentos negativos são apenas reações previsíveis quando as situações no presente interagem com suas redes de memórias e assim as emoções e sensações físicas emergem. Em vez de ficar sem ação, você pode encontrar espaço suficiente para respirar, passar a marcha e seguir em frente.

Identificando as Memórias

Se desejar, agora você pode identificar mais Memórias-Chave causadoras de sentimentos negativos. As cognições que repercutem para você são as que mais correspondem aos sentimentos que você normalmente tem, de vergonha, medo, raiva, tristeza ou impotência. Lembre-se de que sua situação não é diferente daquelas das pessoas sobre as quais você leu neste capítulo. Não há nada de vergonhoso no fato de ter memórias que não foram processadas, pois todos nós as temos. É também uma questão de sorte, baseada em uma combinação de genética, criação e um número de outros fatores sobre os quais não temos nenhum controle. Além do mais, trata-se de uma situação na qual não há culpados.

Logo, para cada uma das cognições negativas que anotou, você pode usar a técnica de Flutuar ao Passado com o objetivo de identificar a memória, executando, passo a passo, a sequência de instruções que se seguem. Para tanto, é possível que algumas pessoas necessitem da assistência de um terapeuta. Lembre-se, por exemplo, de que a memória de Elaine de quando fora informada sobre a morte de sua avó enquanto lia um livro só foi revelada durante o processamento. Sugerimos que você não tente muitas cognições negativas de uma só vez, não importa se uma memória apareça para cada cognição ou não. Depois, faca uma pausa e deixe a questão repousar por alguns dias. Certifique-se também de que você irá parar depois de completar o exercício para cada crença, e use sua técnica de Mudança de Respiração ou Lugar Seguro/Tranquilo para voltar ao estado neutro. Se a técnica da Flutuar ao Passado não funcionar com você no momento, deixe-a de lado e volte a ela em uma outra vez. Não tente forçar nada, apenas deixe acontecer o que tiver que acontecer.

Leia todos os passos até memorizá-los, e depois execute-os com referência à primeira cognição negativa de sua lista:

1- Ao pensar na cognição negativa, quando você a sentiu recentemente? Qual incidente ocorreu? Retenha a resposta na mente. Se nenhum acontecimento recente lhe ocorrer, apenas concentre-se na crença. Em que parte de seu corpo você a sente?

2- Quando você pensa no acontecimento recente (se tiver algum) e na cognição negativa - por exemplo, pense nas palavras "eu sou diferente"- perceba o sentimento que surge e deixe sua mente vagar novamente para a infância. Que memórias aparecem quando você se sentiu dessa maneira? Alguma coisa pode vir à sua mente automaticamente. Escreva o acontecimento recente, a cognição negativa e a memória nas colunas apropriadas de sua lista.

3- Se localizar uma memória, como você a classificaria na escala de 0 a 10 de perturbação? Escreva o grau juntamente com a idade que tinha durante o ocorrido.

Se nada vier à sua mente, pense na crença, na sensação corporal e em seus pais. Se você notar que uma memória antiga apareceu, então escreva-a. Caso não venha à mente nenhuma memória, pense em cada um de seus irmãos e em outros membros de sua família. Se ainda não tiver nenhuma lembrança, pense, como próximo passo, em professores, colegas ou amigos (da escola, vizinhança ou acampamento) ou outras pessoas importantes em sua vida. Retenha no pensamento a crença negativa enquanto você pensa em cada uma das pessoas separadamente e veja se alguma memória emerge. Apenas anote rapidamente com a ajuda de palavras-chave qualquer memória antiga que corresponda à cognição negativa. Certifique-se de usar a técnica de Mudança de Respiração e Lugar Seguro/Tranquilo para retornar ao estado neutro. Você também pode tentar a respiração pelo abdômen, eficaz na redução da perturbação. Inspire devagar e profundamente enquanto conta lentamente de 1 a 5. Sinta o seu abdômen expandir quando se enche de ar e depois solte o ar devagar. Concentre-se na expansão e contração de seu abdômen enquanto você inspira e solta o ar. Repita a operação uma dúzia de vezes como auxílio para voltar ao estado de calma.

Cuidado Consigo Mesmo

Se você identificou qualquer cognição negativa e a memória por trás dela, aproveite então a oportunidade para se sensibilizar com o que você vivenciou quando era criança. Não se trata nesse ponto de sentir autopiedade, mas sim de ter o mesmo sentimento de compreensão e carinho que você teria por qualquer criança magoada. Assim como as pessoas neste livro que compartilharam suas histórias de vida, cada um de nós é um produto de como o nosso cérebro trabalha - assim como das memórias que estão armazenadas nele sem o nosso controle nem consentimento. Veja se você também consegue se solidarizar consigo mesmo pela maneira como é agora.

Continuaremos com outros exercícios pessoais em próximos capítulos e, depois que tivermos concluído a série, você terá uma ideia melhor dos fatores que influenciam o seu comportamento. Isso inclui a razão pela qual você pode ter sentimentos crônicos de angustia, tristeza ou raiva. Se as suas reações negativas forem esporádicas, você também poderá ter uma ideia de quais seriam os tipos de situação que disparam seus sentimentos perturbadores. Assim você pode preparar-se com antecedência, usando o exercício do Lugar Seguro/Tranquilo, quando souber que encontrará certas circunstâncias, ou você poderá usar a técnica posteriormente, se emoções e sensações negativas se manifestarem. Você também tem à disposição outras técnicas como a do Espiral para livrar-se do incômodo. Como breve resumo do assunto, há um glossário e técnicas da autoajuda no Apêndice A.

Nós ensinaremos outras técnicas adicionais, no decorrer do livro, visando a ajudá-lo a lidar com suas reações automáticas - e você pode alcançar bons resultados por meio do monitoramento de suas reações e da utilização dessas técnicas. Porém, a questão para se levar em consideração a longo prazo seria: Isso é o suficiente para satisfazê-lo? Caso a resposta seja negativa, você deveria considerar processar as memórias primárias que identificar com a ajuda de um terapeuta. Um objetivo da terapia de EMDR é "digerir" as experiências antigas e bloqueadas, a fim de que as sensações físicas e emoções não continuem a impelir você a tomar direções contra sua vontade. E, mais importante, isso significa que os sentimentos e cognições negativos serão transformados em positivos- e você estará livre para experimentar a vida com um novo sentido de poder e bem-estar. Como você já começou a observar, essas memórias podem constituir a base de problemas e prejudicar a felicidade pessoal de formas extremamente abrangentes e inesperadas. Agora que percebe isso, você é capaz de fazer suas próprias escolhas sobre como remodelar aquela paisagem previamente oculta.

Capítulo 6: Se Pudesse Eu Faria, Mas Não Posso

Assim como o amor, a dor e a raiva, a ansiedade e o medo são emoções importantes e úteis. Elas nos alertam para possíveis situações difíceis ou perigosas que talvez precisem ser levadas em consideração. Ademais, fornecem sinais para guiar nossos próximos passos - como investigar se o perigo é real e decidir o que precisamos fazer para lidar com ele. Todos nós temos ocasionalmente esses sentimentos. Eles são respostas naturais a certas situações e pessoas que encontramos em nossas vidas. Tais sentimentos nos são úteis, a não ser que estejam fora do lugar. Infelizmente, em muitos casos, a ansiedade e o medo distorcem a realidade e ficam conectados a coisas, situações e atividades que realmente não fazem sentido. Sim, certamente um cão Rottweiler feroz é uma boa razão para se sentir medo e recuar. Por outro lado, um Poodle, preso pela coleira, andando calmamente ao longo da calçada, não representa ameaça. Contudo, para uma pessoa que tenha fobia a cães, apenas o fato de ver a gravura de um desses animais já pode causar alguma reação de medo.

Há milhões de pessoas que sofrem de medos inadequados, mas nem todas procuram terapia. Apesar de elas não serem tão felizes quanto poderiam ser, o medo geralmente acompanha a reação natural de evitar situações e coisas que nos incomodam. Se nós conseguirmos evitá-las, em geral planejamos nossas vidas nesse sentido. Portanto, mesmo que pesquisas nos Estados Unidos demonstrem que o maior temor das pessoas seja falar em público, maior até mesmo que o medo da morte, a maioria das pessoas simplesmente evita falar em público e não pensa sobre o assunto. As pessoas tipicamente só procuram terapia se, de repente, seu trabalho assim o exige - ou então elas percebem que o medo está atrapalhando seu desempenho de outra maneira qualquer, por exemplo impedindo-as de promover uma causa na qual acreditam. Para outros, entretanto, é impossível evitar algumas situações que causam medo ou ansiedade. Este capítulo explorará as conexões intrincadas que podem provocar esses distúrbios.

Começaremos com o caso de James, 14 anos, que ficava ansioso toda vez que ia para a cama. Ele tinha medo de ser assassinado enquanto dormia por alguém que se esgueirasse no quarto quando ele estivesse sozinho. Seu medo tornou-se tão grave que ele teve que decidir se dormiria virado para a porta ou para o outro lado. Ele decidiu que seria melhor dormir de costas para a porta. Dessa maneira seria assassinado pelas costas sem perceber nada, em vez de ser obrigado a ver a pessoa vindo em sua direção ser incapaz de se defender.

Como acontece com muitas pessoas, James não conseguia identificar a causa de seu medo, porém ele existia já há alguns anos e piorava com o tempo. Então o seu terapeuta perguntou se ele lembrava-se dos sentimentos que havia tido na noite anterior, com vistas a acessar a sua rede de memória. Quando James se concentrou na imagem e no medo de ir para cama sozinho no seu quarto, o processamento começou. Um fato ocorrido quando ele tinha oito anos de idade, seis anos antes, veio à tona. Seus pais haviam viajado, deixando-o aos cuidados da avó. Naquela época, os jornais e televisão estavam cheios de histórias sobre os assassinatos do *Night Stalker* (Perseguidor Noturno) na Califórnia. As pessoas preocupavam-se com o próximo lugar onde o assassino atacaria novamente e viviam em constante estado de alerta. O cérebro de James tinha associado a ausência de seus pais aos assassinatos. Depois disso, quando ele ia para o seu quarto dormir sozinho, o sentimento de medo e de ansiedade surgiam. Seus sintomas desapareceram depois que a memória foi processada.

Felizmente, os pais de James o haviam levado para fazer terapia quando ele tinha 14 anos da idade. Infelizmente, milhões de outras pessoas continuam a sofrer, sem necessidade, sentindo-se ansiosas e amedrontadas devido a uma grande variedade de fatores. Em alguns casos, os sentimentos estão vinculados a circunstâncias específicas. Em outros, porém, parecem estar sempre presentes. Independentemente da causa, seria útil lembrar que há algo armazenado na rede memória que iniciou o processo - mesmo se você não tiver sido capaz de identificar o que é.

Lá Vêm Eles de Novo?

Como era de se esperar, quando as pessoas sentem ansiedade e medo, de forma generalizada, a origem pode estar nos sentimentos conectados aos estilos de apego inseguro, já discutidos no capítulo anterior. Isso quer dizer que estamos novamente nos referindo aos pais? Sim. Infelizmente, sentimentos de falta de segurança podem basear-se no fato de não termos nos sentido suficientemente valorizados ou protegidos na infância. Deixaram-nos pensar que não éramos bons o bastante e passamos a temer que outras pessoas nos julgassem de forma negativa.

Por vezes, a esses sentimentos agregam-se problemas adicionais como, por exemplo, no caso de Laura. Ela ficou hospitalizada nos primeiros oito meses de vida, submetendo-se a cirurgias para corrigir um defeito de nascença. Apesar do sucesso dos procedimentos cirúrgicos, os oito meses longe de casa tiveram um preço. Ela nunca se sentiu próxima de seus pais. Sua ansiedade levou-a a buscar terapia, porque não se permitia estabelecer um contato mais próximo com outras pessoas e detestava até mesmo ser abraçada por amigos. Apesar de ter seu próprio negócio e ser bem-sucedida, suas crenças negativas eram: "não é seguro me aproximar

de pessoas", "as pessoas não se importam comigo". Havia duas memórias de infância que precisavam ser processadas. Uma foi quando teve que se sentar no colo do pai para ser fotografada. Ela sentiu que o pai estava "fingindo" gostar dela. A segunda lembrança era semelhante, de sua mãe "fingindo" que se importava com ela. Ela conseguiu processar essas memórias e depois também algumas situações atuais com amigos que disparavam reações. Laura sentiu, então, que estava pronta para aceitar os abraços de seus amigos. Assim, ela pôde fortalecer suas crenças positivas tais como: "é seguro me aproximar", "eles realmente se importam comigo".

Não faz diferença se os pais de Laura realmente a amavam mas tinham dificuldade em demonstrar esse amor, ou se a separação forçada da filha quando bebê prejudicou a capacidade de estabelecer vínculo com ela. Crianças assumem a culpa pelos erros de seus pais. Elas também absorvem os sentimentos que estão sendo gerados na família. Se um dos pais está preocupado com uma situação grave, qualquer que seja a razão, as crianças simplesmente não conseguem ter suas necessidades satisfeitas. Esse era o caso de Ava, por exemplo, que provavelmente tinha "bons pais". Mas, infelizmente, durante toda a infância dela, a mãe lutou contra um câncer, o que afetou a sensação de segurança da filha. Depois, quando Ava completou 16 anos de idade, ela faleceu.

Crescer dessa maneira pode causar sentimentos generalizados de ansiedade e uma impressão negativa de si mesmo (*self*). Porém, muitas pessoas podem não perceber essa tensão de grau baixo em suas vidas porque nunca conheceram algo diferente. Geralmente, é necessário um agravamento da dor emocional para que a pessoa reconheça que precisa de ajuda. Ava procurou a terapia porque, depois de um rompimento recente, percebeu que havia ficado dependente de homens e continuava envolvendo-se em relacionamentos pouco saudáveis. Sua cognição negativa identificada foi: "ficar sozinha não é seguro" - e ficou claro que ela estava associada às memórias antigas de sua mãe doente ou exausta. Esse tornou-se o primeiro alvo do tratamento, posteriormente ela focalizou a morte de sua mãe. Depois disso, memórias de suas relações doentias foram processadas, juntamente com o último rompimento. O resultado foi a eliminação dos medos de Ava. Assim ela foi capaz de seguir em frente, sentindo-se bem consigo mesma. Isso também afetou diretamente suas escolhas de parceiros e o limite que estaria disposta a suportar em um relacionamento, já que a sensação de segurança estava agora dentro dela mesma.

Simplesmente Não É Seguro

Sentimentos de falta de segurança manifestam-se em centenas de maneiras diferentes. Talvez nós nos sintamos ansiosos ao conhecer novas pessoas ou ao enfrentar novas situações. Algumas pessoas sentem-se incapazes de lidar com certas situações ou como se fossem "impostoras" à espera de serem descobertas. Outras sofrem de ansiedade ao prestar

exames porque se sentem, de maneira injustificada, "burras ou incapazes - e consideram-se um "fracasso". Sejam as razões provenientes de humilhações sofridas na escola ou de problemas em casa, a questão básica é que sempre que nos deparamos com determinadas situações, sentimos uma reação física de medo ou de ansiedade que influencia tanto a maneira pela qual vemos o mundo quanto o que somes capazes de fazer. Medos podem piorar com o tempo, pois cada experiência fica codificada em nosso cérebro e a rede de memórias associada ao problema é ampliada. À medida que acumulamos mais experiências reais, tais como fracassar em um teste, ficar retraído ou ser ignorado em uma festa, podemos convencer-nos cada vez mais de nossa falta de adequação e incapacidade de lidar com essas situações.

Cognições Negativas

Neste tópico, iremos analisar em profundidade questões que dizem respeito à segunda categoria de cognições negativas, denominada *Falta de Segurança /Vulnerabilidade.* Essas cognições estão relacionadas com sentimentos incômodos envolvendo medo ou falta de segurança. As pessoas portadoras de TEPT ou fobias podem ter crenças negativas em qualquer uma das três categorias, porém elas devem identificá-las mais facilmente nessa segunda categoria, uma vez que os sentimentos de ansiedade e de medo já são, a princípio, parte do diagnóstico. Na maioria dos casos, aconteceu alguma coisa específica que causou uma reação de medo e essa experiência permanece não processada. Logo, quando nos deparamos com uma situação semelhante, ou mesmo quando pensamos sobre certas coisas como falar para uma plateia ou nos deparamos com cobras, as emoções e as sensações físicas negativas vêm à tona.

A maioria das pessoas com TEPT ou com fobia são capazes de identificar a verdadeira causa do medo - como um estupro ou uma mordida de cachorro. Para outras, os medos já existem há tanto tempo que elas sequer conseguem identificar a origem. De qualquer forma, com assistência profissional, as redes de memória nas quais os medos se encontram codificados podem ser acessadas.

Você Não Pode Passar por Cima

Há um velho provérbio dos índios americanos que diz: "você não pode passar por cima do que está dentro de você". Onde quer que estejamos ou para onde quer que formos, o medo permanece em nossas redes de memória esperando para ser disparado. Às vezes, as emoções negativas são de baixa intensidade, mas, outras vezes, consistem em fobias extremas que fazem as pessoas organizarem suas vidas de maneira a evitar o contato com qualquer coisa que lhes cause medo. As fobias geralmente envolvem um medo do medo. De fato, algumas pessoas relatam que já evitaram uma determinada situação por tanto tempo que nem sabem se

realmente o medo ainda permanece. O que elas temem, de fato, é serem dominadas pelo próprio medo caso ele surja. Essa é uma atitude bastante justificável, se você jamais foi capaz de lidar com o medo de forma adequada.

Com o intuito de tratar esse problema, algumas formas de terapia concentram-se em ensinar ao paciente uma série de procedimentos de autocontrole, alguns deles já foram mostrados neste livro. Elas também podem usar a "terapia de exposição" ou "experimentos comportamentais", para que a pessoa confronte as situações ou objetos temidos, ou teste as crenças negativas delas sobre a periculosidade da situação, até que a ansiedade seja reduzida. Essas são as formas mais extensivamente estudadas de terapia para tratar fobias. Apesar de as taxas de sucesso e de recaída variarem de acordo com o tipo de fobia tratada, essas terapias são geralmente ótimas opções. Os estudos sobre o uso de EMDR nessa área são bem menos numerosos. Contudo, uma pesquisa envolvendo terapeutas de EMDR, em todo o mundo, revelou uma alta taxa de sucesso no tratamento desses problemas. Além do mais, várias experiências conduzidas nos últimos vinte anos também nos forneceram muito mais informações a respeito das associações das redes de memória no cérebro. Basicamente, na terapia de EMDR, o foco é o processamento das memórias que causam o próprio medo. Em outras palavras, a terapia de EMDR vai direto à fonte do problema.

Para a maioria das pessoas, a causa original do medo é bem simples. Ela está diretamente relacionada com uma experiência na qual ficaram apavoradas ou foram de alguma forma prejudicadas. Se um cachorro me mordeu, eu provavelmente passarei a ter medo daquele tipo de animal. Para outros, o medo em uma área pode ser causado por alguma outra coisa que tenha acontecido na mesma época. É o que se observa, por exemplo, no caso de Cheri, que teve medo de dirigir por mais de dez anos. Descobriu-se que sua fobia havia começado quando, ainda estudante de faculdade, participou de um programa de intercâmbio na Europa. Logo depois de ter chegado ao novo país, alguns colegas convidaram-na para uma festa. Ela foi alegremente, na esperança de fazer novas amizades. Quando chegou à festa, tomou ponche, começou a passar mal e voltou para seu apartamento. Ela deitou-se na cama e teve alucinações durante toda a noite, totalmente fora de controle. Alguém havia misturado LSD no ponche que ela bebeu.

Imagine a sensação de estar sozinha em um país onde na verdade não se conhece ninguém e de repente alucinar descontroladamente sem amigos ou família para pedir ajuda. Ela ficou apavorada, mas superou a experiência. Depois, alguns dias mais tarde, ela estava dirigindo para a faculdade quando um carro desviou e veio em sua direção. Apesar de não ter havido nenhuma colisão, a mesma sensação de estar sem controle, que

ela sentira no seu apartamento, foi disparada novamente e o medo transferido para a experiência de dirigir. Essa era a causa de sua fobia de conduzir automóvel. Além disso, o desenrolar pavoroso da festa também a deixara com a sensação de que não era seguro baixar a guarda em relação a outras pessoas - uma vez que ela se culpava por ter confiado demais ao experimentar o ponche.

Outro exemplo é a história de Sara. Quando também era estudante universitária, ela começou a suspeitar de que seu namorado tinha um caso com sua melhor amiga. Ao perguntar-lhes sobre o assunto, ambos disseram: "Não, claro que não". Ela então começou a pensar: "Meu Deus, como posso duvidar dessas pessoas maravilhosas?". Mas todo o tempo seu instinto lhe dizia: "alguma coisa está errada". Você alguma vez já teve uma sensação parecida? A situação arrastou-se por algum tempo até que um dia ela viu, através da janela de um ônibus, o namorado e a amiga abraçando-se apaixonadamente em uma esquina. Ao constatar que eles haviam mentido e estavam realmente tendo um caso, Sara começou a passar mal. Ela conseguiu aguentar até a parada seguinte, saiu correndo do ônibus e vomitou na rua. Essa foi a experiência que desencadeou uma fobia grave relacionada a transporte público. Isso também fez com que ela ficasse com a sensação de não poder confiar em ninguém.

Logo, para as pessoas com cognições negativas pertencentes à categoria de Falta de Segurança/Vulnerabilidade, há sempre o sentimento de que "eu vou me machucar se eu fizer...". A ferida pode ser física ou emocional. Eu poderia ter receio de ser vítima de um acidente de carro ou de avião, ser picado por cobra ou mordido por cachorro, afogar-me ou qualquer um dos milhares de outros medos - ou então posso ter medo de ficar envergonhado, de sentir-me privado de algo ou de que alguém se aproveitará de mim se eu agir de determinada maneira.

Catherine, por exemplo, procurou tratamento para uma depressão prolongada e um alto grau de ansiedade, tão intensos que ela nem sequer conseguia mais trabalhar. Ela associava sua ansiedade e depressão à violência de seu pai em casa, principalmente em relação aos dois irmãos. Isso fazia sentido, mas uma boa análise da história clínica pode frequentemente revelar outras conexões ocultas de memória.

Durante a fase de levantamento da história da clínica, no tratamento com EMDR, Catherine também mencionou que não conseguia chorar, entretanto não sabia o motivo e nem podia precisar a partir de quando tudo havia começado. Enquanto estava processando uma memória do comportamento agressivo de seu pai, uma nova memória veio à tona. Ela contou: "Quando eu tinha três anos, estava na igreja e de repente senti uma dor abdominal muito forte. Devo ter desmaiado, porque a primeira coisa de que me lembro depois daquilo foi acordar na pediatria de um hospital. Era hora de dormir, minha mãe tinha ido embora e eu chorava

chamando por ela. A enfermeira informou-me: "Se não parar de chorar, não vou deixar sua mãe te ver!" Isto foi há muito tempo, mas foi a raiz para eu sempre me conter - tenho medo de chorar. Eu escondia meu choro até quando era criança. Eu costumava me esconder debaixo da cama para chorar; isso não é estranho?".

Os medos podem ser causados por acontecimentos reais que nos machucam de maneira física ou emocional, por relatos de gente sendo ferida ou, para algumas pessoas, por filmes de terror assistidos na infância. O fundamental é que nossos medos e falta de segurança estão enraizados nessas memórias não processadas - e algumas vezes o que talvez pudesse ter sido facilmente resolvido à época torna-se um problema duradouro.

Billy, por exemplo, tinha pavor de cobras. Aos sete anos de idade, ele percebeu que uma cobrinha subia em sua perna e ficou frenético. Quando correu para casa assustado e histérico, sua mãe castigou-o por "ser um maricas". Naquela noite, deitado sem conseguir pegar no sono, ele podia sentir as cobras subindo pelos pés da cama. Para Billy, as cognições negativas provocadas pelo incidente não eram apenas: "eu não estou seguro", mas também: "eu não posso confiar em ninguém". Afinal de contas, a pessoa da qual esperava ajuda o fez sentir-se ainda pior. A experiência também trouxe o sentimento de que ele não era bom o suficiente para merecer apoio. Todos esses problemas desapareceram depois do processamento da memória.

O mesmo aconteceu com Gregório que, com quase 40 anos, tinha um medo tão grande de animais que nem podia se encontrar com amigos em passeios ou fazer piqueniques em parques. Descobriu-se que ele havia sido mordido por um cachorrinho aos cinco ou seis anos de idade - mas a pior parte tinha sido a reação de seu pai, que riu e menosprezou o ocorrido, apesar de ter cuidado do ferimento. Ao minimizar as reações emocionais de Gregório em vez de consolá-lo, seu pai fez com que tanto o medo quanto também os sentimentos de vergonha e culpa ficassem trancados na memória do filho.

O pai de Gregório cometeu um erro bem comum. Os adultos geralmente tentam fazer piadas ou "gozar" dos amigos para ajudá-los a sentir-se melhor. Mas quando as crianças estão com medo e procuram consolo, elas precisam de um pai ou de uma mãe que estejam em sintonia com suas necessidades. É importante que os pais reconheçam e acalmem os medos das crianças carinhosamente, de modo que as faça se sentirem agora seguras e que fizeram bem em procurá-los. Isso pode transformar uma experiência apavorante em mais um tijolo na construção de uma atitude facilitadora de

resiliência e de sucesso. Caso contrário, a experiência pode transformar-se em fonte permanente de sofrimento.

Algumas vezes, o tratamento de fobias pode tornar-se complicado porque o medo está servindo a um outro propósito. Isso é conhecido como "ganho secundário", quando a pessoa extrai algum benefício do medo. Por exemplo, se tenho um paciente que tem medo de cobras porque foi avisado repetidamente de que elas são perigosas, já havia sido mordido por cobra ou tenha uma amigo que foi mordido, então o processamento das memórias associadas geralmente resolve o problema. No entanto, uma vez tive uma paciente que tinha pavor de cobras e seu marido era fanático por acampamentos. O medo a impedia de ter que acompanhar o marido nessa atividade. Ela odiava acampar por vários motivos, mas, assim como ocorria em outras situações em seu casamento, sentia que simplesmente não podia dizer "não". Seu medo não mudou até lidarmos com as memórias que estavam por trás de sua incapacidade de impor-se. Portanto, é importante perguntar-se: Será que este sintoma está me servindo de alguma forma? Se a resposta for positiva, temos então uma área que merece ser explorada.

Trauma Dentro do Trauma

Pessoas que passaram por uma experiência extrema - seja ela abuso sexual, acidentes, catástrofes naturais ou guerra - podem acabar desenvolvendo TEPT. É possível que elas revivam a experiência em suas mentes repetidas vezes, seja em pesadelos, pensamentos intrusivos ou recordações - nos quais elas realmente sentem como se o acontecimento estivesse se repetindo. Há vários sintomas que podem se manifestar e esses sentimentos persistentes de medo e de falta de controle são capazes de destruir relacionamentos com a família e com os amigos, devido a acessos de raiva, depressão ou isolamento.

Um dos propósitos deste livro é oferecer uma melhor compreensão dos fatores que influenciam nosso comportamento - e o que podemos fazer a respeito deles. Outro objetivo é ajudar a desenvolver mais compreensão e compaixão por aqueles a nossa volta. Por esse motivo, um veterano de guerra - que quer ajudar outros como ele - e uma sobrevivente de abuso sexual - que também visa ajudar outras vítimas - contam suas histórias neste capítulo do livro. Como já mencionei anteriormente, somos todos mais semelhantes do que diferentes. As maneiras com que nossas memórias nos afetam podem variar, mas ninguém está imune a sentimentos, pensamentos e reações físicas negativas. Milhões de pessoas desenvolvem trauma devido a acidentes, catástrofes naturais, ataques terroristas e abuso sexual ou físico. Pode acontecer inesperadamente com qualquer um de nós a qualquer momento. Se esses problemas não dizem respeito a questões que o afetam diretamente, ou aos seus entes queridos, você talvez se interesse pelos temas aqui compartilhados que

tratam de humanidade e de vulnerabilidade. Ao explorarmos as duas histórias seguintes, você poderia perguntar-se: "Como teria sido para mim se eu tivesse passado por essa mesma situação?"

Guerra e Encontrando a Paz

Funcionários de serviços de apoio médico militar e veteranos de guerra têm em comum a vontade de enfrentar o perigo para proteger e salvar outras pessoas. Mesmo quando se esforçam ao máximo, eles frequentemente ficam arrasados, apresentando sentimentos de culpa e de impotência. A razão é que eles exigem de si mesmos 100% de sucesso em 100% do tempo, mesmo quando não conseguem controlar 100% da situação. Você também pode ter problemas que se originam desse tipo de pressão interna. Caso seja um recruta, um ex-combatente, um membro da família ou amigo de um veterano de guerra, este tópico do livro pode ter um significado especial para você. Na hipótese de não se enquadrar em nenhuma dessas categorias, então este relato pode proporcionar-lhe a oportunidade de compreender melhor a situação enfrentada pelos combatentes de guerra e sentir compaixão por eles.

Além disso, se você tiver algum dos sintomas listados a seguir, o relato pode ajudá-lo a aprender um pouco mais sobre si próprio. O trauma tem a capacidade de causar muitos distúrbios físicos que, uma vez enraizados, não se dissipam sozinhos. Para pessoas que têm TEPT por terem escolhido servir o seu país em combate ou como membro de equipe de apoio médico na guerra, a vida pode tornar-se especialmente difícil, pois em geral elas desenvolvem sentimentos de fracasso. Na maioria das vezes, os sintomas não são causados por temerem por suas próprias vidas, mas sim pelas pessoas que podem ter ferido - ou que não foram capazes de salvar. Apesar de experiências de guerra talvez serem intensas o bastante para provocar um impacto negativo em qualquer pessoa, pode haver ainda outras razões capazes de romper as defesas emocionais até mesmo do mais forte dos guerreiros. O exemplo que se segue dá uma ideia da intensidade do sofrimento pelo qual nossos veteranos de guerra passam - e de como nossas redes de memória podem estar emaranhadas.

Olavo Walters é um sargento da Marinha Americana (SSGT E-6 - *Marine Corps Staff Sargeant*), condecorado em combate, de 37 anos de idade, casado, que esteve na ativa por mais de 11 anos. Seu clínico geral encaminhou-o para tratamento por causa do TEPT relacionado ao período pós-serviço militar e de sintomas graves de depressão. Sargento Walters relatou que, dois anos antes, dentro do período de uma semana de retorno ao lar de sua segunda e mais recente viagem a serviço ao Iraque, ele começou a sentir que seu estado de espírito piorava progressivamente, junto com lembranças diárias de acontecimentos relacionados com a

guerra, as quais eram disparadas por um grande número de estímulos comuns - como a visão de senhoras de idade, crianças e lugares cheios de gente.

Seus sintomas incluíam insônia, pesadelos relacionados com ansiedade, acessos de choro intermitentes, humor irritadiço e depressivo, problemas de estômago, fadiga crônica, problemas de concentração e de memória, sentimento de afastamento social, dores de cabeça frequentes, períodos de apatia emocional alternados com explosões intensas de raiva ou crises de choro sem motivo aparente, estado de hipervigilância (tensão e estado de alerta), estado de sobressalto (assustava-se diante de qualquer barulho repentino), perda de apetite, sentimento de exaustão e culpa profunda em relação a múltiplas memórias referentes à guerra. Todos esses são sintomas - sozinhos ou combinados - que atingem inúmeros de nossos soldados. Milhões já foram afetados desde o início dos registros oficiais.

Olavo tinha muitas memórias que precisavam ser processadas, mas uma delas possuía um significado especial extra. Ele estava em seu turno de guarda, quando sua tropa foi forçada a atirar em um carro que vinha a toda velocidade na direção deles. O carro quase destruído, crivado por tiros e envolto por fumaça acabou parando. Alguns ocupantes tentaram abrir vagarosamente as portas de passageiro. Uma senhora iraquiana idosa saiu pela porta de trás, mortalmente ferida e sangrando. Ela gritava de angústia e de dor, enquanto ele e seus homens a assistiram sucumbir em espasmos. Como ele contou ao seu terapeuta, os outros ocupantes do veículo tinham sido todos fatalmente atingidos e estavam deitados no chão, já mortos ou agonizando silenciosamente. Entretanto, os regulamentos não permitiam que os soldados se aproximassem até que os especialistas em explosivos tivessem a oportunidade de inspecionar o carro e de assegurar que não havia nenhuma bomba de ataque suicida. A senhora iraquiana agonizou no chão e gemeu por um período de tempo que, segundo seu relato, pareciam horas, mas que durou possivelmente apenas alguns minutos até ela morrer.

As expressões faciais de Olavo mudaram dramaticamente enquanto contava o incidente pavoroso. Ele abaixou a cabeça e sacudiu-a com suas mãos trêmulas, enquanto contava sua provação que, segundo ele, revivia várias vezes por dia (e à noite). Apesar de negar ter pensamentos suicidas mais concretos, a vergonha e a culpa intensas levavam-no a questionar a razão de continuar a viver.

Ele frequentemente fazia referências à idade avançada da vítima do sexo feminino, então o seu terapeuta indagou se ela o fazia lembrar de alguém que conhecera anteriormente. Ele pareceu considerar a questão com cuidado e, depois de primeiramente ter respondido de forma negativa, rapidamente mudou de ideia e disse: "Pensando bem, ela me

lembrou a minha avó". Ao ser indagado como, ele respondeu: "Minha avó era da Nigéria, mas morou conosco por alguns anos quando eu tinha em torno de oito anos de idade". Ele fez uma pausa e depois continuou: "Mas ela e minha mãe brigavam muito, quer dizer, elas realmente brigavam. Então eu me que um dia minha avó falou que não poderia viver mais em nossa casa e que iria voltar para a África".

O terapeuta de Olavo perguntou-lhe se ela de fato voltou para casa, e ele respondeu: "Sim, ela foi embora praticamente no dia seguinte. Eu me lembro dela chorando quando se despediu de mim no dia em que tomou o avião de volta e eu nunca mais a vi de novo". O terapeuta então indagou: "Você nunca mais a viu?" Ele respondeu: "Não. Ela não tinha telefone, não sabia escrever e não possuía um endereço eletrônico. A última vez que ouvi falar a respeito dela foi dois anos depois que ela voltou para casa. Minha mãe me contou que ela havia morrido de câncer". Olavo abaixou e sacudiu a cabeça: "Eu devia ter impedido sua partida, se eu tivesse feito isso talvez ela ainda estivesse viva". Quando indagado sobre o que queria dizer com isso, ele respondeu: "Se o seu câncer tivesse sido diagnosticado nos Estados Unidos, ela poderia ter recebido tratamento aqui em vez de na Nigéria, o que poderia ter salvo a vida dela".

Ele continuou a expressar sua culpa por não ter interferido na disputa entre sua mãe e sua avó e por não ter impedido a ruptura dos laços familiares. Ao ser perguntado sobre o que achava que a avó e a senhora iraquiana poderiam ter em comum, ele fitou o horizonte e respondeu: "Eu nunca tinha percebido isso antes, mas ela tinha mais ou menos a mesma idade da minha avó e, em ambos os casos, eu senti-me responsável por suas mortes".

Foi pedido a Olavo para concentrar-se na sensação no estômago e deixar sua mente voltar para a época mais remota de sua vida na qual sentira a mesma sensação acompanhada do sentimento de ser responsável ou culpado por uma outra pessoa ter sido ferida. Quase imediatamente ele lembrou-se de um passeio com seu irmão menor, quando ele tinha cerca de seis anos de idade e o irmão quatro. Eles estavam andando sobre as pedras perto de um pequeno lago quando o irmão escorregou e bateu a cabeça. As mãos de Olavo começaram a tremer quando ele contou sobre os seus sentimentos de medo e de culpa ao ver o irmão aos berros com a face coberta de sangue. Ele correu para casa para chamar seu pai, que gritou com ele e depois lhe deu uma surra por não ter tomado conta do irmão. Essa memória e aquela relacionada à avó foram totalmente processadas. Ele foi capaz de reconhecer o quão jovem era na época e, com seis anos de idade, fizera o melhor que poderia ter feito ao correr para buscar ajuda. No caso da avó, aos oito anos, não havia nada que pudesse ter feito para impedir que ela fosse embora.

Naquela altura, a experiência no Iraque foi focalizada e processada. Depois da sessão, verificou-se que o grau SUD de perturbação de Olavo era de nível 1. Quando foi perguntado sobre o que impedia que o grau chegasse a zero, ele respondeu: "Uma mulher idosa inocente morreu, o grau de perturbação nunca será zero. Mesmo sabendo que eu tive alguma coisa a ver com a sua morte, sei também que não tínhamos outra escolha. Tudo o que vimos foi um carro vindo a toda velocidade em nossa direção, sem responder aos nossos sinais de aviso para parar. Se não tivéssemos atirado, muitas pessoas mais poderiam ter morrido. Foi uma dessas tragédias que não parecem corretas, mas são fatos da guerra." Como já mencionei anteriormente, o processamento incorpora o que é útil e descarta o resto. Os veteranos de guerra não perdem a humanidade ou a capacidade de tomar atitudes extremas eventualmente necessárias para sobrevivência. Mas eles podem livrar-se da dor sentida pelo que foram forçados a fazer em situações sobre as quais não tinham controle.

Outro aspecto a ser considerado é que todos temos experiências na infância que talvez nos tornem vulneráveis a diferentes tipos de problema. Basta o acúmulo de experiências mais recentes para sermos derrubados. Esses tipos de experiência são observados especialmente em tempos de guerra. De fato, esses acontecimentos em uma guerra podem ser suficientes para derrubar um indivíduo de tal maneira que seja impossível uma recuperação sem ajuda. Há a combinação de fadiga, exaustão, responsabilidade, relacionamentos com pessoas que morreram, imagens horríveis e assim sucessivamente. Hora errada, lugar errado, golpe de azar. Qualquer que seja o motivo, as pesquisas são claras - depois de três meses, o TEPT é considerado crônico. Os sintomas podem persistir por toda a vida se não forem tratados. É também possível que existam reações retardadas quando, anos mais tarde, alguma coisa dispara os sentimentos negativos ou de autocrítica. O ponto essencial é que os sintomas são passíveis de emergir a qualquer momento. Nossos homens e mulheres que participaram de uma guerra podem voltar para casa com feridas visíveis ou invisíveis - e merecem nossa ajuda, compreensão e respeito. Quem entre nós iria suportar incólume esse tipo de experiência?

O TEPT torna a vida impossível de ser administrada. Ele nos obriga a tentar fazer alguma coisa para sobreviver ao caos interior. Alguns recorrem às drogas ou ao álcool, o que só piora a situação. Aqueles que buscam terapia devem ser elogiados pela coragem e pela disposição para enfrentar os seus demônios. Em caso de existir ou não pensamentos intrusivos, pesadelos ou recordações de um acontecimento específico, se algum dos sintomas apresentados pelo Sargento Walters for parte de sua vida, reflita sobre suas opções. Você pode tentar combater a situação sozinho ou buscar auxílio, exatamente como esse veterano escolheu fazer. Não é necessário narrar o ocorrido em detalhes e o alívio pode estar a

apenas doze sessões de EMDR de distância. No Apêndice B, temos uma lista de endereços de profissionais. Por favor procure ajuda!

Mantendo Segredos

Muitas vítimas de abuso sexual de qualquer idade, sejam elas estupradas ou molestadas, manifestam usualmente sentimentos de culpa ou de vergonha, acompanhados pela sensação de falta de segurança e de poder. Vítimas de estupro podem ser levadas a sentir que são responsáveis pelo ocorrido - por se vestirem de uma certa forma ou por andarem em determinada rua. Esses sentimentos são injustificados. Ninguém tem o direito de exercer o poder sexual sobre outra pessoa de nenhuma forma. A responsabilidade pelo ocorrido recai completamente sobre o estuprador - ou sobre o molestador de crianças.

Os sentimentos negativos que ficam trancados em vítimas de abuso sexual são sintomas, não são a realidade. Como já vimos, as três categorias de *Responsabilidade, Falta de Segurança e Falta de Controle/Poder* ajudam-nos a verbalizar os sentimentos negativos que temos. Elas servem também como títulos para as diferentes etapas de processamento que ocorrem durante o tratamento de EMDR. Consequentemente, assim como ocorre com outras vítimas de trauma, os sobreviventes de abuso sexual tornam-se capazes de, primeiramente, atribuir a responsabilidade ao agressor, como de fato deve ser feito. Em segundo lugar, elas perdem a sensação de medo, uma vez que a memória é integrada às redes apropriadas de forma a ocupar seu lugar no passado. E, finalmente, as vítimas são capazes de experimentar uma sensação de poder e adquirir a capacidade de fazer novas escolhas no presente.

O relato a seguir é compartilhado por uma vítima de abuso sexual na esperança de ajudar outros como ela e auxiliar qualquer pessoa a reconhecer alguns sinais de alerta e efeitos causados por esse tipo de agressão. O pai de Nancy começou a cometer os abusos quando ela era ainda muito jovem, desde a época mais remota que a filha tem lembrança até os seus 12 anos.

Eu tinha 36 anos quando fui assistir a uma palestra para pais no auditório da escola dos meus filhos sobre "Como manter seu filho a salvo do abuso sexual". Quando o palestrante descreveu o pedófilo típico (alguém que a criança conhece, alguém que ganha a confiança da criança por meio de jogos que vão de inocentes a invasivos), de repente comecei a chorar de forma incontrolável. Eu não conseguia parar o choro, nem me levantar e ir embora, pois me sentia paralisada em minha cadeira. Apesar de ter sempre me lembrado do meu pai vindo ao meu quarto à noite e esfregando-se em mim, tocando-me entre as pernas e fazendo-me prometer que manteria segredo, até aquele momento não tinha percebido que os padrões de abuso eram típicos e que eu não estava sozinha.

O medo do meu pai e do seu controle sobre meu corpo eram parte da minha vida cotidiana quando criança. Meu corpo parecia não ser meu e nunca ousei contar a ninguém aquilo pelo qual passava. Acreditava que meu pai iria me matar ou contar à minha mãe, e ela acabaria nos abandonando. Eu não sabia que tinha o direito de exigir que ele parasse e também que eu não era culpada por seus atos. Algumas vezes achava que ele estava me punindo por algo de errado que eu tivesse feito. Outras, ele me convencia de que eu queria que ele fizesse aquilo. Eu gostava de outras formas de atenção que ele me dava e então pensava que talvez fosse minha culpa. Todo o tempo que aquela situação estava acontecendo sentia-me como se fosse parte de algo errado e vergonhoso, ao qual eu estava irremediavelmente atada.

Eu iniciei e interrompi a terapia durante toda a minha vida adulta devido a depressão e a ansiedade. Apesar de os processos terapêuticos terem ajudado, eles não foram suficientes para me libertar dos sintomas. Acordava gritando com o menor ruído, estava sempre excessivamente alerta ao perigo (real ou imaginário) e sentia-me assombrada pelo meu pai que havia falecido quando eu era adolescente. Tinha medo de que ele pudesse de alguma maneira voltar à vida e matar-me, por eu ter contado sobre o abuso sexual que havia sofrido. Meus ataques de depressão eram graves, impedindo-me de trabalhar e eu somente era capaz de executar as tarefas mínimas para continuar a viver. Meus sentimentos a respeito de mim mesma faziam com que eu me envolvesse, de forma desesperada, com homens que não me tratavam bem e que não se importavam com as minhas necessidades. Eu não tinha nenhum direito sobre o meu próprio corpo e a inteligência não era um aspecto importante. Tudo o que me importava era ser atraente e fazer uma boa figura para que alguém me desejasse.

Muitos anos atrás, no meio de uma crise séria de depressão, um amigo recomendou-me a terapia de EMDR. Meu novo terapeuta e eu estabelecemos algumas medidas de segurança quando focalizei memórias dolorosas, assim soube que seria capaz de lidar com quaisquer emoções que surgissem. Nós podíamos parar, fazer uma pausa, colocar as coisas em perspectiva e continuar devagar. Como consequência, eu senti-me segura com o processo imediatamente e conseguimos avançar com rapidez através de várias memórias - uma a cada sessão. Nós processamos as memórias uma por vez. Meus sentimentos e as memórias pareciam mudar espontaneamente para outras melhores. Primeiramente, minha mãe vinha me salvar. Mais tarde, descobri maneiras de salvar a mim mesma. As novas imagens simplesmente vieram à tona automaticamente. Agora eu posso pensar nos incidentes sem a sensação de que eles acabaram de acontecer. Eu sei que era uma época pavorosa. Sei como me sentia, mas hoje em dia não revivo mais os mesmos sentimentos.

Uma das primeiras memórias que trabalhei foi um episódio quando, aos cinco anos de idade, estava no centro de Chicago com meu pai. Ele irritou-se e deixou-me para trás sozinha. Eu senti-me perdida, sem saber o que fazer e amedrontada. Não sabia como encontrá-lo. Nós não morávamos em Chicago e eu não tinha ideia de como consegui achar meu caminho de volta para casa. Isso era

tudo o que eu me lembrava sobre o incidente, mas sempre que me recordava dele eu me via transportada de volta para aquela menina de cinco anos que eu era na época, abandonada e sozinha. Durante anos, toda vez que alguém se atrasava ou se esquecia de um encontro, eu passava pela mesma sensação de medo, abandono e raiva. Agora tudo acabou.

Eu não conheço as teorias por detrás das formas pelas quais o processo terapêutico influencia as pessoas. Somente sei que os traumas e a sensação de fragilidade pessoal de minha infância parecem, de alguma forma, terem se transformado. O que parecia perigoso, presente e fora de minha capacidade de controle passou a ser uma memória interior, sem se expandir ameaçadoramente para o mundo exterior.

Se você ou alguém do seu conhecimento luta contra esse tipo de problema, saiba que há ajuda disponível. É importante lembrar que a vergonha e a culpa que você está sentindo são os SINTOMAS, não representam a realidade. Você se lembra do exemplo que eu dei do verso infantil no começo do livro? Se você ouvir as palavras "Rosas são vermelhas", então a frase "Violetas são azuis" virá à mente, mesmo que não seja verdadeira. Bem, sentir vergonha e culpa corresponderia a "Violetas são azuis" - entre aspas. Apenas porque você se sente dessa maneira, não quer dizer que isso seja verdade. Mas talvez dificulte para você contar sua história. Mas, como o processamento com EMDR ocorre internamente, não é necessário discorrer em detalhes sobre o ocorrido. Você pode passar pelo processo em seu próprio ritmo e tempo. As técnicas de autocontrole apresentadas neste livro podem ajudá-lo a tornar a vida mais fácil de administrar. Mas, como no caso de TEPT provocado por guerra, uma vez que o trauma esteja enraizado, geralmente é necessária assistência profissional para superá-lo. A vida é muito mais do que simplesmente gerenciar a dor. A culpa não é sua e, como disse Nancy, você não está sozinho.

Por Que Eu Não Posso Escolher?

Como já vimos, as coisas que nos traumatizam podem nos causar medo e ansiedade, bem como tirar-nos a capacidade de escolha. De várias formas que sequer suspeitamos, nossa vida é conduzida por acontecimentos antigos que nos forçam a tomar atitudes aparentemente sensatas, mas que de fato não nos fazem bem. Susan, por exemplo, de 67 anos, procurou a terapia de EMDR por sentir-se sobrecarregada. Ela não conseguia dizer "não" a ninguém. Estava, contudo, muito motivada a mudar e já havia começado a identificar algumas fontes de estresse e obrigações familiares que poderia eliminar. Entretanto, o maior desafio seria a maneira com que encarava sua relação com a filha, a neta e o marido. "Eles todos precisam de mim", ela dizia. Seja para o suporte financeiro, a intervenção em crises ou o apoio emocional, Susan era a

tábua de salvação para pessoas demais e sentia-se perdida e devastada. Ao conversar com o terapeuta, ela reconheceu que precisava mudar o modo como interagia com os familiares, mantendo ao mesmo tempo o envolvimento afetivo. Mas era mais fácil falar do que fazer.

Ao ser questionada pelo terapeuta, Susan afirmou que não tinha memórias incômodas de algum trauma maior. Mas acrescentou: "Bem, teve aquilo que aconteceu com um primo mais velho, mas isso é insignificante, porque praticamente nunca penso sobre isso e quando penso não dou a mínima importância. Essas coisas acontecem e a vida continua." Ela ficou levemente irritada quando o terapeuta recomendou o processamento desse episódio. "Parece que vai ser uma perda de tempo", comentou. Porém, ela decidiu fazer uma tentativa, para ver se resultaria em alguma coisa. Tratava-se da memória de ser estuprada por seu primo adolescente aos oito anos de idade. Susan ficou surpresa com os sentimentos que surgiram durante o processamento - mágoa, raiva, revolta e abandono. A conscientização mais impressionante veio do sentimento de violação, juntamente com o desejo de agradar. Ela sabia que não queria que o primo ficasse zangado e ele ameaçara não brincar com ela novamente se não consentisse.

Susan começou a sessão seguinte declarando que ainda não sabia realmente qual era a razão, mas agora tinha absoluta certeza de que nunca mais deixaria alguém se aproveitar dela. Na semana anterior, ela havia percebido mais claramente do que nunca como sua família e outras pessoas em sua vida tinham abusado de sua gentileza, e ela não estava contente com isso. Com o desenrolar do processamento, Susan conseguiu ter relacionamentos cada vez mais saudáveis com os membros de sua família. Ela agora era capaz de dizer "não" sem sentir que seria rejeitada por se impor. Esse é um problema que muitos de nós temos. Caso você se enquadre nessa categoria, seria útil examinar o que está provocando o problema. Você estaria sendo empurrado por memórias não processadas que o fazem se sentir desse jeito?

Do outro lado de espectro, temos o Benjamin, que evitava ajudar os outros, principalmente em situações de crise. Ele estava fadado a sentir-se diferente das outras pessoas, sem manifestar tanta empatia ou consideração e sem reagir "normalmente" em situações de estresse. A técnica de "Flutuar ao Passado" trouxe de volta um acontecimento no qual ele testemunhara uma batida de carro envolvendo amigos. Ele e alguns outros companheiros viram o acidente e correram em direção ao carro para prestar socorro. Benjamin tentou ajudar sua amiga que estava dentro do carro, mas quando ele abriu a porta, ela caiu para fora e bateu a cabeça na calçada. Ela jamais recobrou a consciência e morreu alguns dias depois. Ele culpava-se

porque pensava ter causado a morte dela, por não ter impedido que ela batesse a cabeça.

No decorrer do processamento com EMDR, ele fez comentários como: "Ah, isso é tão bobo!" ou "Eu não acredito que estou fazendo isto". Finalmente assumiu: "OK, já entendi, não foi a minha culpa". Logo depois disso, Benjamin mudou para outra cidade. Vários meses mais tarde, ele mandou um *email* para o seu terapeuta, no qual contou que estava no aeroporto quando a senhora que caminhava a sua frente caiu. Ele disse que largou sua bagagem e foi a primeira pessoa a socorrê-la. Alguns dias haviam se passado, quando percebeu que tinha reagido de maneira muito normal em uma crise. Ele havia se preocupado com a senhora e agido da forma como acreditava que outras pessoas reagiriam na mesma situação, ao contrário do que teria feito no passado. Benjamin deu-se conta de que tinha relacionado o fato de tomar uma atitude/reagir com causar a morte de sua amiga. Agora, suas reações originavam-se automaticamente das memórias processadas, em vez das não processadas. Como ele não estava mais sendo afetado por acontecimentos do passado, ele podia escolher o seu próprio caminho.

Exploração Pessoal

Ansiedade e medo podem vir de uma experiência que resultou em dor física ou psicológica. Não faz diferença alguma. Ambas as fontes podem causar o desenvolvimento de sintomas de TEPT, fobias graves, ansiedade de baixo grau ou sentimento negativo acerca de si mesmo. A lista de cognições negativas que nós exploramos nos capítulos anteriores enfatizam o sentimento de que "há algo de errado comigo". As cognições que vamos abordar neste tópico constituem as outras duas categorias, que enfatizam a falta de segurança e a falta de controle/poder.

Falta de Segurança/Vulnerabilidade

Nós já examinamos uma série de exemplos relacionados com medo e ansiedade. Se você sabe que tem uma fobia ou TEPT, poderá facilmente identificar quais das cognições negativas (listadas a seguir) se aplicam ao seu transtorno. Mesmo não sendo o caso, ou se você quiser saber se tem outros pontos fracos nessa área, inicie uma nova página em seu caderno com o seguinte título: "Falta de Segurança". Prepare-se para utilizar as técnicas de Mudança de Respiração, Respiração Abdominal ou Lugar Seguro/Tranquilo, na eventualidade de ser necessário. Depois escreva em seu caderno a primeira coisa que vem à mente para completar a sentença:

Não é seguro (fazer) ____________________.

Agora leia a seguinte lista vagarosamente e atente para as reações de seu corpo. Anote as cognições negativas que parecem ter alguma relação com você. Uma vez terminado, se quiser, você poderá usar a técnica de Flutuar ao Passado, mostrada no Capítulo 4, e identificar os acontecimentos e memórias atuais para sua Lista de Memórias Chave.

Falta de Segurança/Vulnerabilidade

Eu não posso confiar em ninguém.
Eu estou em perigo.
Eu não estou seguro.... (Complete você mesmo ou escolha uma das opções abaixo)
Não é seguro cometer erros.
Não é seguro sentir.
Não é seguro demonstrar minhas emoções.
Não é seguro baixar a guarda.
Não é seguro me afirmar.
Não é seguro ser vulnerável.
Não é seguro depender de outros.
Eu não estou seguro a não ser que esteja no comando da situação.
Eu não estou seguro a não ser que consiga o que quero e preciso.
Não é seguro me aproximar das pessoas.
Não é seguro amar.

Esses tipos de sentimentos têm, em geral, origem em experiências não processadas que são a fonte oculta de muitas reações no presente. Max, por exemplo, ficava muito irritado com sua colega de trabalho, pois ela nunca seguia realmente à risca o que se propunha a fazer. Quando ele processou sua experiência recente com as cognições negativas "Eu não estou salvo/Eu não posso confiar", uma conexão de memória passada emergiu. Ainda garoto, em consulta a um médico, disseram que a injeção não iria doer, mas doeu. O que o médico falou não aconteceu. Depois dessa memória ser processada, a raiva de Max em relação à sua colega de trabalho desapareceu. A colega era apenas uma pessoa que, como era de se esperar, não cumpriria o combinado. O passado de Max não estava mais determinando suas reações no presente. O fato de que a experiência com um médico, ocorrida há tanto tempo, fosse a base de seu problema no trabalho décadas mais tarde constitui um outro exemplo das extensões intrincadas e emaranhadas de nossa rede de memória. Logo, se você usar a técnica de Flutuar ao Passado para encontrar a memória oculta, tente deixar sua mente vagar para onde for preciso. Deixe acontecer o que tiver que acontecer.

Falta de Controle/Poder

Esta categoria está relacionada com a habilidade de fazer escolhas positivas e exercer controle no mundo. Alguém que tiver eliminado com sucesso uma cognição negativa da categoria anterior, pode agora ter a sensação de que nada ou ninguém o magoará. Esta categoria em questão concentra-se nas emoções negativas que expressam: "eu não sou forte ou não tenho poder suficiente para lidar com o que a vida me oferece", ou "eu não posso me controlar ou controlar a minha vida". Essencialmente, a categoria refere-se ao poder pessoal - o que psicólogos chamam de "locus de controle interno", o que significa que a fonte de poder está **dentro** e não fora de mim.

Como nas outras duas categorias de cognições negativas, a causa de emoções negativas e de crenças são memórias não processadas de acontecimentos que dão ao indivíduo a sensação de alguma forma de inadequação ou de inferioridade. Por exemplo, Judy é uma mulher de 50 anos que não se sentia realizada em seus relacionamentos e em sua carreira. Quando estava com o marido, sentia-se inferior e envergonhada. Apesar de ter muita criatividade, tinha dificuldades em levar adiante sua carreira de escritora. Um dos problemas é que ela se sentia intimidada, inarticulada, tola e "devagar", quando conversava com aqueles que tinham os contatos necessários para produzir seus roteiros para filmes. Para seu terapeuta, ela parecia viver em um estado crônico de vergonha branda a moderada. Sua cognição negativa era: "eu não posso ser bem-sucedida". Durante o levantamento da história clínica, a razão ficou clara. Seu pai, que era uma pessoa bem ativa, costumava organizar competições entre os filhos - tudo desde jogos de palavras até esportes. Como era a mais jovem dos quatro irmãos, Judy não ganhava com frequência.

Do lado oposto do espectro estava David, que buscava sempre a excelência. Sua cognição negativa era: "Eu tenho que ser perfeito" e o estresse, combinado com as longas horas que se sentia obrigado a trabalhar, estava cobrando o seu preço em seu corpo. O problema de David foi rastreado de volta à uma Memória-Chave que ocorrera quando tinha aproximadamente dez anos de idade. Seu pai trabalhava 12 horas por dia e estava geralmente exausto ao chegar em casa. Sua própria criação e o cansaço contribuíam para que ele tivesse um temperamento estourado. Um dia, David estava completando o seu dever de casa de ortografia e seu pai chegou para testá-lo. Apesar de David saber as respostas, ficou nervoso e começou a cometer erros - e seu pai foi ficando cada vez mais frustrado. Finalmente, depois de uma nova resposta errada, o pai de David perdeu a paciência e bateu o seu pulso contra a parede. Apesar de o pai rir do episódio anos depois, para David aquele foi um momento decisivo. Como ele mesmo explicou: "Poderia ter sido minha cabeça!" Basicamente, depois dessa experiência, o fracasso não era mais uma

opção, independentemente do que fosse necessário para alcançar o sucesso. Ele não podia fazer menos do que "tudo", caso contrário sentia-se ansioso e amedrontado.

Não importa se você tenha a sensação de estar desamparado ou de precisar estar sempre no controle, as razões ocultas geralmente podem ser identificadas ao examinar-se suas redes de memória. Então comece por identificar quais das cognições negativas dessa categoria têm relação com você. Estamos procurando por sentimentos negativos ou por sensações físicas que acompanham a crença. Por exemplo, as palavras "eu não tenho força" provocarão sentimentos negativos quando uma vítima de estupro com uma memória não processada pensa nelas - mas pode ter uma emoção positiva para alguém que acabou de completar um programa físico de 12 passos. Como você já fez antes, leia a lista abaixo devagar e observe as reações de seu corpo. Anote suas escolhas no caderno sob o item "Falta de Controle/Poder". Mais uma vez, depois de ter acabado, se quiser, você pode usar a técnica de Flutuar ao Passado e identificar os acontecimentos recentes ou memórias para sua Lista de Memórias Chave.

Falta de Controle/Poder

Eu não estou no controle.
Eu não tenho força (eu estou desamparado).
Eu não consigo obter o que quero.
Eu não consigo me impor.
Eu não consigo me soltar.
Eu não posso confiar em mim mesmo.
Eu sou um fracasso (eu irei fracassar).
Eu não consigo ser bem-sucedido.
Eu tenho que ser perfeito.
Eu não posso lidar com isso.

Escolhendo Ter Escolha

Como já mencionei, medo e ansiedade podem ser sinais de alerta necessários para avaliarmos a situação e decidirmos se há um perigo real e o que devemos fazer a respeito. Mas esses sentimentos talvez sejam resíduos de velhos problemas. Se estiver mantendo seu relatório DICES, você tem uma amostra mais ampla dos tipos de situação que o perturbam. Se tiver identificado as cognições negativas e as memórias que as estão fomentando, então você tem uma ideia das coisas que estão comandando seu espetáculo. Fobias, TEPT e outros medos intensos normalmente demandam a assistência de um terapeuta para serem superados. Em outros casos, as técnicas de autocontrole podem ajudar a tornar a vida mais fácil de administrar e a aumentar os seus sentimentos positivos.

Arsenal de Lugar Tranquilo/Seguro

Se estiver mantendo uma lista de situações atuais e de cognições negativas, você pode também identificar seus sentimentos negativos mais frequentes e adicioná-los à sua coleção de técnicas. Analise sua lista e veja com que frequência certos sentimentos e pensamentos negativos aparecem. Na hipótese de ter identificado um Lugar Seguro/Tranquilo, você também pode escolher outros sentimentos e emoções para usar quando estiver aborrecido. Se você constantemente tem o pensamento de "não ser bom o suficiente", será que você possui alguma memória positiva na qual teve uma sensação de realização? Se esse for o caso, use o exercício de Lugar Seguro/Tranquilo aprendido no Capítulo 3 e associe os diferentes sentimentos positivos a outras palavras-chave ou imagens que podem ser recuperadas quando você quiser. Se você geralmente pensa: "eu não mereço ser amado", tente lembrar-se de uma época em que se sentiu seguro e aceito como você é. Use esse exercício para tornar esses pensamentos disponíveis, na eventualidade de sentir que memórias foram disparadas.

Se você tiver dificuldade de recordar-se de alguma memória positiva, este fato já fornece uma informação importante. Algumas vezes elas podem ser difíceis de serem lembradas, especialmente se você está se sentindo deprimido. As pesquisas mostram que, quando nos sentimos deprimidos, é difícil pensar em qualquer coisa positiva porque o nosso cérebro prioriza as memórias que contém aquelas emoções negativas. Se esse for o caso, ou se você achar que o exercício do Lugar Seguro/Tranquilo ou outras técnicas não são suficientes para superar seus sentimentos negativos em diferentes situações, então considere a possibilidade de trabalhar com um terapeuta visando processar as memórias que lhe causam dor. Algumas dicas para a escolha do terapeuta você encontrará no Apêndice B.

Nós não somos responsáveis pelas experiências negativas que tivemos quando crianças. Entretanto, enquanto adultos, somos responsáveis por decidir o que fazer a respeito delas. Se você descobriu coisas sobre si próprio que gostaria de mudar, a pergunta a ser considerada é se você consegue alcançar resultados sozinho ou se necessita de assistência profissional.

Algumas vezes, penso como seria o mundo se todos tivéssemos crescido em lares onde tivéssemos sido amados, valorizados e bem educados. Dois colegas meus têm um belo filho chamado Adam. Quando ele estava com aproximadamente três anos de idade, escorregou, caiu na parte funda de uma piscina e começou a afundar. Seu pai imediatamente mergulhou atrás dele e entregou-o à mãe na beira da piscina. Foi muito assustador para todos os envolvidos. Porém,

a mãe usou umas das técnicas já mostradas no livro e soube lidar com o seu medo para concentrar-se em cuidar de Adam. Ela não deixou transparecer como tinha ficado assustada. Também não tentou fazer graça com a situação para minimizar o medo. Ela abraçou Adam e tranquilizou-o repetidas vezes: "Já acabou, você está salvo agora", enquanto o instruía a respirar devagar e profundamente. Eles conversaram sobre o acidente várias vezes durante aquele dia; e cada vez ela o consolou e pediu-lhe que respirasse devagar e profundamente.

Cerca de seis meses mais tarde, quando a mãe estava tirando Adam da banheira, ele fitou-a nos olhos, colocou os braços em volta de seu pescoço e falou: "Eu estou salvo agora", e acrescentou: "Eu te amo mamãe". Ele depois perguntou se ela lembrava-se de tê-lo tirado da piscina e o consolado. Ela então respondeu que certamente se lembrava da experiência e ela ficava muito feliz por ele saber que estava seguro, protegido e era amado.

Quando Adam estava com seis anos, eu visitei seus pais e fomos a um parquinho de diversões. Adam subiu bem alto em um brinquedo de túneis e redes. Depois de um certo tempo, percebemos que estava ficando tarde e pedimos para ele voltar. Ele começou a descer bem devagar, mas movia-se bem devagar e parando sempre. Sem sabermos o que estava acontecendo, nós o chamamos de novo, mas ele continuou no mesmo ritmo. De repente, nos demos conta do que estava acontecendo. Uma garotinha de uns quatro anos de idade, cuja mãe não estava por perto, tinha conseguido subir no trepa-trepa e estava com medo de descer. Adam pedia para que ela o seguisse, enquanto se movia bem devagar, parando para esperá-la. Ele não a deixou para trás. Finalmente, quando chegaram ao solo, ele fitou-a nos olhos, tocou no seu braço e disse: "Já acabou, você está salva agora". Ele só foi capaz de deixá-la quando a mãe da menina veio correndo em sua direção.

Penso como seria o mundo se tivéssemos uma geração de Adams criados por pais amorosos e compreensivos. Meninos e meninas que fossem conscientes, confiantes e gentis o suficiente para ajudar os outros em vez de rir das fraquezas ou de ignorar os necessitados. Muitos de nós não tivemos uma infância como a de Adam. Mas a boa notícia é que não é tarde demais para nos reeducarmos com assistência adequada.

O Abraço de Borboleta

Apesar de a terapia de EMDR ter que ser conduzida por um terapeuta treinado e licenciado, você pode usar um de seus componentes para tratar de si mesmo. O processamento de memória não deve ser feito sem ajuda, uma vez que ele demanda o conhecimento

de todos os procedimentos da terapia de EMDR. Entretanto, você pode tentar usar uma forma de estimulação bilateral - leves toques alternados - que talvez seja útil na redução de níveis baixos de ansiedade. Pesquisadores professam a teoria de que os toques alternados liberam uma reação de relaxamento. No entanto, algumas vezes essa técnica pode trazer à mente associações negativas. Daí a importância de monitorar seus efeitos.

Como mencionei no Capítulo 3, o Abraço de Borboleta foi desenvolvido no México para ajudar grupos de pessoas a fazer terapia de EMDR. Você deve ter usado essa estimulação bilateral anteriormente para fortalecer o seu Lugar Seguro/ Tranquilo, quando acrescentou os toques alternados para ver se os sentimentos positivos ficariam mais fortes. Se conseguir usar essa técnica com sucesso, você pode também experimentá-la quando estiver se sentindo estressado ou ansioso. Entretanto, como ocorre com a técnica do Lugar Seguro/Tranquilo, é importante o automonitoramento para ter certeza de que você não começará a trazer à tona memórias negativas. Como agora você já sabe, suas redes de memória consistem em intrincadas teias de associações. Você precisa monitorar suas reações para não acabar ativando uma memória altamente perturbadora. Se isso ocorrer, é importante lançar mão de uma das técnicas de autocontrole para interromper o processo. Você pode escolher entre as técnicas de Lugar Seguro/Tranquilo, Espiral, Lata de Tinta, Personagem de Desenho Animado ou Respiração.

Para experimentar o Abraço de Borboleta, primeiro cruze seus braços sobre o peito, com a mão esquerda no seu ombro direito e vice-versa. Agora pense em algo que cause um grau de perturbação de aproximadamente 3 na escala SUD. Você já examinou por que essa perturbação existe? Ela estaria indicando que há algum problema que necessita ser tratado? Se a resposta for positiva, você já decidiu o que fazer a respeito dele? Então, neste momento, seria apropriado lidar diretamente com a ansiedade. Assim, fixe, em sua mente, a imagem da situação e simplesmente observe seus sentimentos enquanto toca de maneira alternada em cada ombro de quatro a seis vezes, vagarosamente. Isso consiste em uma série do exercício. Depois, respire fundo. Caso se sinta melhor, execute mais cinco séries. Se, a qualquer momento, você perceber que o seu estado está piorando ou algo mais negativo está surgindo, interrompa o processo e use suas outras técnicas de autocontrole.

Se achar que agora o Abraço de Borboleta funcionou, você pode também tentar tocar suas coxas alternadamente, no mesmo

ritmo lento e pelo mesmo tempo. Na hipótese de também funcionar, então você tem outra opção para usar em situações distingas. Ambas essas técnicas podem auxiliá-lo a lidar com estresse e com ansiedade de baixo grau (até o grau 4 de perturbação). Tome o devido cuidado apenas de monitorar se elas estão diminuindo a perturbação ou transformando-a em algo ainda mais perturbador. Nossas redes de memória são algumas vezes imprevisíveis. O que funciona bem em uma área às vezes não funciona em outra. Entretanto, com as diferentes técnicas de autocontrole que você está aprendendo, a vida pode ficar mais fácil de administrar. A pergunta a ser feita é a seguinte: Apenas administrar a vida é o suficiente - ou você está se contentando com muito pouco, considerando o quanto a vida pode ser satisfatória e prazerosa?

Capítulo 7: A Conexão Cérebro, Corpo e Mente

As questões relativas ao corpo assumem muitas formas. Há um poema que começa assim: "Ó corpo, meu corpo, meu amigo e companheiro. O maior traidor que minha vida já conheceu". Esses versos podem resumir os sentimentos que muitos de nós temos: não posso ficar sem ele, mas também não posso controlá-lo; quero fazer alguma coisa, mas meu corpo está fazendo outra, decidi tentar pular de um trampolim e meus joelhos tremem; vou a uma festa para conhecer pessoas, mas começo a gaguejar quando tento travar uma conversa; quero viver feliz, mas sinto uma dor que nenhum médico consegue explicar. Dessa forma, neste capítulo, lidaremos com um grande número de queixas, envolvendo importantes questões relativas ao corpo. Elas são muito comuns e geralmente são passíveis de tratamento, se examinarmos quando os problemas começaram e o que estava acontecendo na época. Começaremos analisando várias doenças tidas como puramente físicas mas que, na verdade, talvez sejam causadas por memórias não processadas. Iremos finalizar este capítulo com a exploração pessoal e com uma técnica de autocontrole considerada por muitos útil na administração da dor.

Quando psicólogos falam sobre problemas "psicossomáticos", normalmente se referem ao efeito da "psique" (a mente) sobre o "soma" (o corpo). Contudo, para muitas pessoas, o uso da expressão pode soar como se o seu sofrimento estivesse sendo desconsiderado, como se o problema estivesse "todo em sua cabeça". Na verdade não é bem assim. O centro de controle do corpo é o cérebro. Há sempre uma interação entre cérebro, mente e corpo. Algumas vezes, as reações de nosso corpo afetam nosso estado de espírito. Todo mundo já passou pela experiência de sentir-se abatido quando doente ou extremamente cansado. É igualmente verdade que nosso estado de espírito exerce influência sobre nosso corpo. Há muitas pesquisas mostrando a influência do estresse mental nos sistemas cardíaco, respiratório e imunológico. Todavia, enquanto exploramos as diferentes questões possíveis relativas ao corpo/mente, lembremo-nos de que é a maneira pela qual as memórias estão armazenadas no cérebro que pode estar causando impacto direto em como nos sentimos e reagimos, tanto mental como fisicamente. Mesmo quando há um problema físico óbvio, como doença ou amputação, nossas memórias não processadas são capazes de influenciar a forma como nos sentimos a respeito dessa condição física. Outras vezes, os sintomas causados por memórias não processadas podem estar mascarados como problemas físicos.

Pare, Você Está Me Matando

Começaremos com a história de Cláudio, que sofria de um mal que afeta milhares de pessoas. Segue-se o seu depoimento a respeito de como se sentira nos últimos trinta anos:

Os sintomas começaram quando eu tinha cerca de 13 ou 14 anos. Não me recordo exatamente de quando comecei a me sentir mal ou o que estava fazendo, mas essa sensação tem feito parte de minha vida já há muito, muito tempo. Quando ela vem, tenho vertigem, fico trêmulo, tonto e suando frio de uma maneira tal que não consigo andar ou fazer qualquer coisa. No final, acabo vomitando. Durante toda minha vida, procurei vários médicos, todos tinham suas teorias mas nenhum deles apresentou respostas. A única coisa que eu podia fazer para melhorar era dormir por algumas horas. Conforme descobri depois, há muitas doenças que apresentam esses sintomas. Nada do que os médicos me prescreveram adiantou alguma coisa.

Enquanto crescia, entrei na faculdade e finalmente me casei, os sintomas continuaram a afetar e controlar minha vida. Eu passava mal praticando esportes, fazendo provas, falando em público, namorando, entrevistando, indo a festas etc. Esse "monstro" estava controlando minha vida e eu não tinha respostas. O mal-estar colocou tanta pressão no meu casamento e na relação com meus filhos que eu já encarava o divórcio como uma opção viável. Quando as crianças cresceram e começaram a envolver-se em várias atividades (esportes, música etc.), minha condição física também passou a afetar minha relação com elas. Eu fui técnico do time de basebol do meu filho por alguns anos, mas tive que desistir porque não aguentava o estresse e me sentia mal praticamente em todo jogo. Mesmo depois de parar de treinar o time, eu nem podia ir aos jogos sem passar mal. Um dia escutei meu filho falar com minha esposa que queria "um novo pai", porque eu vivia doente. Ouvir aquilo magoou-me muito e fez com que percebesse que devia fazer alguma coisa a respeito do meu problema ***imediatamente****.*

Após trinta anos de sofrimento, Cláudio descobriu que sofria de transtorno de pânico - e foi capaz de eliminar os sintomas por meio do processamento das memórias que estavam impulsionando as reações físicas. Algumas das memórias envolviam a troca de escola e a pressão para praticar esportes, a fim de adaptar-se ao grupo. As pessoas podem ficar traumatizadas depois do primeiro ataque de pânico, pois se sentem mal ou pensam que estão morrendo. Como já examinamos no capítulo anterior, é possível que os sentimentos de medo fiquem trancados dentro de muitas memórias da infância, sujeitas a serem disparadas por uma variedade de situações estressantes no presente. O que complica o quadro ainda mais é que o cérebro reage ao medo impulsionando o corpo, preparando-se para lidar com algum tipo de ameaça. Mas, nessa hora, prevalecem o sentimento de medo e a sensação de impotência. Logo, as reações do corpo também parecem estar fora de controle. As sensações

físicas, como palpitações do coração, tonteira, dificuldade de respiração - todas elas sem uma razão aparente - tornam-se, como consequência, uma fonte de terror e o pensamento "eu vou morrer por causa disso" pode também ficar trancado na rede de memórias. Para onde você deve correr quando parece que o seu próprio corpo o está matando? Assim, a preocupação com o momento em que uma outra série de sensações físicas incontroláveis ocorrerá novamente aumenta o estresse, que por sua vez agrava as reações corporais, criando um círculo vicioso. E, ainda por cima, as sensações físicas são reais. Falar que "o problema está todo em sua cabeça" não faz sentido algum, quando na realidade você está passando mal ou desmaiando. Por conseguinte, as pessoas acabam em geral indo de um médico para outro anos a fio em busca de soluções, como foi o caso de Cláudio. Mas a conexão cérebro/corpo/mente tem as respostas e a liberdade é possível de ser alcançada se focalizarmos as memórias não processadas que provocam as reações.

Muitos acontecimentos da infância que parecem fora de controle podem causar reações de medo duradouras. Por exemplo, pesquisas referentes ao transtorno de pânico relatam que mais da metade das pessoas que sofrem do mal foram separadas dos pais em algum momento da infância ou adolescência - devido à morte, ao divórcio ou a outra razão qualquer. Os filhos podem ser gravemente afetados, uma vez que o sentimento de abandono é comum nesses tipos de experiências. A criança pergunta-se: "O que fiz de errado?", sendo que é sempre capaz de achar uma resposta. Há também o sentimento natural de solidão e de medo quando uma das pessoas que deveria nos amar e nos proteger vai embora. Todos esses sentimentos podem estar trancados nas redes de memórias e, quando um certo grau de estresse é atingido no curso da vida, é possível que essas memórias não processadas sejam disparadas como reações corporais fora de controle.

Sem Fôlego

Nós vimos, em capítulos anteriores, como estilos inadequados de comportamento parental podem ser a fonte de muitos problemas. Além de consequências emocionais para a criança, é possível haver também consequências físicas negativas que começam bem cedo. Por exemplo, a asma na infância pode, algumas vezes, estar relacionada com a ausência de vínculo maternal. A pequena Gianna, por exemplo, tinha apenas sete meses de idade quando foi diagnosticada com asma. Ela apresentava dificuldade diária para respirar, frequentemente precisava fazer inalação e acordava sua mãe no mínimo quatro noites por semana porque ficava sem ar. Ela tomava dois medicamentos diferentes, mas ainda assim precisava ter consultas de emergência. Os médicos avaliavam seu estado geral de saúde no grau "D", em uma escala de A a F.

A mãe de Gianna, Juanita, acreditava que a filha tinha asma porque a enfermidade era comum na família. Quatro sobrinhos e duas tias sofriam de formas graves da doença. Do lado de seu marido, sete primos apresentavam a doença. No, entanto, nós constatamos que asma infantil é frequentemente associada ao estresse maternal. O relato de Juanita ao seu terapeuta encaixava-se no padrão. Ela era originária de uma família rígida e religiosa e, além do mais, havia engravidado antes do casamento. Ficou arrasada e escondeu a gravidez da família. Segundo ela, seu "coração doía". Quando a moça finalmente contou à família que estava grávida, eles ficaram tão magoados que nem compareceram ao casamento. Ela sentiu-se péssima por ter causado tanta decepção aos seus pais.

Juanita ficava todo o tempo apavorada e deprimida. A falta de apoio familiar deixou-a devastada. O trabalho de parto foi difícil e o bebê nasceu de operação cesariana. Gianna foi separada da mãe imediatamente depois do nascimento e, quando a trouxeram de volta, três horas mais tarde, Juanita não foi capaz de amamentá-la. Ela contou que a primeira vez que segurou o bebê nos braços não sentiu amor, apenas "medo". Sentiu-se incapaz de realmente se conectar com Gianna, tanto emocional como também fisicamente. Além disso, devido a problemas com o seguro saúde, Juanita teve que deixar o hospital antes de estar pronta para receber alta e seu marido precisou voltar a trabalhar mais cedo do que ela gostaria.

Durante três sessões de processamento, as memórias de Juanita foram focalizadas, entre as quais: o choque de descobrir que estava grávida, a reação de sua família, a melancolia e o medo durante toda a gravidez, o trabalho de parto e o nascimento da filha - incluindo sua tristeza pela ausência do bebê e o medo no momento em que o segurou pela primeira vez. Então, ao longo do processamento, ela visualizou uma nova experiência de nascimento, dessa vez sem temor. Sentiu-se entusiasmada quando se imaginou descobrindo que estava grávida - e experimentou como era a sensação de estar cheia de expectativas durante toda a gravidez. Juanita chorou de alegria. Depois, imaginou o nascimento de Gianna sem uma operação cesariana. As duas permaneceram juntas depois do nascimento e ela chorou ao experimentar a sensação. Em seguida, ela permaneceu no hospital todo o tempo que queria. Tudo ocorreu maravilhosamente.

No final da sessão, foi pedido à Juanita que retornasse para casa e descansasse o resto do dia. Quando ela retornou na semana seguinte, anunciou que, para sua grande surpresa, sentia-se estranhamente feliz. Além do mais, sua nova sensação de bem-estar e amor parecia ter afetado a sua filha. A asma de Gianna havia desaparecido – não existiam mais sintomas durante o dia ou à noite, nada de respiração arquejante ao brincar. Ela não precisou continuar a tomar o medicamento. Tudo parecia perfeito. Um ano mais tarde, Gianna ainda continuava livre dos sintomas.

Mente, Cérebro e Corpo

É importante ter em mente que um grande número de sensações emocionais e físicas podem ser o resultado de memórias não processadas. Como vimos no Capítulo 5, é possível que elas provoquem uma falta de vínculo parental, inviabilizando sentimentos maternais de amor e de carinho - acompanhada de uma sensação de letargia ou de vazio. Do outro lado do espectro, essas memórias podem causar reações físicas intensas. As sensações físicas geradas por um transtorno de pânico ou as que acompanham a asma infantil são reações reais produzidas pelo corpo como resposta a um sentimento de perigo. Por sua vez, os sentimentos de perigo codificados nas memórias não processadas armazenadas no cérebro podem ser disparados por acontecimentos no presente.

Apesar de os sentimentos intensos e as sensações físicas desconfortáveis serem causadas por memórias não processadas, isso não significa que esteja tudo em sua mente - uma vez que o cérebro envia sinais para o resto de seu corpo. O cérebro é parte do corpo e a fonte de todas as nossas reações corporais. Problemas como transtorno de pânico e asma infantil podem ser respostas físicas para a realidade física do armazenamento não apropriado de memória. Esse é um ponto importante a ser considerado, se várias tentativas de intervenção médica não tiverem nenhum resultado. Talvez não seja um problema puramente médico, e um outro tipo diferente de intervenção seja necessário. Não levaria muito tempo para investigar se as memórias não processadas estão no cerne do problema.

Os Fardos do Passado

Uma das participantes do estudo controlado que publiquei em 1989 relatou-me que o tratamento eliminou a sensação de estar engasgando, algo que experimentava muitas vezes por semana desde que havia sido estuprada oralmente. Pouco tempo mais tarde, eu trabalhei com outra paciente chamada Beth visando ajudá-la a lidar com sua fobia de dirigir. Ela havia sofrido alguns acidentes de carro, utilizados assim como alvos para o processamento. Durante uma das sessões, Beth relatou ter uma sensação de pressão próxima às costas que de repente foi aliviada. Depois, ela contou-me que aquela sensação era a mesma que a levara a consultar um quiropraxista quase mensalmente. Ela nunca havia associado essa dor ao acidente de carro ocorrido anos atrás, no qual ela havia se ferido. Após a sessão, Beth nunca mais apresentou aquela sensação ou precisou visitar o quiropraxista novamente. A postura curvada de outro paciente foi espontaneamente endireitada, quando processamos memórias de humilhações na infância. Esses tipos de experiência deixam claro que as sensações não se encontravam na "mentes" dos pacientes; elas estavam no seus cérebros e se manifestavam em seus corpos.

Espantando Fantasmas

Com dores que vêm e vão, é algumas vezes difícil precisar de onde elas vieram e por que surgiram. Porém, em nenhuma situação a origem da dor é mais intrigante do que nos casos de dor fantasma nos membros amputados. Estima-se que, somente nos Estado Unidos, aproximadamente 1.6 milhões de pessoas perderam membros devido a acidentes, guerras ou doenças - mais ou menos o mesmo percentual observado em outros países desenvolvidos. As minas terrestres são responsáveis por milhares de amputações em todo o mundo, principalmente na população civil, sendo a maioria das vítimas crianças. Cerca de 80% das pessoas continuam a sentir o membro perdido e mais da metade delas relatam a presença de dor crônica, normalmente intensa.

É muito triste pensar no número de pessoas que sofrem sem necessidade e acreditam estarem loucas, já que sentem dor, mas o membro não existe. Muitas dessas vítimas foram informadas que "tudo está em sua mente"- uma vez que a parte do corpo não existe mais e os analgésicos não fazem efeito algum. Houve uma época em que os médicos acreditavam que essa sensação estaria relacionada a uma lesão no nervo, então os cirurgiões tentavam fazer cortes na coluna vertebral ou então amputar o restante do membro perdido, com o intuito de achar o nervo "saudável". Ambos os procedimentos não funcionavam. Hoje em dia, há uma compreensão maior da dor do membro fantasma e os cientistas veem o problema como resultado da maneira pela qual o cérebro se transforma a fim de organizar a experiência da amputação. Por meio do uso da terapia de EMDR, também descobrimos que a dor do membro fantasma é simplesmente uma das sensações que podem ser armazenadas na memória não processada do ferimento.

A dor do membro fantasma é diferente para cada pessoa, pois contém as sensações experimentadas na ocasião do acontecimento. Se uma pessoa teve o pé esmagado ou o braço cortado, além da dor da perda do membro junta-se aquela decorrente do procedimento médico que se seguiu. Por exemplo, Jim era um fuzileiro naval dos Estados Unidos, na ativa, cuja perna havia sido amputada por causa de ferimentos provenientes de um acidente de carro. Ele sofria da clássica dor do membro fantasma. Foi pedido a esse bem treinado e estoico soldado que descrevesse suas várias dores, com os respectivos graus de intensidade, em uma escala de 1 a 10. Além das sensações de "coceira" (3) e "formigamento" persistente, como quando "a perna fica dormente" (5), ele tinha:

- Dor persistente - 6
- Dor do tipo fisgada diária - 8
- Dor irradiada partindo do pé inexistente até a coxa - 8
- Cãibras fortes - 9
- Dor lancinante (como se o membro fosse cortado com um serrote) toda semana - 10

Imagine as consequências de viver assim - sem perspectiva de alívio. Jim procurou tratamento sem apresentar nenhuma esperança real de alívio da dor, mas sim como tentativa de lidar com outros sintomas relacionados ao acidente, incluindo TEPT de grande intensidade com pensamentos intrusivos diários, hipervigilância (sempre alerta para o perigo), dificuldade em dirigir, depressão, ansiedade, irritabilidade, dificuldade para dormir, pouca energia, sentimento de culpa, um estado de espírito deprimido, angustiado e irritadiço persistente e, por último, insônia. Sentia-se sem esperança em relação ao futuro, além de ter dificuldade em ver-se rodeado de pessoas, porque pensava que todos o consideravam "esquisito".

Como Jim estava sendo dispensado e enviado de volta para sua cidade natal, ele somente pôde fazer quatro sessões de terapia de EMDR. No entanto, nessas sessões ele apresentou uma grande melhora. Durante o reprocessamento, entre os seus alvos estava a memória de estar sentado no chão com a perna quase destacada do resto do corpo, tentando estancar a perda de sangue. Apesar da curta duração do tratamento, o TEPT e a depressão foram eliminados. Além disso, todas as sensações de dor desapareceram, com exceção de um formigamento, de nível 2 ou 3, que ele acreditava ser fácil de ignorar. Com o processamento, Jim resumiu seu novo sentimento de resiliência com o lema "aço dobra e se dilata, mas não quebra". Ele também relatou uma imagem espontânea de si mesmo que estava surgindo - ele andando confiante com uma nova prótese, sentindo-se "forte e poderoso".

Assim como na situação de Jim, alguns casos de dor do membro fantasma apresentam aspectos bastante comuns. Nós processamos a memória do acidente, os elementos disparadores das reações atuais e os temores do paciente a respeito do futuro. Porém, nem sempre é tão fácil. O próximo exemplo, acontecido na Alemanha, refere-se a uma situação bem complexa. Um motorista bêbado bateu na moto de Alger. Sua perna foi praticamente arrancada do corpo e ele teve várias lesões internas. A dor era tão forte que os médicos o puseram em estado de coma induzida, após amputar sua perna. Apesar de ter tentado vários programas de reabilitação, nada funcionou e ele continuou sentindo dor intensa no membro fantasma - de grau 10 - durante os oito anos seguintes. Quando tentou mais uma vez reiniciar um tratamento de reabilitação, ele encontrou um psiquiatra que o tratou com EMDR.

Nove sessões de processamento foram o bastante para eliminar a dor de Alger. Além da memória do acidente de motocicleta, ele precisava processar a culpa e perda que sentira devido ao aborto espontâneo sofrido por sua esposa ao ser informada do acidente. Havia também a memória da visita de um padre, quando estava internado no hospital, que lhe disse: "Deus sempre vê tudo e protegerá todo mundo". Ele lembrava-se de ter

sentido raiva e de ter um sentimento de culpa persistente, juntamente com o pensamento: "eu não sou bom o suficiente para ser protegido por Deus". No final da sessão, Alger reconheceu não ter feito nada para merecer punição e admitiu que precisava concentrar sua energia na construção de uma vida nova. Depois de algumas outras sessões de processamento baseadas na cena do acidente, a dor desapareceu completamente e não retornou - como foi confirmado pelo seu terapeuta após 18 meses e depois cinco anos mais tarde.

O ponto essencial é que, apesar da dor física de Jim e de Alger ter permanecido armazenada no cérebro por até oito anos, ela foi eliminada após o processamento. Esses não constituem casos isolados, uma vez que pesquisadores de quatro países diferentes publicaram artigos sobre tratamentos bem-sucedidos de dor do membro fantasma com EMDR. Apesar de haver certamente situações nas quais existe sério comprometimento do nervo ou outro tipo qualquer de lesão orgânica, em muitos dos casos a dor é simplesmente parte da memória armazenada. Por isso, a dor do membro fantasma pode ser sentida em diferentes partes do corpo. Como exemplo, muitas mulheres que passaram por uma mastectomia podem ser incomodadas pela dor fantasma no seio. Enquanto a memória da operação permanecer "trancada", há a possibilidade de existirem sensações de dor fantasma no local da cirurgia ou da lesão, que talvez não desapareçam por si mesmas com o decorrer do tempo. Por essa mesma razão, outras pessoas continuam sentindo dor depois de suas feridas de queimaduras ou de agressões terem sido curadas. Nesses casos, as sensações de dor do trauma podem ainda estar presentes nas redes de memória. Na hipótese de você identificar-se com essas sensações físicas, talvez valha a pena explorar a possibilidade de aliviar seu sofrimento com o processamento da memória.

Da Cabeça aos Pés

Outros tipos de dor inexplicável no corpo, incluindo dores de cabeça, podem também ser resultados de memórias não processadas. Por exemplo, uma das vítimas de abuso sexual tratadas por mim relatou o desaparecimento de suas dores de cabeça diárias, que já perduravam por anos, após as sessões de reprocessamento por EMDR.

Esses tipos de relatos são muito comuns. Um outro exemplo é o de uma guia turística extremamente ativa e bem-sucedida. Ela costumava ter enxaquecas, em intervalos de poucas semanas, que a deixavam de cama por dois dias. Já havia procurado um neurologista, tinha feito tomografia do cérebro, tomado todo medicamento recomendado para enxaqueca, mas nada parecia ajudar. Seu terapeuta observou que ela se entregava de forma exagerada ao trabalho e era bem perfeccionista. Ficou claro que, no dia antes de um ataque de enxaqueca, ela sempre tinha a sensação de ter feito

algo errado. Juntos, eles focalizaram as memórias que estavam provocando os pensamentos de: "eu sou uma decepção" ou "eu não sou boa o suficiente" e logo as enxaquecas desapareceram. Outro paciente sofria com dores de cabeça todo domingo à noite desde os oito anos de idade. Foi constatado que seus pais se separaram naquela época e ele tinha que passar todo o final de semana com o pai, voltando para casa da mãe no domingo à noite. Após ser processada a experiência da separação dos pais, ficou claro que as dores de cabeça eram uma expressão da tensão que sentia ao ficar dividido entre os dois lares. Logo, se você ou uma pessoa amada sofre de dores de cabeça, com a ajuda do processamento provavelmente não demoraria muito para descobrir se elas são causadas por estresse ou são remanescentes de uma memória antiga.

Por favor lembre-se de que, mesmo se originalmente tiver existido uma causa física, talvez seja útil verificar a fonte de uma dor contínua. Um último exemplo deve ser suficiente para esclarecer como os efeitos da dor armazenada assumem diferentes formas. Carla, uma assistente social de 45 anos de idade, sofreu uma batida frontal com o carro que dirigia, um ano antes de procurar a terapia. Tinha lembranças da cena (*flashbacks*), sentimentos de desamparo, pesadelos e pensamentos intrusivos, como também dores intensas nas costas e na perna que afetavam a sua capacidade de levar uma vida normal. Ela precisava de uma andador e arrastava a perna direita ao locomover-se. O fato de o seu marido também ter se machucado no episódio intensificava sua culpa e o sentimento de que tudo havia sido em decorrência de uma falha dela. Na sessão que focalizou o acidente, Carla viu a imagem das luzes do farol do carro vindo em sua direção e movimentou rapidamente sua perna direita para frente, como se estivesse freando. A perna continuou naquela posição durante o processamento, enquanto ela percebia que tinha feito tudo que podia. Com isso, Carla relatou uma cura da "situação de desamparo", uma "cura da dor". No final da sessão, ela levantou-se e deixou o consultório sem precisar de ajuda.

Esse é outro exemplo de dor fantasma. A dificuldade de locomoção de Carla era real. A dor não permitia que ela andasse. Apesar de a causa original da dor não existir mais, as sensações permaneceram armazenadas na memória não processada do acidente. Assim como acontece com a dor que persiste depois de certos tipos de cirurgias, o caso de Carla é um outro exemplo de como memórias armazenadas às vezes se manifestam como sintomas físicos.

Eu Não Consigo Sentir Nada

Como já vimos, as sensações de uma experiência armazenada em nossas redes de memórias são capazes de produzir dor. Elas também podem ser responsáveis por nós não sentirmos nada – nem mesmo aqueles

sentimentos que gostaríamos de ter. Essa é uma situação comum em terapia sexual. As pessoas sentem amor pelos seus parceiros, querem sentir-se próximas e íntimas - mas não têm desejo sexual. Por alguma razão, elas estão bloqueadas. Mais uma vez, frequentemente as memórias de uma experiência passada são responsáveis pelo problema. Bill, por exemplo, foi encaminhado para a terapia de EMDR por que ele era sexualmente impotente com sua parceira. Ao investigar-se o passado para detectar a causa de seu problema, chegou-se à época do divórcio de dos pais, quando ele tinha seis anos de idade. Sua dificuldade tinha origem em uma conversa com sua mãe, quando ela lhe disse que ele não era um bom substituto do pai. Naturalmente, aos seis anos de idade, aquela não era sua tarefa. Contudo, como sabemos, crianças pequenas culpam-se pelos erros de seus pais. E agora, adulto, a recente doença de sua mãe, que a obrigou a se mudar para um lar de idosos, havia disparado o sentimento de culpa dele, a memória da decepção da mãe com ele, bem como as palavras dela dizendo-lhe que ele "não estava agindo como homem". Sua "impotência" era uma expressão física de seus sentimentos de inadequação para cuidar de sua mãe. Durante o processamento, seus pensamentos migraram de "eu sou inadequado" para "eu estou bem do jeito que sou" e sua capacidade e seu desejo sexuais voltaram.

Enquanto os problemas de Bill eram disparados por algo que estava acontecendo no presente, algumas vezes problemas sexuais também sérios podem ser de mais longa duração. Foi o caso de Sandi, 34 anos, participante de um grupo de terapia para mulheres incapazes de sentir excitação sexual ou orgasmo. Apesar de estar muito apaixonada pelo namorado, ela não conseguia manter contato íntimo. Quando um membro do grupo indagou-lhe quando havia sentido desejo sexual pela última vez, ela respondeu: "Nunca!". E ficou muito chateada.

O terapeuta ofereceu a Sandi sessões individuais com EMDR e, usando a técnica de Flutuar ao Passado, resgatou a memória de seu primeiro encontro com um garoto, aos 15 anos de idade. O rapaz havia levado Sandi de volta para casa e eles estavam na frente da porta de entrada, seus lábios encontraram-se em um primeiro beijo inocente. Ela lembrava-se apenas de ter sentido pela primeira vez um "friozinho na barriga, quando seu pai abriu a porta com violência e chamou-a de "vadia". A menina imediatamente fechou-se e, pelos 20 anos que se seguiram, não conseguiu ter desejo sexual. Depois do processamento, Sandi recuperou aquela conexão, incluindo a capacidade de ter orgasmo. A porta, que havia trancado atrás de si seu desejo sexual, foi finalmente reaberta.

Milhares de pessoas sofrem de sintomas que aparentam ser problemas de saúde. Esses sintomas podem às com todos os detalhes vivos e sangrentos de viver e morrer em um daqueles campos. Sentia-se impotente, incapaz de mover-se ou de fazer qualquer coisa para mudar o

horror em sua volta. Quando a imagem de estar nos campos de concentração foi focalizada, depois de algumas séries de movimentos oculares, Aaron disse ofegante: "Meu Deus, não sou eu - são as memórias de meu tio!". A sua experiência ao ouvir as histórias de seu tio, quando ele se imaginou na situação e realmente sentiu, cheirou, experimentou e ouviu tudo vívida e claramente, fizeram com que elas parecessem ser suas próprias. Esse é um exemplo perfeito de "traumatização vicariante", na qual a pessoa pode desenvolver TEPT extremo apenas por ter ouvido contar sobre um evento. O fenômeno é muito comum em crianças pequenas. Elas são capazes de assistir algo na televisão e, por ficarem impressionadas, têm a sensação vezes ser facilmente identificados como resultado de uma memória isolada, porque a ligação entre eles é clara. Como no caso de Sandi, alguma coisa aconteceu e isso deu origem a sua incapacidade de ter desejo sexual. Em outras situações, a história é mais complicada, em decorrência dos vários fatores envolvidos. Alguns problemas parecem realmente ser causados por um estado de saúde. A pessoa tinha sentido aquilo antes, mas havia desaparecido. Agora, muitos anos depois, o problema reaparece. Os tratamentos convencionais não ajudam e os médicos têm certeza de que se trata apenas de uma recaída. A explicação faz todo sentido, mas é possível que não seja verdadeira. Na maior parte das vezes, as pessoas não estão procurando respostas para problemas físicos quando buscam a terapia de EMDR. Elas simplesmente querem alívio para outros sintomas emocionais. No entanto, como já vimos, nossas redes de memória são complexas e os efeitos podem ser de longo alcance.

Aaron tinha 50 anos de idade quando procurou a terapia para lidar com memórias de um antigo protesto estudantil contra a Guerra do Vietnã. Ele tentara apartar uma briga entre estudantes e policiais, mas, em meio ao caos, foi espancado e recebeu golpes em todo o corpo. O incidente fez com que ficasse internado no hospital por muito tempo com ferimentos doloridos na cabeça e dormência nas pernas, apesar disso ele conseguiu recuperar-se após um tratamento de reabilitação. Agora, mais de 30 anos depois, a dormência havia voltado. Nos últimos 18 meses, ele precisou usar um andador devido à perda de sensibilidade nas pernas. Seus médicos haviam diagnosticado neuropatia - dormência causada por nervos danificados pela lesão original. Porém, esse problema não foi o que o motivou a procurar tratamento. Ele finalmente buscou terapia porque, desde que as tropas americanas tinham sido enviadas ao Iraque, sempre se lembrava de cenas de suas experiências como manifestante contra a Guerra do Vietnã.

Ao processar a memória de seu espancamento, outras associações apareceram. Ele compartilhou algo com o seu terapeuta que nunca contara a ninguém, pois tinha medo de ser considerado louco. Contou que, às

vezes, acreditava ter tido uma vida passada, na qual morrera em um campo de concentração. Ele não podia pensar em outra explicação para as memórias, pois, em grande parte de sua vida, havia tido lembranças e pesadelos de que aquilo está realmente acontecendo com elas.

Aaron tinha apenas quatro anos de idade quando o seu tio Hershel chegou aos Estados Unidos. Ele sobrevivera a um campo de extermínio e, depois de libertado pelas forças russas, recebeu ajuda financeira dos pais de Aaron e foi morar com eles. Apertados em um pequeno apartamento, Hershel dividia o quarto com o sobrinho. Para ajudar a protegê-lo, evitar que a história se repetisse e garantir que o menino nunca se esqueceria do que poderia acontecer, seu tio narrou vários episódios horríveis sobre seu tempo nos campos. Sofrendo por causa de suas experiências, o tio contou repetidamente histórias sobre lutas diárias, medo e mortes repentinas.

Aaron tinha assimilado as histórias como se fossem suas. Anos depois, quando processou aquelas memórias, percebeu como elas conectavam-se com seu próprio processo de tomada de decisões ao longo de toda a sua fase adulta. Ele começou a ver sua neuropatia como um símbolo de impotência, paralisia na vida e incapacidade de movimentar-se em seu mundo. Aquelas eram narrativas e crenças que havia absorvido de seu tio e ele começou a perceber que elas não precisavam definir quem ele era. Aaron tomou consciência de que o sentimento de desamparo que tivera quando havia sido espancado durante o protesto do Vietnã foi de novo disparado pela Guerra do Iraque. Quando essas memórias da surra foram ativadas, a neuropatia sentida naquela época também voltou. Todas essas experiências também tinham sido conectadas com as histórias de seu tio sobre sentir-se impotente no campo de concentração.

Durante o período de um ano, Aaron e seu terapeuta focalizaram as memórias da época da Guerra do Vietnã, as histórias que ele ouvira sobre os campos de concentração e sua dificuldade de relacionamento com os pais. Quando suas memórias foram reprocessadas, ele começou a usar uma bengala e, na sua última sessão, já andava sem auxílio algum. Aaron conseguia novamente se movimentar no seu mundo, livre das memórias que o tornavam incapaz. Sem dúvida alguma, podemos absorver muitos elementos na vida que não são nossos.

Caso você apresente sintomas inexplicáveis de saúde, há a possibilidade de que os problemas físicos estejam nas redes de memória do cérebro - e não na parte do seu corpo onde você sente dor ou dormência. Os sentimentos conectados com a dor de membro fantasma ou paralisia são absolutamente reais. Eles podem ser provenientes de sensações armazenadas em nossas redes de memória, mas não há diferença entre como nós experimentamos essas sensações passadas e um problema de saúde no presente. Por exemplo, se alguém espetar sua mão dormente com um alfinete, você não sentirá nada, não importa se for devido a uma

neuropatia real causada por nervos danificados ou a uma falta de sensibilidade causada por memórias antigas não processadas. Logo, se você apresenta um problema médico inexplicável, talvez essa seja uma avenida que valha a pena ser explorada.

O Espelho Trincado

No último tópico, lidamos com sintomas físicos provenientes de nossas redes de memória. Porém, há uma grande variedade de "questões do corpo" que podem levar alguém a buscar terapia. Ao passo que muitos de nós desejaríamos poder mudar alguma coisa em nosso corpo, algumas pessoas são extremamente incomodadas com a aparência. Elas olham para si mesmas e veem partes do corpo como sendo disformes ou feias. Algumas vezes elas são diagnosticadas como esquizofrênicas ou paranoicas, porque suas percepções são interpretadas como ilusões. Ninguém mais enxerga nada de errado, mas a pessoa está convencida do contrário. Os resultados desse comportamento vão de evitar o contato social, submeter-se a cirurgias desnecessárias até a tentar o suicídio. Por exemplo, Stephanie não tinha sido capaz de trabalhar nos últimos dois anos porque pensava que seus colegas a tratavam com desdém. Tinha certeza de que cheirava mal devido ao seu suor intenso, apesar de tomar banho duas vezes por dia, trocar a roupa de baixo frequentemente e usar muito talco e desodorante. Ela não suportava enfrentar situações sociais, pois acreditava que as pessoas estavam falando mal dela.

Ao longo dos últimos 15 anos, Stephanie havia sido hospitalizada muitas vezes por causa de pensamentos suicidas, além de tomar três medicamentos diferentes. Nada disso a ajudou. A gota d' água que faltava foi encontrar um frasco de desodorante perto de sua mesa de trabalho. Ela ficou tão arrasada pela vergonha, acreditando ser aquilo uma alusão ao seu odor, que deliberadamente tomou pílulas para dormir em excesso quando chegou em casa - e teve que ser novamente internada. Em sua terapia de EMDR, ela lembrou-se de quando o seu problema começara. Quando tinha 12 anos, ela levou comida para a escola, conforme a professora tinha pedido, para a aula de culinária da sexta-feira. Infelizmente, a aula foi cancelada. De volta à escola na segunda-feira, ela dirigiu-se ao seu armário no ginásio de esportes e pegou a bolsa que pensava conter suas roupas de ginástica. Ao abri-la, o ambiente foi invadido pelo odor de peixe estragado - a comida que tinha ficado esquecida na escola durante o final de semana, depois do cancelamento da aula de culinária. Os colegas zombaram dela, acusando-a de estar usando roupa de baixo suja. Depois, ela foi mandada à sala do diretor, que a repreendeu pela falta de higiene. Correu para casa aos prantos e não conseguiu voltar à escola por um período de uma semana. Alguns anos mais tarde, um médico disse-lhe que ela possuía glândulas sudoríparas próprias do sexo masculino.

Stephanie tinha sofrido devido a sua crença por 30 anos, pois aquelas experiências antigas haviam permanecido sem processamento. Após três sessões de EMDR, os sintomas desapareceram e continuavam ausentes quando foi feita uma sessão de reavaliação cinco anos depois. Para Stephanie, como para muitos de nós, a causa dos sintomas talvez não seja "traumas maiores", como desastres naturais ou agressões físicas, mas sim humilhações de quando éramos jovens. A adolescência é uma fase muito vulnerável e o fato de ser vítima de zombarias pode deixar cicatrizes para o resto da vida. O tratamento de Stephanie durou três sessões, mas ela apenas se lembrou do acontecimento crítico na última delas. Os alvos iniciais foram experiências mais recentes, nas quais ela acreditava que as pessoas estavam enojadas pelo seu cheiro. Mas essas redes de memória estão todas conectadas. Logo, mesmo que você não consiga se lembrar de um acontecimento mais antigo que tenha causado seus problemas, vale a pena explorar suas memórias. Isso pode ser a porta de entrada para libertá-lo de seus sintomas.

É possível que esses mesmos tipos de memória sejam a base de sentimentos causadores de transtornos alimentares - quando as pessoas olham para si mesmas e acreditam serem obesas demais, enquanto todos à sua volta percebem que elas estão definhando. Há numerosos relatos sobre indivíduos que não conseguem comer em razão de comentários descuidados feitos, quando eram adolescentes, por entes queridos. Ou, ainda, casos de sensações de engasgo provocadas por memórias antigas de acidentes relacionados ao ato de comer ou por memórias de abuso. Apesar de a terapia de EMDR não ser a cura para todos os males, ela pode ajudar as pessoas a recuperar o controle sobre seus corpos, por meio do processamento de memórias de experiências que impedem um estilo de vida saudável e adaptativo.

As pessoas têm, às vezes, vários tipos de crenças sobre a própria aparência que não fazem nenhum sentido para outros à sua volta. Por exemplo, os homens podem ficar extremamente preocupados quando estão perdendo cabelo e passar horas na frente do espelho tentando ajeitá-lo ou ter pensamentos intrusivos sobre a calvície. Esses são possivelmente sinais de que há uma memória não processada influenciando a percepção do indivíduo sobre si mesmo.

Às vezes, as memórias de ser insultado são claras. Em outras ocasiões, elas são causadas por comentários inocentes de um amigo. Marla, por exemplo, sofreu 24 anos acreditando que estava coberta de pelos repugnantes, por causa de um comentário feito por uma tia sobre seus pelos nas axilas quando ela era adolescente. O problema tornou-se tão grave que ela era incapaz de sair sem arrancar com a pinça qualquer pelo visível - e passava horas a fio frente ao espelho todos os dias. Três sessões de processamento eliminaram a crença, e ela foi capaz de ir nadar com sua

filha, usando feliz um biquini, pela primeira vez em sua vida. Como já afirmei anteriormente, não é necessário muito tempo para se descobrir se memórias não processadas estão contribuindo para um determinado problema no presente.

Eu Sei Que Alguma Coisa Está Errada, Certo?

Muitas pessoas acreditam que alguma coisa está errada com elas fisicamente e passam horas intermináveis procurando respostas e diagnósticos. Os amigos e a família frequentemente as taxam de hipocondríacas e tentam espantar seus temores, mas isso raramente funciona. Às vezes, as causas podem ter como origem em doenças e perdas reais. É o caso, por exemplo, de pessoas que ficam extremamente preocupadas com doenças e acreditam que qualquer tosse seja um sinal de câncer de pulmão, porque já passaram por um câncer ou perderam um parente ou amigo próximo em decorrência da enfermidade. Algumas vezes, o problema é causado por uma experiência completamente insuspeita. Qualquer que seja a razão, é importante trabalhar o medo e a ansiedade - não apenas porque o problema pode tornar a vida insuportável, mas também porque é possível que o estresse contínuo produza um efeito físico negativo.

Faça Isso Desaparecer

Jamie iniciou a terapia depois de uma luta contra o câncer. Segundo ela, dois anos antes do diagnóstico, tivera uma suspeita crescente mas não confirmada de um câncer de mama, que os seus médicos consideraram "irracional" e a medicaram com remédios para ansiedade. Apesar de autoexames de toque e mamografias anuais, seu câncer somente foi descoberto em um estado extremamente avançado. Felizmente, ela foi tratada com sucesso. Mas, mesmo agora que os testes de marcadores tumorais estavam normais, ela não sentia o alívio esperado. Em vez disso, relatava uma sensação de pânico de queda-livre e de que "sabia" que iria "morrer". A sensação piorou quando Jamie viu campanhas de esclarecimento em ônibus locais anunciando "O Diagnóstico no Estágio Inicial Salva Vidas", no "Mês de Conscientização do Câncer de Mama". Ela sentia-se ansiosa, sem esperança e frustrada - certa de que, mesmo se nunca tivesse uma recidiva do câncer, sempre temeria o seu retorno. Ela não sabia como "viver" agora que havia *sobrevivido*. O medo do câncer estava ficando cada vez pior.

Ao focalizar as propagandas nos ônibus que estavam atualmente disparando sua perturbação e usando a Técnica de Flutuar ao Passado, o momento do seu diagnóstico veio à tona. Ela vivenciou aquela mesma sensação de pânico e de morte certa. Isso é muito comum em pacientes com câncer. Há o choque do diagnóstico em si, que é frequentemente

combinado com algo que o médico falou ou deixou de falar. Em sua primeira sessão de processamento com EMDR, o grau de perturbação SUD de Jamie caiu de 8 para 1.

Uma semana mais tarde, Jamie não apresentava mais sensações de pânico ou de que iria "morrer", como reação aos cartazes de propaganda. A reavaliação dessa memória revelou um grau de perturbação SUD de 1, sem nenhuma emoção associada à ela, mas com uma sensação de calor desconfortável no peito. Ao focalizar esse sintoma, o resultado obtido foi o surgimento e processamento de sensações de ardência em seu seio amputado, cenas imaginárias da remoção de seu seio durante a cirurgia e a primeira vez que ela viu a cicatriz disforme no espelho. As sensações de ardência no braço, peito, pescoço e cabeça aumentaram e depois desapareceram - e não houve mais sensações de dor fantasma no peito depois daquela sessão. A cognição positiva que surgiu foi: "Eu sou dura na queda. Apesar do medo, eu sabia que tinha força para chegar onde estou hoje. Eu consegui vencer." A cognição parecia ser completamente verdadeira. Quando Jamie a mencionou, ela começou a chorar aliviada e afirmou: "Eu tinha imaginado que só seria capaz de acreditar nisso depois de passados dez anos!"

Na sessão seguinte, Jamie identificou a crença de que ela própria havia sido responsável pelo câncer. Memórias de muitas experiências na infância, congeladas em sua forma original com a cognição negativa "a culpa é minha" foram processadas e desapareceram no curso de duas sessões. Ela completou a terapia com a crença sólida de que: "eu não fiz nada de errado - isso simplesmente aconteceu", além de acreditar, cheia de energia, que "eu tenho algo de valor para oferecer". Sete anos depois de seu diagnóstico, todos os testes indicam que não houve reincidência do câncer. Jamie não passa mais pela ansiedade que costumava ter quando se submetia às mamografias anuais. Além de livrar-se do extremo medo da volta da doença, Jamie desenvolveu maior confiança em seu corpo, em sua intuição e na sua capacidade de enfrentar qualquer situação que a vida possa lhe reservar.

Esses tipos de resultados são extremamente importantes em vários aspectos. Primeiramente, ficar encurralado com medo da morte não nos permite aproveitar a vida. Aqueles que já enfrentaram uma doença como o câncer, ataque de coração ou derrame têm a escolha de, ou reingressar à vida plenamente, ou continuar vivendo à sombra da morte. Não há separação entre a mente e o corpo. Além de envenenar nosso presente, a perturbação emocional constante pode também ter um efeito negativo em nossa saúde física. Pesquisas mostram claramente que sintomas de depressão e de trauma estão associados à probabilidade crescente de uma recorrência da doença ou de morte entre pessoas que já sofreram um infarto. Felizmente, um estudo recente mostrou que apenas oito sessões de

EMDR foram suficientes para tratar efetivamente o desgaste emocional de pessoas que tinham acabado de sofrer um ataque de coração. Outro estudo, com crianças que sofreram de TEPT por mais de três anos após um furacão, constatou que elas fizeram menos visitas a médicos no ano seguinte ao tratamento de EMDR. Logo, se você não for capaz de lidar com a depressão ou com a ansiedade utilizando as técnicas de autocontrole descritas neste livro, considere a possibilidade de ter seu trauma processado. E isso é um trauma. Quando sentimos que não podemos confiar em nossos corpos, ou que eles estão fora de controle, está na hora de fazer algo a respeito disso.

Será que é Certo ou Errado?

Como já vimos, quando temos uma ideia fixa e estamos demasiadamente preocupados com a forma com que nossos corpos reagem, geralmente a culpa é das memórias não processadas que estão comandando o nosso espetáculo. Porém, às vezes, os sentimentos das memórias não processadas que ficam presos são de alívio e não de medo.

Pam tinha 42 anos de idade quando buscou a terapia depois de anos de doenças físicas e acidentes. Ela apresentava um quadro de dor crônica e reclamava de não se sentir plenamente viva. Com dez anos de idade, partes de seu corpo haviam ficado paralisadas. Os médicos não conseguiram encontrar nada de errado e disseram a seus pais que aquilo devia ser psicossomático. De volta em casa após a consulta médica, seus pais tentaram convencê-la a deixar aquilo de lado. Mas de nada adiantou, ela passou uma noite berrando de dor.

Ocorre que os médicos tinham se enganado. Na manhã seguinte, os pais de Pam levaram-na para o hospital. Novos testes apontaram a necessidade de uma cirurgia de emergência. Ao acordar, sua mãe contou-lhe que um tumor cancerígeno havia sido removido de seu cérebro. Aos dez anos, ela ficou contente ao ouvir que tinha câncer, porque sua família finalmente acreditava nela. A experiência trancou o pensamento "eu tenho que ter um diagnóstico para ser aceita". Esses tipos de experiências podem levar muitos a sentir que não conseguem obter a atenção ou o carinho dos outros, a não ser que estejam doentes. Para outras pessoas, ficar doente é o único modo de parar de cuidar de todos à volta ou de dizer "não". De uma maneira ou de outra, memórias não processadas geralmente estão na base desses problemas.

Outras vezes, a causa dos problemas envolve pessoas que só vimos uma vez, nunca veremos novamente e que continuaram seguindo seu caminho feliz, sem mesmo nunca saber o mal que fizeram. E ainda mais, elas provavelmente ficariam horrorizadas se soubessem do incômodo que causaram. Por exemplo, Rita tinha 19 anos, era caloura na faculdade, estava de férias e prestes a viajar com destino ao Brasil para um semestre

de estudo. A sua mãe queria que ela fizesse terapia de EMDR antes da viagem, em decorrência do medo e da ansiedade da filha. Ela era saudável, mas sempre se apavorava e telefonava para a mãe obsessivamente para se acalmar, quando tinha um resfriado ou qualquer outro sintoma menor. Portanto, a mãe queria certificar-se de que ela estava bem antes de deixar o país. A técnica de Flutuar ao Passado revelou que, com a idade de oito anos, Rita foi levada ao pronto-socorro para ser tratada de uma mordida de cachorro. A equipe médica começou a brincar dizendo que ela morreria por causa da mordida. Apesar de agora entender que eles estavam apenas brincando, o episódio tinha ficado claramente preso em suas redes de memórias e, a partir de então, ela preocupava-se com a morte.

No entanto, existem certamente casos em que há algo de muito errado. A terapia de EMDR não fará desaparecer um problema físico. Por exemplo, há milhares de crianças diagnosticadas com Transtorno de Déficit de Atenção com Hiperatividade (TDAH) que estão sendo medicadas atualmente. Se realmente se trata de um diagnóstico correto, isso é uma condição neurológica inata e o EMDR não a eliminará. Contudo, muitos dos sintomas de TDAH são exatamente os mesmos que uma criança pode desenvolver depois de uma experiência perturbadora ou traumática. A mãe de Bradley, por exemplo, achava que o filho sofria de uma lesão na cabeça por ele ter caído no parquinho na mesma semana em que os sintomas começaram. No início, ele urinava na cama e tinha episódios de sonambulismo. Segue a sua descrição das outras mudanças pelas quais seu filho passou:

Com o passar das semanas, a situação foi se deteriorando. Bradley, que era normalmente um garoto alegre, sociável e inteligente ficou taciturno, aflito e facilmente irritadiço. Ele não ficava mais sozinho em um ambiente, nem mesmo para tomar banho. Sendo uma criança educada em casa - e não na escola, ele sempre havia sido inteligente e concentrado, fácil de se ensinar. Ele tornou-se extremamente distraído e agitado, incapaz de sentar-se quieto para executar a tarefa mais simples. Chorava facilmente e tinha pensamentos negativos e intrusivos. Costumava dizer que não conseguia "tirar os maus pensamentos" da cabeça. Ele passou a mentir. Suas mãos começaram a tremer constantemente. Muitos amigos perguntavam-me o que havia de errado com o meu filho. Até o seu professor de natação notou uma queda em sua capacidade de manter a atenção durante o treino e as competições. Seu desempenho na piscina tinha piorado significantemente, sem qualquer explicação. Ele parecia impressionantemente sem jeito e descoordenado - como se tivesse de certo modo desaprendido a nadar.

Finalmente, chegou-se à conclusão de que o filme "O Predador" havia traumatizado o garoto Bradley, de seis anos de idade. A queda no parquinho havia sido uma mera coincidência. Quando a memória foi processada, seus sintomas desapareceram. Muitos desses problemas são

também encontrados em crianças portadoras de TDAH. Entretanto, parece que um grande número de crianças está sendo diagnosticado erroneamente com a doença, quando, na verdade, sintomas como tendência à distração, problemas de comportamento, irritabilidade e déficit de atenção são resultados de memórias não processadas. Logo, se crianças que fazem parte de sua vida têm alguns desses sintomas, pode ser uma boa ideia procurar assistência profissional para averiguar a possibilidade de haver alguma experiência perturbadora por detrás deles.

A terapia de EMDR não eliminará qualquer lesão, toxina ou defeito genético do cérebro. Contudo, no caso de um verdadeiro transtorno de TDAH, o EMDR pode ser usado para processar memórias de fracassos, além de zombarias e de humilhações na infância, que frequentemente acompanham essa doença. O reprocessamento pode reduzir os sintomas, diminuindo assim a necessidade de medicação. Da mesma forma, pesquisadores de EMDR relataram recentemente casos de pessoas com deficiências intelectuais, incluindo algumas diagnosticadas com autismo, tratadas com essa forma de terapia. Depois do processamento de suas memórias, não apenas os sintomas de traumas foram eliminados, mas os responsáveis por essas pessoas também relataram melhora na esfera cognitiva e social. Eles engajavam-se em atividades mais prontamente, mostravam crescente independência e aprenderam novas habilidades. Esse foi o caso, por exemplo, de um homem de 54 anos de idade que tinha sido diagnosticado com autismo aos três e havia passado a vida em instituições psiquiátricas desde os cinco anos de idade, às vezes em sistema de isolamento, em razão de seu comportamento agressivo. Ele contou que, desde o início da terapia: "Eu me sinto mais relaxado, menos melancólico, mais amigável, com o coração mais leve, menos fanático do que antes". Um outro portador de deficiência mental, de 22 anos de idade, residente em uma casa para pessoas com deficiência física e diagnosticado com autismo e paralisia cerebral, resumiu as mudanças percebidas com as seguintes palavras: "Eu recuperei a minha força". Mesmo tratando-se de um problema neurológico de nascença, pode-se obter uma melhoria nos sintomas se memórias não processadas estiverem envolvidas.

É também importante salientar que estamos aprendendo coisas novas todos os dias. Por exemplo, pesquisas recentes indicam que milhares de crianças seriam diagnosticadas, de maneira errada, como portadoras de TDAH simplesmente porque iniciaram a escola mais cedo e são comparadas às crianças mais velhas que estudam nas mesmas salas de aula. Por serem mais jovens, seriam menos atentas ou incapazes de acompanhar a turma. Isso significa que elas estão sendo classificadas e medicadas sem necessidade. Significa ainda que muitas experiências de fracasso e de *bullying*, possivelmente associadas à situação de aprendizagem, podem necessitar de processamento. Por favor, lembre-se

de que os mesmos problemas e causas são observados em adultos. Não importa qual seja sua idade, memórias não processadas podem ser a verdadeira causa de seus sintomas, ou talvez estejam piorando esses problemas.

Às vezes há um problema físico que simplesmente não mudará. Nesses casos, é possível lidarmos com nossos sentimentos a respeito dele. Muitas pessoas que possuem defeitos físicos sentem-se desfiguradas e, por timidez, isolam-se do mundo. Com frequência, medo e culpa ficam trancados internamente quando tentam entender o que aconteceu com elas. Mas, como exclamou uma vítima de queimadura com ácido proveniente de Bangladesh, após o processamento: "É ele que tem que sentir vergonha, não eu". Uma outra vítima de queimadura por ácido na Índia, que ficou cega com o ataque da primeira esposa de seu marido, não sente mais medo. Apesar de ser analfabeta à época, ela aprendeu o método Braille e assumiu a criação de seus filhos.

Não há apenas um caminho para se superar a dor, mas muitas pessoas ainda encontram uma maneira de fazer com que a experiência seja frutífera. É comum o desejo de ajudar outras pessoas em seu sofrimento. E nunca se é jovem demais. Por exemplo, uma garota de dez anos chamada Maria estava tomando banho quando ocorreu um terremoto. O vidro da porta do banheiro estilhaçou-se, deixando-a com cortes por todo o corpo. Ela passou por várias cirurgias e tratamentos dolorosos, além de ficar magoada por ser chamada de "monstro" pelos garotos da escola. Seus pais, então, procuraram a terapia de EMDR. Em sua última sessão, ela arregalou os olhos e exclamou: "Agora sei por que isso aconteceu comigo. Porque assim crianças com cortes, queimaduras ou machucados vão acreditar em mim, quando eu falar que elas devem ter esperança".

O ponto essencial é saber que, independentemente da deficiência, as pessoas são capazes de melhorar a sua situação. Eu sempre penso nas palavras de um querido colega já falecido. Ron Martinez era um atleta de destaque orgulhoso de seu corpo. Um dia, ele mergulhou em uma piscina, fraturou o pescoço e teve que ser arrastado para fora d'água. Em uma fração de segundos, ficou tetraplégico. Porém, ele não queria desistir. Tornou-se o primeiro da família a ingressar em uma faculdade e, como terapeuta, era como uma luz irradiante para as pessoas que o conheciam. Seu lema era: "O importante não é o que acontece, é como lidamos com isso". Talvez nós não sejamos responsáveis pela nossa desgraça, mas podemos, no presente, assumir o controle e fazer alguma coisa a respeito da situação.

Exploração Pessoal

Se você sofre de qualquer uma das questões relacionadas ao corpo mencionadas neste capítulo, pode usar a técnica de Flutuar ao Passado descrita no Capítulo 4, para identificar alguma memória que os esteja

provocando. Concentre-se nos seus pensamentos sobre o problema e veja se eles se enquadram em alguma das cognições negativas de uma das três categorias. Caso contrário, apenas observe os tipos de pensamento que aparecem quando você se concentra na última vez que sentiu a perturbação e deixe sua mente vagar para o passado com o objetivo de observar se outras memórias surgem. Na hipótese de isso acontecer, escreva-as em sua Lista de Memórias-Chave.

Como mencionei anteriormente, a terapia de EMDR não eliminará um problema de saúde puramente físico. Mas, muitos dos sentimentos que temos sobre nós mesmos, quando há uma doença real ou deficiência, são causados por memórias não processadas de observações descuidadas ou por nossa própria vontade de querer ser alguém ou algo de fazer diferente. Muitos de nós tivemos pais, professores ou treinadores severos que nos impuseram padrões que não eram razoáveis. Muitos de nós esquecemos as observações conscientemente, mas elas ainda estão presas em nossas redes de memórias. Quando crianças manifestam sintomas óbvios pode realmente ser algo positivo, pois assim elas são capazes de obter a ajuda de que precisam imediatamente, em vez de sofrer em silêncio por anos.

Por exemplo, Betânia é uma garota de 11 anos esperta, atlética e atraente. Sua mãe levou-a para a terapia depois que ela passou a arrancar os cílios. Ela passou a agir dessa forma no início do ano escolar, quando sua nova professora, muito rigorosa, começou a gritar com a turma. Havia também outras fontes de estresse, como o fato de sua mãe estar envolvida em um novo negócio e ela sentir-se chateada demais para ir às suas aulas de ginástica, das quais gostava tanto, devido aos berros do treinador. A princípio, no tratamento com EMDR, o terapeuta focalizou a primeira vez que a professora gritou. Tal procedimento reduziu a frequência do hábito de arrancar de cílios para uma vez por mês, mas não o eliminou. Então eles decidiram orientar a atenção para a memória do treinador gritando com ela. O terapeuta pediu que Betânia descrevesse a pior parte do incidente, ela arregalou os olhos e respondeu que foi quando ele gritou e virou de costas, sussurrando alto: "Eu vou matar vocês todas. Eu vou matar vocês todas com pregos."

Algumas vezes, o que as crianças ouvem ou veem pode causar sintomas imediatos, como o hábito de arrancar cílios ou cabelos, ou qualquer um dos sintomas apresentados por Bradley. Ou eles podem ficar armazenados em redes de memória e sair para dar o bote anos mais tarde. Então, quando você tentar praticar a técnica de Flutuar ao Passado, certifique-se de escanear as memórias de colegas, professores, técnicos, doutores, padres - ou qualquer outra figura importante em sua vida. A professora e o técnico de Betânia podem ter pensado que estavam apenas fazendo seu trabalho. Talvez eles não percebessem que poderiam estar assustando as crianças para o resto da vida. Talvez eles não se

importassem. Infelizmente, seja o que for que eles pensaram, isso é irrelevante. Eles podem ter causado estragos, mas agora é o nosso trabalho concertá-los.

A Técnica do Feixe de Luz

Para aqueles que sentem dor física, a técnica de fantasia dirigida descrita a seguir pode ser útil. Ela frequentemente ajuda a eliminar a dor emocional, pelo menos temporariamente, ao contribuir para mudar a maneira como você está se sentindo. Além do mais, essa técnica pode ajudar a fazer com que a dor fique mais fácil de suportar. Como ocorre com todas as demais técnicas de autocontrole, cabe a você decidir se ela é suficiente para tratar de seu problema satisfatoriamente ou se seria uma boa ideia procurar assistência especializada.

Esta técnica é muito útil nos casos de certos tipos de dor tanto física como emocional. Também pode funcionar como rápido estimulante energético. Ela deve ser praticada no conforto de sua casa ou escritório. Depois de executá-la, reserve algum tempo para relaxar antes de fazer qualquer coisa importante. Leia todo o exercício até memorizá-lo e depois siga as instruções. Se você tiver dificuldade com o procedimento, grave sua própria voz para que ela possa guiá-lo ao longo dos passos. Há também uma versão pré-gravada disponível, veja o Apêndice A.

Se você está se sentindo perturbado, concentre-se nas sensações corporais incômodas. Identifique suas características perguntando para si mesmo: "Se essa sensação tivesse um(a) _____________, o que seria?" Preencha a lacuna com cada uma das palavras abaixo:

a) forma
b) tamanho
c) cor
d) temperatura
e) textura
f) som (agudo ou baixo)

Apenas observe a forma e suas outras características.

Agora: "Qual é a sua cor favorita ou aquela que você associa ao processo de cura?"

Agora imagine que uma luz dessa cor está penetrando pelo topo de sua cabeça e dirigindo-se para a forma em seu corpo. Imaginemos que a fonte dessa luz seja o cosmo, assim a sua fonte é infinita. **O feixe de luz dirige-se àquela forma, ressoa e vibra dentro dela e em sua volta. Enquanto isso, o que acontece com a forma, o tamanho ou a cor?**

Se você achar que os sentimentos negativos se alteram, então continue com o Feixe de Luz até sentir-se confortável. Se não houver

nenhuma mudança, então use as suas técnicas de Lugar Seguro/Tranquilo, Espiral ou Respiração para voltar ao estado neutro.

Pacientes têm relatado os efeitos positivos da técnica do Feixe de Luz há anos. Um estudo recente indica que ela pode ser útil no combate à insônia. Na Indonésia, ambas as técnicas do Lugar Seguro e do Feixe de Luz foram usadas em combinação para tratar os distúrbios do sono. Pesquisadores relataram os efeitos em cinco mulheres que haviam ficado traumatizadas ao receber o diagnóstico de HIV. Todas elas carregavam sentimentos terríveis de medo, vergonha e insegurança, por considerarem a doença horrível, além do estigma cultural que as fazia se sentirem desonradas. Os seus médicos ensinaram-nas o Lugar Seguro, para trazer sentimentos de conforto e relaxamento. A seguir, a técnica do Feixe de Luz foi direcionada para quaisquer sensações negativas do corpo. Em três dias, todas as mulheres conseguiram dormir facilmente. Desde aquela época, mais 106 pessoas foram tratadas, sendo que 75% relataram melhoras no sono. As que não melhoraram não podiam imaginar um lugar seguro, o que incluía um número de detentos em prisões - onde a vida é muito insegura. Apesar de mais pesquisas serem necessárias, o resultado parece-me promissor o bastante para sugerir que você experimente usar as técnicas se tiver problemas para dormir. Elas não têm obviamente efeitos colaterais e todos nós podemos ocasionalmente lançar mão de alguma ajuda nessa área.

Capítulo 8: O Que Você Quer De Mim?

Por que nós muitas vezes não nos entendemos bem com nossa família, amigos ou colegas de trabalho? "Sangue é mais denso do que água, certo? Então, por que eu tenho vontade de estrangular meu irmão?". "Minha esposa simplesmente não me deixa em paz. Isso faz com que eu tenha vontade de fugir e de me esconder". "Nós estamos casados há dez anos, mas ele continua fazendo coisas que sabe que me deixam louca". "Como ele pode...?"; "Como ela ousa?"; e "Por que eles fizeram...?". Indignação justificada, raiva, dor, culpa - na maioria das vezes levando a pessoa a sentir-se ferida, incompreendida, descartada, desvalorizada. "Veja se me enxerga! Respeite minhas vontades, minhas necessidades". Tudo parece ser razoável. Mas é como um exercício de equilíbrio, onde diferentes visões, mágoas e às vezes um poço sem fundo de dor surgem quando você menos espera. Tome por exemplo os problemas com os quais nós lidamos nos capítulos anteriores e multiplique-os pelo número de pessoas com as quais você se depara durante um dia típico. É fácil concluir que o fato de se estar em um relacionamento pode mexer com sentimentos difíceis de serem abordados ou entendidos.

Necessidades Feridas

Ninguém é assim tão simples. Somos todos um produto da interação entre nossa carga genética e nossas experiências. Algumas vezes podemos herdar predisposições para uma variedade de estados vulneráveis. No entanto, a maioria dos problemas que podemos vir a enfrentar não se devem somente à nossa carga genética. Em geral, o senso de quem somos e do que queremos do mundo é governado tanto por memórias processadas como por não processadas. Elas estão na base de nossas respostas conscientes e inconscientes. "Já é difícil o bastante tentar entender a nós mesmos, como se pode esperar então que eu entenda qualquer outra pessoa?". Muitas vezes, é possível que precisemos de ajuda. Há aproximadamente 15 tipos de terapias de família e elas ajudam as pessoas a entender os diferentes padrões e problemas de comunicação. A maior parte dos terapeutas de família e casal acredita que, se o modo com o qual as pessoas interagem umas com as outras pode ser mudado, então os relacionamentos podem tornar-se saudáveis e produtivos. Infelizmente, muitas vezes é como tentar nadar contra a correnteza, já que as memórias de infância continuam a produzir reações desagradáveis. Talvez as pessoas queiram mudar suas ações, mas descobrem-se presas a padrões que fogem

ao seu controle. Entretanto, como nós já vimos, entender a origem de nossos atos pode ser um passo importante para aprendermos o que precisamos fazer para mudar.

E eu?

Psicólogos frequentemente pensam em relacionamentos nos termos das categorias de apego que abordamos no Capítulo 5. Quando os pais têm um apego inseguro, eles tratam os filhos de um certo modo. Uma vez adultos, os filhos geralmente acabam caindo em tipos semelhantes de relacionamentos, com as mesmas formas de interações. Esse era, por exemplo, o caso de Alexandra, que procurou a terapia descrevendo-se como deprimida. Aos 37 anos de idade, ela já passara por dois divórcios e vivia um relacionamento infeliz com Joe havia cinco anos. Assim ela descreveu a relação: "Eu não posso viver com ele e nem sem ele". Eles já haviam se separado muitas vezes, mas ela sempre voltava para o namorado.

A principal queixa de Alexandra sobre Joe era que ele ora a criticava ora a ignorava. Ela não era capaz de se impor, mesmo sabendo que "devia", mas sempre desistia, pensando consigo mesma: "Para quê? De qualquer maneira, não vai fazer nenhuma diferença". Em seus piores momentos, Alexandra acreditava não merecer nada melhor, já que nunca havia sido diferente. De alguma forma, todos os seus relacionamentos tinham acabado do mesmo jeito. Apesar de parecerem promissores no começo, eles sempre a deixaram arrasada, com a sensação de que nada jamais mudaria.

A história prévia de Alexandra facilitava a compreensão de tudo pelo qual ela passava. Como a mais nova de quatro filhos, ela era frequentemente criticada pela mãe e ignorada pelo pai. Seus irmãos maltratavam-na e Alexandra levava a culpa pelos atos deles, mesmo que não tivesse feito nada para provocá-los. Como descreveu, quando voltava da escola, desde o primeiro ano primário, não encontrava ninguém em casa que a recebesse. Então, ela era punida por ir para a vizinha esperar até que os pais chegassem em casa. A única pessoa que parecia gostar dela era o avô, mas ele morrera quando a menina tinha seis anos de idade. Alexandra lembrava-se de ter ficado desesperada, certa de que ninguém iria amá-la como ele. Parecia que ninguém se importava com ela. Por exemplo, aos oito anos, estava em um parquinho com toda a família quando uma abelha a picou. Todos a ignoraram, e ela recordava-se de ter tentado espantar a dor, decidindo que "não estava doendo". Daquele momento em diante, seus sentimentos ficaram submersos, pois Alexandra pensava que suas necessidades e emoções não eram importantes. Afinal de contas, ela não era "boa o suficiente" para conseguir o amor e a atenção recebidos pelos seus irmãos.

Os pais de Alexandra apresentavam o chamado de estilo de apego "distante" - manifestando desconforto com intimidade e emoções fortes. Os pais com esse estilo de apego normalmente se esquivam e se distanciam dos sentimentos e necessidades de seus filhos. Por sua vez, a falta de sentimentos positivos e apoio via de regra leva os filhos a suprimir seus próprios sentimentos e desejos por conforto. Eles frequentemente acabam sentindo que não são bons o suficiente, nem dignos de atenção. Alexandra era incapaz de externar seus sentimentos diante de Joe, porque as reações do namorado e dos pais dela eram muito semelhantes. Assim como quando era criança, ela foi deixada com a sensação de simplesmente não ser importante.

Ao concentrar-se na última vez em que Joe a ignorara, o uso da técnica de Flutuar ao Passado levou-a de volta à solidão que sentia durante a infância em seu ambiente familiar. O processamento revelou várias experiências nas quais ela era criticada e rejeitada ou negligenciada e ignorada pela sua família, o que tinha um paralelo com seus relacionamentos posteriores com homens. Alexandra não apenas fazia más escolhas românticas, mas ela também não tinha habilidade para identificar e expressar seus sentimentos e necessidades. Diante da combinação dos eventos de sua infância, entre eles a morte do avô, o sentimento de insignificância, a solidão e o desespero eram disparados quando Alexandra tentava terminar seus relacionamentos. Havia muito a ser processado. Dentro do período de um ano, entretanto, ela deixou Joe definitivamente. A partir daquele momento, ela era capaz de tolerar a solidão sem ficar desolada, sensação que a havia acompanhado durante toda a sua vida até aquele momento.

Quando começou a namorar novamente, Alexandra observou o surgimento de um novo padrão. Anteriormente, ela lembrava-se de "perder a identidade" ao tentar imaginar o que o outro gostaria que ela fosse e depois tornar-se aquela pessoa, na esperança de ser amada e aceita. No presente, Alexandra notou uma mudança no antigo padrão, pois era capaz de "sentir-se ela mesma". Agora, ela sentia-se mal ao "anular-se", pois estava ciente de seu próprio valor. Ela começou a escolher homens de maneira diferente, terminando o relacionamento sem arrependimento quando eles não lhe davam o que necessitava. O seu companheiro atual a apoia muito - inclusive no desafio que enfrenta na relação com seus pais e irmãos, uma vez que ela exige da parte deles o merecido respeito enquanto pessoa adulta, capaz e amorosa. Apesar de Alexandra ter precisado de ajuda para aprender novos modos de comunicar-se, ela não estava mais nadando contra a corrente. Suas memórias da infância não mais provocavam sentimentos de insignificância e a crença de que "ninguém se importa".

Técnicas Úteis de Comunicação

Algumas das técnicas que Alexandra aprendeu podem ser úteis caso você tenha a mesma dificuldade de entrar em contato com seus sentimentos ou for incapaz de comunicá-los. Por exemplo, antes de deixar Joe, Alexandra e seu terapeuta trabalharam com uma variedade de situações que produziam alguma ansiedade, com o intuito de auxiliá-la a expressar seus sentimentos diante dele. Primeiramente, ela precisava de ajuda para entrar em contato com suas emoções, assim ela concentrou-se nas situações em que ele a ignorava. Depois ela examinava: "Se eu tivesse que ter um sentimento (agora), qual seria?". Ou: "Qual seriam os pensamentos que eu teria?". Ou ainda: "O que então eu falaria ou faria, considerando o que penso sobre a situação?". Entre as situações exploradas por ela estava a vontade de conversar - em vez de ele ficar assistindo a um jogo na televisão. Ou também o desejo de comunicar-lhe sua insatisfação quando ele passava a noite na sala de estar dela, sem fazer qualquer tentativa de aproximação. Juntamente com o seu terapeuta, Alexandra elaborou uma lista de respostas, que iam das mais gentis como: "Assim é que estou me sentindo..." ou: "Eu gostaria que você fizesse algo..." até a mais insistente como: "Se você continuar a agir dessa maneira, eu preciso que você vá embora".

Portanto, se você não tem certeza do que sente, procure imaginar como um amigo de confiança ou alguém que admira se sentiria na mesma situação. Então, como você imaginaria essa pessoa comunicando o sentimento e o desejo? Se o seu problema é o oposto - ou seja, sentir demais - então tente observar sua resposta de uma perspectiva neutra, em vez de enxergar-se dentro dela. Essa resposta é útil? Ela me servirá? Também é importante perguntar a si mesmo: "Essa reação está vindo de um lado adulto ou de um lado criança dentro de mim? Algumas vezes, coisas que sentimos necessidade de expressar se originam de emoções não processadas. Esse é o problema que iremos explorar no próximo tópico.

Quem eu Posso Culpar?

Alexandra aprendeu a aceitar o tratamento inaceitável de outros, na tentativa de evitar sentimentos de rejeição, solidão e abandono, porque seus pais a rejeitavam e criticavam excessivamente. Em uma situação semelhante, George aprendeu algo totalmente diferente. Ele chegou à terapia extremamente deprimido, pois parecia ser incapaz de manter um relacionamento duradouro. A última de uma série de namoradas, havia terminado o relacionamento, por ele ser demasiadamente crítico. Se ela se atrasava um pouco ao aprontar-se para saírem juntos, ele voltava-se contra ela, acusando-a de falta de consideração. Se ela cozinhava, provavelmente ele reclamaria de alguma coisa, como, por exemplo, de que a comida não estava suficientemente quente. Basicamente, ao invés de elogiar ou mostrar

apreciação por algo que ela tivesse feito, ele reclamaria, com raiva, de algo que não o havia agradado. George queria intimidade e amor, mas sua reação automática era sempre achar algo de errado no que a outra pessoa estava fazendo. Mais uma vez, o problema podia ser rastreado de volta à maneira com que os seus pais reagiam - não apenas em relação ao filho, mas também entre eles.

Os pais de George tiveram uma vida extremamente difícil e chegaram aos Estados Unidos da América como refugiados de um regime opressivo. Em geral, eles ficavam ansiosos e estressados em decorrência de suas próprias memórias que eram disparadas, resultando em um estilo de apego "preocupado". Ao lidar com a própria dor, com frequência eles não eram capazes de atentar para as necessidades de seus filhos. Por uma questão de sobrevivência própria, é comum crianças com esse tipo de pais usarem a raiva, ataques birra e gritos para conseguir o que precisam. Como era de se esperar, George não era próximo de seus irmãos, uma vez que eles haviam crescido competindo pela atenção dos pais. Eles sempre discutiam e brigavam. Acrescente a isso o fato de que o pai era extremamente crítico em relação à mãe e tinha "pavio curto", - mostrando muita raiva quando estava em casa- e assim você tem o modelo perfeito para o comportamento atual de George. Assim como o pai havia agido com a esposa e com ele, nada era bom o suficiente e ele automaticamente deixava esse sentimento transparecer.

Apesar de todos nós termos desejos e maneiras preferidas de agir, é bom avaliar se estamos refletindo sobre o que fazemos ou tendo uma reação automática, como o movimento reflexo do joelho. Quanto do calor emocional acompanha as nossas reações? Estamos ao menos observando como nossas palavras afetam a outra pessoa? Nossa resposta está vindo de uma parte adulta dentro de nós ou não? Os tipos de reações críticas crônicas apresentadas por George podem em geral ser rastreados de volta ao passado em experiências específicas da infância, cujas memórias são disparadas no decorrer de relacionamentos. Ao olhar para trás, ele lembrou-se de muitos exemplos da raiva e recriminação de seu pai e da atitude muito crítica da mãe. Para ela, também, nada era bom o suficiente. Enquanto a mãe, segundo a descrição de George, era manipuladora e exigente, o pai era mais opressivo. Ele não hesitava em humilhar a esposa ou os filhos em razão de suas supostas falhas. George lembrava-se de seu pai gritando constantemente com ele por ter feito algo de errado - começando por não ter recolhido os brinquedos ou por fazer muito barulho aos quatro anos de idade. Com o tempo, George desenvolveu a sensação de estar errado e em perigo, verbalizada pelas seguintes crenças negativas: "eu não sou bom o suficiente", "eu não estou seguro" e "eu não posso confiar em outras pessoas". Logo, sempre que uma namorada não atendia às suas necessidades, os antigos sentimentos eram disparados e

produziam as reações de raiva e de crítica que ele testemunhara entre o pai e mãe. Não era exatamente o tipo de interação que a maioria das mulheres procura em um relacionamento saudável.

Usualmente, o motivo de as mulheres suportarem esse tipo de comportamento, por qualquer período de tempo, é o fato de terem tido uma infância semelhante à da Alexandra, quando se acostumaram a não ter suas próprias necessidades satisfeitas. Em última análise, o objetivo é que os dois membros do casal reajam um ao outro a partir de uma perspectiva adulta, e não de uma de uma perspectiva revestida pela dor da infância. Assim como Alexandra, George também se livrou de seu padrão destrutivo ao processar as memórias antigas. Uma mudança fundamental para ele foi quando livrou-se da raiva que sentia dos pais, ao reconhecer suas limitações - e como a própria história de vida deles havia feito com que se comportassem daquela maneira. Ao drenar o poço de raiva que havia carregado desde a infância, juntamente com sua própria sensação de ser imperfeito, ele conseguiu ser mais presente em seus relacionamentos como um adulto, e não como uma criança ferida.

Preenchendo O Vazio

Anisha, uma indiana de 21 anos, deseja agora, depois de uma terapia bem- sucedida, compartilhar sua história. Ela pode ajudar a esclarecer como é a sensação de sentir-se "cega de amor" - agarrando-se à pessoa errada para satisfazer necessidades que deveriam ser atendidas de outras maneiras. Anisha sempre foi uma criança bem comportada, ávida por agradar. Mas, com a idade de 17 anos, seu mundo pareceu desmoronar. Assim ela descreveu o ocorrido:

Meu tio perdeu a cabeça em uma briga sem importância e extravasou sua raiva batendo em mim sem piedade. Meu pai estava presente e não me socorreu. Eu fiquei arrasada. Eu me senti despedaçada e a segurança que eu tinha com minha família foi perdida. Eu fiquei triste. O meu relacionamento com meus pais, bem como com o resto da família, deteriorou-se.

A situação fez com que ela caísse nos braços de Gorakh, um rapaz que conhecera alguns anos antes. Não era uma parceria entre iguais. Ele tornou-se tudo para ela. Ela continuou:

Eu tentei deixar os sentimentos pela minha família no passado e seguir em frente. Eu tinha Gorakh. Tinha uma chance de ser feliz. Cheguei a acreditar que Gorakh era a única pessoa que eu poderia amar. Achava que ele era alguém em quem podia depositar todas as minhas esperanças e desejos. Eu o amava somente por ele ser quem era, ou pelo menos por ser a imagem que eu tinha construído em minha mente. Eu me entreguei mais do que podia ao nosso relacionamento. Mas, como percebi tarde demais, Gorakh claramente se aproveitou do fato de eu tê-lo colocado em um pedestal e adaptado

minha vida para adequar-me às necessidades dele. Eu corria de lá para cá para resolver os seus problemas, dava banho em seu cachorro, fazia tudo que ele me pedia. Qualquer coisa para agradá-lo. Infelizmente, parecia que tudo aquilo não era suficiente e quando deixei de ser novidade, ele abruptamente me descartou como um pedaço de fruta estragada. No entanto, o meu amor por ele não acabou. Nem a negligência e arrogância constantes mudaram alguma coisa. Eu sempre o via como o amor de minha vida. Quando lhe era conveniente, ele gostava de me ter por perto. Eu era a pessoa que o amava incondicionalmente. Então fiquei grávida e Gorakh me abandonou. Ele não queria ter mais nada a ver comigo. A partir daquele momento, eu era apenas um fardo do qual ele queria desesperadamente se livrar.

Tudo o que me lembro depois disso é da realidade da ultrassonografia confirmando a gravidez, o choque e a mágoa de minha mãe, a decepção e frieza de meu pai e a culpa angustiante de ser obrigada a interromper minha gravidez. Lembro-me de acordar de manhã com meus pulsos cortados quase até o osso, meus travesseiros cobertos de sangue e lágrimas, bem como a constante dor no peito e pulmões que não me deixava respirar - como se tivesse um vazio. Eu tinha perdido tudo. Nada mais fazia sentido.

Mais uma vez, a mensagem da história é que, independentemente da quantidade de dor envolvida - ou o quão desesperadora a situação pareça, as memórias não processadas estão comandando o espetáculo. Anisha agora se sente muito diferente, e assim ela se expressa:

Durante os oito meses de terapia, eu me transformei aos poucos em um ser humano mais neutro e racional. Agora eu me sinto como se fosse uma nova pessoa. Sou eternamente grata por isso.

Se você se sente preso em poço de sofrimento, seja por agarrar-se desesperadamente a alguém que não lhe dê valor, ou por sentir-se usado e abandonado, você pode escolher um novo caminho. Todos nós merecemos relacionamentos que nos tragam alegria e apoiem nossa autovalorizarão. Se você não estiver se sentindo dessa forma, então analise o que o mantém estagnado. À medida que aprende novas maneiras de lidar com o problema e as memórias não processadas são transformadas - você também pode se transformar.

A Dança da Destruição

Quando ouvimos histórias de abuso doméstico, muitos de nós ficamos intrigados pela maneira como esses tipos de experiência acontecem. "Como ele pôde agir dessa maneira?" "Como ela deixou isso acontecer?" Via de regra, a resposta é que isso é um exemplo mais extremo das memórias que podem ficar trancadas no cérebro e das maneiras pelas quais elas impulsionam nossos pensamentos, emoções e comportamentos. Há uma grande diversidade de interações destrutivas entre casais,

variando de conflitos verbais constantes até abuso físico. Alguns conflitos podem ser resolvidos pelo próprio casal. Mas, algumas vezes, o abuso torna-se um ciclo que todos os acordos do mundo não conseguem interromper. Nesses casos, o trabalho precisa ser feito individualmente com a assistência de um terapeuta. A terapia de casal não é uma primeira escolha, nem mesmo uma boa escolha, para a maioria dos casais com relação abusiva. É importante lembrar que a "violência verbal", que envolve ser intimidado, ameaçado, diminuído ou humilhado, pode também ter efeitos emocionais devastadores. Foi até mesmo descoberto que esse tipo de violência contribui substancialmente para a depressão pós-parto. A violência, verbal ou física, é uma questão pessoal. Cada um dos parceiros precisa primeiro de tratamento em separado. Depois disso, se ainda houver questões "conjugais", um terapeuta qualificado pode ser consultado. Uma lista de referências para tratamento está disponível no Apêndice B.

É fácil para algumas pessoas com esses modelos de relacionamento destrutivo dar a impressão de estar tudo bem quando estão namorando ou antes da intimidade - de fato, para início de conversa, é desse modo que elas iniciam o relacionamento. Com frequência, só depois que as elas estão em um relacionamento sério ou mesmo morando juntos é que os problemas se iniciam. Para outras pessoas, nos casos em que um parceiro tem histórico de ser controlador, a dominação usualmente começa ainda durante o namoro. Entretanto, como no caso de Anisha, para muitos casais o brilho de um novo amor parece encobrir o verdadeiro significado do comportamento controlador. Os problemas realmente se agravam à medida que a intimidade aumenta e as antigas memórias começam a ser disparadas com mais frequência. Na maioria dos casos, é a dor mal curada do passado que está disparando as reações no presente, dentro dessa nova situação "familiar".

O modo como as pessoas reagem à dor emocional varia de acordo com as suas histórias individuais de trauma e os ambientes nos quais cresceram. Isso inclui os tipos de interações que elas presenciaram em seu lar durante a infância. Por exemplo, os pensamentos de "eu não sou bom o suficiente/eu não tenho valor" podem resultar em raiva e ataques coléricos ou submissão e colapso, porque "ninguém se importa". Algumas vezes a situação evolui para níveis de constante abuso verbal ou físico. A pessoa que está sofrendo o abuso reage à ameaça e à dor da situação presente. Mesmo assim, as pessoas podem permanecer nesse tipo de relacionamento devido às suas próprias histórias de trauma.

Evidentemente há exceções. Algumas pessoas ficam presas em relações não saudáveis por causa de dificuldades financeiras, expectativas culturais ou formas extremas de controle. Mas nosso objetivo aqui é explorar as dinâmicas psicológicas que são comuns nesses tipos de

interação. Elas acontecem mais frequentemente do que você pensa e podem estar afetando-o ou as pessoas a sua volta. No próximo tópico, nós veremos casais em conflitos no nível do abuso verbal. Em geral, a questão principal é: até quando um dos parceiros aguentará antes de insistir em uma mudança?

O Mal Gerenciamento da Raiva

A terapia foi recomendada a Jack porque a terapeuta de sua esposa pedira que ele comparecesse a uma sessão de casal. A terapeuta fez algumas perguntas e percebeu uma conexão entre o seu comportamento atual e o seu passado. Ela encaminhou-o para a terapia de EMDR por estar preocupada com seu comportamento agressivo e controlador e com o seu histórico de trauma. Ele e Mary estavam juntos havia três anos. Apesar de nunca ter atacado a esposa diretamente, ele havia danificado a propriedade particular dela e suas discussões tinham ficado mais frequentes e acaloradas. Esses são sinais de alerta que abusos mais graves podem estar prestes a acontecer. Mary havia recentemente estabelecido um limite com ele - ele teria que se submeter a terapia individual e mudar suas atitudes ou deixar o apartamento deles. Através de sua própria terapia de EMDR, ela havia lidado com suas próprias questões da infância. Ela era, naquele ponto, capaz de terminar o relacionamento, era financeiramente independente e planejava fazer exatamente isso, caso ele não se modificasse.

Jack havia tentado terapia antes, mas ela não surtira efeito no seu caso. Isso não é surpreendente, pois os sentimentos da infância que impedem relacionamentos adultos saudáveis podem também existir dentro do consultório do terapeuta. Felizmente, Jack caiu nas mãos de um profissional muito competente e aberto ao tratamento dessas questões. Entretanto, ao longo das primeiras sessões, ele resistiu a olhar para dentro de si mesmo e voltou o foco para histórias que salientavam os muitos "defeitos" de Mary - nenhuma delas parecia válida - enquanto evitava as tentativas de seu terapeuta em obter a história por inteiro. Ele faltou a várias das primeiras consultas e chegou atrasado em outras. Nas sessões em que compareceu, ele descreveu um padrão atual de abuso de álcool e maconha, sintomas depressivos e uma tentativa de suicídio, aos 21 anos de idade, após o fim abrupto de um relacionamento. Basicamente, Jack era um ser humano angustiado, infligindo naquele momento estresse emocional à namorada.

Seu estado mental atual e o fato de seu comportamento estar tirando Mary de cena tornavam a situação mais preocupante. Então seu terapeuta encontrou-se com ambos para traçar um plano claro: evitar atingir o nível de violência física. Mary precisava de um plano para manter-se em segurança caso Jack ficasse violento. Ele, por sua vez,

precisava de um plano para modificar seu comportamento, visando o bem de Mary e o seu próprio. Suas ações estavam apenas aumentando a sua sensação de fracasso, o que alimentava o ciclo negativo. Foi pedido a Jack que observasse quando sentia sua raiva ser disparada - e então que deixasse "em suspenso" as questões e se "afastasse" em vez de descarregar sua raiva em Mary. Ele foi encorajado a trazer aquelas "questões" para a terapia a fim de desenvolver uma reação mais produtiva. Inicialmente ele resistiu, mas depois de alguma discussão, admitiu que o "seu modo" não estava funcionando.

Mary concordou em deixar Jack temporariamente, caso parecesse que reações negativas haviam sido "disparadas" e ele fosse incapaz de "afastar-se". Jack nunca tinha impedido que Mary fosse embora se quisesse e ele não demonstrou qualquer hesitação quanto à possibilidade de um deles ter que partir caso necessário. Tratava-se de um plano viável de curto prazo. O fato de Mary já ter decidido (e ambos os terapeutas haviam concordado) que ele teria que se mudar imediatamente se não seguisse o plano - e no caso de nenhuma mudança ocorrer no curto prazo - ajudou a aumentar a motivação de Jack. Apesar de não estar entusiasmado com a ideia de ter que fazer terapia, ele era sincero quanto a querer salvar seu relacionamento e aquiesceu em tentar trilhar um novo caminho.

Na sessão seguinte, Jack concordou, com entusiasmo, em fornecer ao seu terapeuta um relato detalhado dos pensamentos enraivecidos em relação à Mary, particularmente sua aflição quanto aos comportamentos e às escolhas que ela havia feito antes mesmo de eles se conhecerem. Durante esses conversas, era fácil perceber, por detrás da raiva, sua insegurança, medo de fracasso, vergonha, bem como uma profunda sensação de inadequação e de impotência. Jack lutou para compreender e abordar essas questões em conjunto com suas atitudes, que ele não acreditava serem totalmente erradas. Ele esbravejava sobre a Mary e alguns momentos depois expressava chorando seu medo de perder um dos melhores relacionamentos que já tivera. Ele concordou dar uma chance ao processamento com EMDR.

Na sessão seguinte, Jack começou reclamando sobre uma recente briga com Mary. Seu terapeuta notou que, enquanto relatava a discussão, ele pousou suas mãos no peito. A partir daquela sensação, eles então usaram a técnica de Flutuar ao Passado e localizaram o primeiro alvo: uma memória de uma briga violenta entre seus pais quando ele tinha 10 anos de idade, uma das muitas batalhas da guerra doméstica que nunca se resolvia. Foi a primeira vez que ele pode perceber e sentir a conexão entre o passado e o presente. Sua cognição negativa era "eu sou impotente". A sua escolha de uma cognição positiva foi: "eu tenho escolhas agora". A partir de então, muitas coisas começaram a fazer sentido.

Foram necessárias várias sessões para aquela memória ser reprocessada completamente. Contudo, a cada reavaliação, Jack e seu terapeuta podiam ver o esforço ser recompensado. Sua percepção aumentou dramaticamente, junto com sua compaixão por si mesmo e por Mary. Ao processar a briga que testemunhara quando criança, seu ímpeto de provocar discussões em seu lar atual diminuiu. Pela primeira vez, ele podia discutir abertamente como se sentira impotente ao assistir as duas pessoas que mais amava destruírem uma a outra. Além disso, podia também falar sobre como aquilo havia causado impacto na sua habilidade de enxergar relacionamentos como sendo apenas uma zona de guerra - lugares de dor e luta intermináveis, onde os problemas nunca podiam ser resolvidos. Finalmente, ele começou a digerir uma realidade dolorosa - seu comportamento atual, particularmente seu ciúme pelo passado de Mary, imitava fielmente o comportamento do seu pai violento.

Depois de completar o reprocessamento do alvo inicial, Jack trabalhou com outras memórias relacionadas com seu sentimento de impotência. Ele parou de abusar da bebida e das drogas, começou a frequentar a academia de ginástica e passou a manter um diálogo calmo e aberto com Mary, que por sua vez continuou a trabalhar com seu terapeuta de EMDR para focalizar suas próprias questões. Jack e seu terapeuta continuaram a monitorar suas reações para controlar seu desequilíbrio emocional, mas ele sentia que suas reações não estavam sendo disparadas como antes. Ele contou ao terapeuta que, apesar de ainda ficar zangado ou frustrado em certos momentos, alguma coisa havia realmente mudado dentro dele. Ele demonstrou colocando suas mãos sobre o peito, como havia feito na primeira vez que usara a técnica de Flutuar ao Passado, dizendo: "Eu não tenho mais aquele sentimento. Eu tinha aquele sentimento desde que me entendo por gente, mas ele simplesmente não existe mais".

Depois do processamento de memória com o EMDR ter terminado, Jack e Mary foram encaminhados para a terapia de casal, com o foco em desenvolver técnicas de relacionamento, uma vez que nenhum deles havia aprendido a lidar com desentendimentos quando crianças, mantendo ao mesmo tempo a conexão com o outro. Ambos admitiram que os pais simplesmente não possuíam essa habilidade. Eles, por outro lado, sentiam que poderiam aprendê-la e queriam ensiná-la aos filhos que planejavam ter no futuro. Longe de sentir-se sem poder ("eu sou impotente"), agora o comportamento de Jack indica que ele é um homem que acredita poder ser um agente positivo de mudança em sua vida e na vida da família que está iniciando.

Em sua sessão inicial, o terapeuta de Jack havia pedido para que ele escrevesse os motivos para fazer terapia. Ele havia escrito: "Eu quero superar o passado". Ao esclarecer o que queria dizer com aquilo, ele havia

dito que gostaria de superar o passado de Mary. Jack não achava que tinha um passado que precisava ser trabalhado. Pensava simplesmente que tinha que descobrir uma maneira de lidar com o passado *dela*. Felizmente, ele conseguiu esse objetivo, apesar de não exatamente da maneira como antecipara.

Técnicas Úteis de Relacionamento

Algumas das técnicas que Jack e Mary aprenderam com os respectivos terapeutas podem ser úteis para qualquer relacionamento. É importante pensar em interações como um processo contínuo. O relacionamento de Jack e Mary estava ficando cada vez mais perigoso à medida que a raiva e as brigas aumentavam, porém todos passamos por momentos em que nos sentimos provocados e com raiva. Algumas vezes chegamos ao ponto de descontar os próprios problemas em cima de nossos parceiros. Eu incluirei no final do capítulo um tópico com mais técnicas que podem ser úteis, mas a seguir mostraremos algumas que se referem mais diretamente a relacionamentos envolvendo raiva.

Elabore um plano – um acordo firme entre você e o seu parceiro sobre como gerenciar o aumento da raiva para proteger vocês dois de machucarem-se mutuamente, e também proteger qualquer criança de testemunhar as brigas. Discussões dos pais podem provocar efeitos devastadores em crianças e prejudicar seu sentido de segurança. O acordo pode prever um plano de "dar um tempo". Isso envolve comunicar ao parceiro que você precisa de "um tempo" e ambos decidirem quando voltar a discutir o problema de uma maneira menos emocional. Se você não vir resultados imediatos ao seguir o plano à risca, consulte um terapeuta ou procure um programa contra a violência doméstica em sua localidade, a fim de obter assistência profissional. Acordos somente funcionam se ambas as partes forem capazes de realmente se comprometer e seguir o plano. Para alguns casais, isso simplesmente não é possível sem a intervenção de um terapeuta qualificado em violência doméstica. Para outros, até mesmo uma ajuda externa não será suficiente. Saiba quando dizer basta.

Fique atento para as tendências - não se deixe envolver demais no contexto. Procure entender o padrão de suas brigas – talvez observe quando e onde elas tipicamente ocorrem, o tema da brigas e como elas terminam ou não. Durante um período neutro/sem raiva, discuta os temas e tente trabalhá-los juntamente com o seu parceiro, concordando em dar um tempo ou em procurar uma pessoa neutra que os ajude, no caso de vocês não conseguirem evoluir. Tente assumir a atitude de que são os dois olhando juntos para o problema - como um time.

Tome consciência dos elementos que o "disparam"- questões ou cenários que provocam emoções fortes ou reações improdutivas. Instrua

seu parceiro sobre eles e combine um modo de avisá-lo que suas reações foram disparadas, de forma que você possa suspender a interação até se sentir mais calmo. Tente conhecer também o que dispara as reações de seu parceiro. Isso o ajudará a aumentar sua percepção sobre as questões que originaram esses elementos disparadores para ambos - e, por consequência, aumentar também sua compaixão. Encene com o seu parceiro como gostaria que ele reagisse a você.

Eu Empurro, Você Puxa

Enquanto a maioria de nós temos uma grande variedade de feridas provenientes da infância, alguns passam por experiências que mais parecem ser pesadelos. O caso de Linda enquadra-se nessa categoria - e isso afetou tanto sua própria felicidade quanto também seus relacionamentos. Quando ela era apenas um bebê, sua mãe a havia entregue a uma parente para tentar uma carreira de dançarina. Dois anos mais tarde, ela retornou e exigiu a criança de volta e, como consequência, a menina foi literalmente arrancada, aos berros, dos braços dos únicos pais que jamais conhecera. Linda sofreu então abuso verbal e físico durante toda a infância por parte de sua mãe alcoólatra, que fez a filha se sentir uma péssima pessoa. Além do mais, a menina foi molestada pelo padrasto quando era bem jovem, e depois por uma prima quando tinha dez anos de idade. Quando ela contou à mãe o ocorrido, foi levada a pensar que era tudo sua culpa. Sua adolescência foi repleta de situações de *bullying* e humilhação em casa e na escola - e a passagem para a idade adulta trouxe-lhe pouco alívio. Depois de sete anos de casamento, ela descobriu que o marido, a pessoa que acreditara ser sua alma gêmea, estava tendo um caso com uma parente dela. Mais tarde, ela também tomou conhecimento de que um primo de 15 anos havia molestado seu filho de três anos e também sua jovem filha.

Aos 43 anos de idade, Linda chegou à terapia com baixa autoestima, depressão, ansiedade e graves problemas conjugais. O caos criado pelo seu ciúme patológico, suas alterações humor e seus ataques de raiva direcionados ao marido, Leonard, tornou a vida dele insuportável. Ele acabou por ameaçá-la com o divórcio, caso alguma coisa não mudasse. Ela já havia feito terapia anteriormente, por dois anos, e tinha adquirido uma maior percepção (*insight*) do seu passado - mas suas reações não haviam mudado. Leonard tinha responsabilizado-se por seu comportamento, estava completamente comprometido com o casamento e demonstrava isso de todas as maneiras possíveis. Linda sabia disso racionalmente, mas suas reações emocionais eram alimentadas por todos os traumas do passado.

Quando as pessoas sofrem abusos tão graves quanto os de Linda, todos os seus relacionamentos podem ser prejudicados. Muitos de nós

temos parentes, conhecidos, colegas de trabalho que simplesmente não compreendemos. Porque eles continuam agindo como crianças? Os relacionamentos fracassados de todos os tipos - casamentos, amizades, padrasto/madrasta, cunhados/cunhadas, sogro/sogra ou colegas de trabalho - são frequentemente produtos de um vulcão de emoções armazenadas nas redes de memórias não processadas. Algumas vezes agradáveis, outras insensíveis ou agressivas - as reações dessas pessoas são muitas vezes disparadas de formas difíceis de entender. Adicione-se a isso o fato de que elas nunca aprenderam técnicas para se acalmar quando eram crianças, bem como as dificuldades de sentir empatia por qualquer pessoa, já que nunca a receberam dos pais. Não é difícil perceber por que a vida se torna uma série de conflitos de personalidade sucessivos. Ansiedade, depressão, tentativas de suicídio fazem geralmente parte do quadro - uma vez que lá no fundo há redes de memórias não processadas que levam essas pessoas a se sentirem aterrorizadas e insignificantes.

Depois de processar todos os traumas, inclusive o da infidelidade, Linda e Leonard estão agora felizes no casamento e querem compartilhar sua experiência, na esperança de ajudar outras pessoas. Dessa forma, segue abaixo a mensagem deles com o intuito de oferecer um *insight* para casais na mesma situação que a deles, ou para aqueles que estejam desesperançados que estão tentando lidar com alguém que parece estar fora de controle. Segundo Linda:

Nós estávamos em um padrão disfuncional repetitivo. Eu era extremamente sensível a qualquer coisa que parecesse com abandono, incluindo ser ignorada pelo meu marido ou ser deixada falando sozinha enquanto ele ia embora. Eu achava que iria perder a cabeça se ele fosse embora. Era estranho – eu mesma não entendia o que acontecia! Nós realmente não sabíamos como nos comunicar. Nenhum de nós escutava o outro. Eu chorava muito, às vezes por causa de coisas que pareciam importantes, outras vezes pela simples vontade de chorar.

Havia uma sensação de que eu tinha que ter drama em minha vida, produto de minha infância vivendo com uma mãe alcoólatra. Eu sempre tinha expectativas que não eram realistas e frequentemente sabotava nossos bons momentos juntos – ou, se ficássemos muito tempo sem alguma discussão, eu achava uma maneira de começar uma. Eu precisava daquele estímulo – fosse ele bom ou ruim. Ficava com raiva rapidamente e tinha muito pouca paciência. Isso era como um botão que ele podia desligar. Eu me frustrava quando, ao tentar que ele me entendesse, ele se desligava no momento que eu ficava zangada. Eu não achava que ele me dava valor, e ele, por sua vez, sentia que eu não o respeitava. Eu não gostava de ficar sozinha e sempre o interrogava sobre seu paradeiro. Claro que aquilo deixava-o furioso e ele descarregava a raiva em mim.

Depois da terapia de EMDR, o que de fato me impressionou foi descobrir quem realmente sou. Eu gostava de estar sozinha. Eu esperava por aquele momento. Eu não tinha mais tanto medo ou insegurança. Adquiri uma nova

consciência de mim mesma. Eu era capaz de identificar o que queria e correr atrás daquilo. Passei também a confiar mais. As discussões diminuíram. Nós aprendemos como entrar em acordo sem sentir que estávamos desistindo de alguma coisa. Aprendi a amar de uma forma diferente. Percebi que tirava mais proveito do relacionamento do que anteriormente. Eu pedia o que queria, em vez de esperar que ele adivinhasse meus desejos.

Meu conselho para outros casais é que realmente avaliem o quanto o seu relacionamento é importante e o quanto vocês investiram nele. Não desistam dele precipitadamente. Se vocês realmente se amarem, façam um esforço para mantê-lo. É mais fácil ir embora, mas o que você terá aprendido? Como evitará cometer os mesmos erros novamente com outra pessoa? Há uma razão que explica porque muitas pessoas divorciadas têm múltiplos casamentos. Pode haver questões subjacentes do passado que estão se intrometendo na sua habilidade de amar, confiar e respeitar.

A ocorrência de brigas acaloradas não significa que o casamento está destinado ao fracasso. Segue-se o ponto de vista de Leonard, relatando como a ajuda adequada pode provocar uma reviravolta na situação:

Antes da terapia, eu ficava alternadamente lisonjeado e empolgado ou perplexo e zangado. Por um lado, Linda era uma mulher habilidosa, generosa e imaginativa. Mas, por outro lado, ela podia ser muito arbitrária, mudar muito de humor e deixar-me sem saber como proceder. Eu ficava perdido ao tentar justificar a diferença entre essas duas personalidades.

Ambos aprendemos que há formas mais eficazes para se resolver conflitos no casamento do que por meio da emoção. Você pode substituir brigas inúteis, baseadas na emoção, por resoluções ponderadas e voltadas para resultados, para enfrentar as diferenças que surgem ao longo da construção de um relacionamento duradouro, baseado no amor e na união. A grande diferença entre antes e depois da terapia de EMDR foi realmente a confiança. Após a técnica de EMDR, havia uma base sólida e permanente para o nosso relacionamento. Depois que estabelecemos essa nova dinâmica, seguiram-se muitos anos de construção de confiança, como nunca tínhamos tido antes. Nós usamos nossa nova base para trazer ao nosso casamento uma força real e resistente ao tempo.

Como você pode ver, Linda e Leonard comunicavam-se de maneiras bem diferentes. Linda sentia-se muitas vezes diminuída, pensando que Leonard não valorizava suas emoções. Leonard sentia-se do mesmo modo, acreditando que Linda não dava valor à sua lógica. Como acontece com muitos casais, o relacionamento ficou fortalecido quando eles conseguiram se comunicar sem que nenhum botão fosse acionado. Como afirmou Leonard: "Nós aprendemos que um casamento bem-sucedido necessita de paixão, emoção e também intelecto, mas tudo em seu devido tempo e espaço". Para qualquer casal, a vida fica mais fácil quando as memórias não processadas não estão em seu caminho.

O Que Está Sendo Disparado?

É importante lembrar que algumas vezes a situação atual pode estar disparando alguma coisa completamente inesperada e aparentemente sem correlação. Um exemplo disso é o caso de Ava, que também não conseguia manter um relacionamento romântico saudável. Ela fora criada pela mãe solteira viciada em drogas. Além disso, um dos namorados com quem a mãe tivera um relacionamento duradouro era sádico e abusou sexualmente de Ava no começo da adolescência dela. Ava havia feito escolhas de amigas razoavelmente boas, ao passo que todos os seus relacionamentos com homens haviam sido abusivos, na esfera sexual, física e emocional. Naquele momento, ela estava envolvida em uma relação de idas e vindas com Oscar. Apesar de não abusar dela física ou sexualmente, ele tinha um histórico de abuso verbal e frequentemente a abandonava praticamente sem avisar. Na vida de casal, eles brigavam com discussões explosivas - que frequentemente acabavam com Ava arrancando seus próprios fios de cabelo devido à frustração. Ao processar uma série de memórias passadas, incluindo aquelas relacionadas ao namorado molestador de sua mãe, ela acabou por sentir-se muito melhor consigo mesma, mas o padrão de relacionamento não foi alterado. Logo, depois de uma avaliação minuciosa da situação, foi pedido a Oscar que comparecesse a uma sessão conjunta de terapia.

Oscar descreveu Ava como sendo calma, apoiadora, independente e meiga, mas também ciumenta, zangada e controladora. Ava descreveu Oscar como sendo um "bom homem", com o qual ela se sentia comprometida, mas também ressaltou que temia a sua tendência de fugir do relacionamento quando as coisas ficavam difíceis. Ela discutiu a sensação de perder o controle quando se aborrecia com Oscar, o que disparava nele a reação de fugir do relacionamento devido ao medo de um aumento da violência - algo que ele havia testemunhado com frequência quando era criança. Ele também se afastava em razão da raiva e do ciúme paranoico de Ava em relação à sua amizade com outras mulheres.

O terapeuta pediu a permissão de Ava para utilizar a técnica de Flutuar ao Passado na presença de Oscar, começando pela sensação de estar "fora de controle" que ela vivenciara em uma briga recente. A técnica fez com que ela voltasse aos seus 9 anos de idade, na sala de estar, implorando, aos berros, para que a mãe ficasse em casa e não a deixasse sozinha durante a noite. Na memória, Ava deu murros nas paredes até que os seus pulsos sangrassem tentando chamar a atenção da mãe e evitar ser abandonada, porque a mãe estava preocupada com o próprio relacionamento. O problema era o fato de Ava realmente se sentir insignificante ("eu não sou importante") e de ter medo de ser deixada sozinha. Oscar e Ava deixaram aquela sessão compreendendo melhor a

dor que as suas brigas disparavam. Ava havia também desenterrado o próximo alvo de EMDR. O processamento daquela memória da infância transformou a dinâmica da interação do casal. Ela tornou-se capaz de comunicar as suas necessidades e desejos sem medo ou drama.

Outra Dica de Relacionamento

Não se sinta envergonhado em pedir ajuda. Os Programas de TV normalmente mostram as alegrias e dores de encontrar o amor, mas nunca ficam por lá para explicar ou destacar todas as partes difíceis para fazer com que ele funcione. Se você não aprendeu como estar em um relacionamento enquanto estava crescendo, talvez você precise de ler um livro, frequentar aulas ou procurar a assistência de um terapeuta. Essa habilidade não é uma característica inata. Nós deveríamos aprendê-la com os nossos pais, mas eles não podem nos ensinar o que eles mesmos não aprenderam. No entanto, pelo bem de nossos filhos e de outros que amamos, devemos aprender essa habilidade. O ponto essencial é que, para um relacionamento adulto saudável, é necessário a presença de dois adultos emocionalmente saudáveis.

Ter ou Não Ter

Frequentemente ouvimos pessoas dizerem que, apesar de procurarem, parece que não conseguem encontrar alguém interessado em um relacionamento estável. Outros dizem que, apesar de o casamento parecer bom para alguns, eles simplesmente "não acreditam nele". Quando questionados, eles poderiam falar sobre como os seus pais foram infelizes juntos e que não gostariam de se trancar nesse tipo de prisão. Outros, que passaram pela dor do divórcio dos pais, não querem se arriscar. Infelizmente, eles acreditam que a história tende a se repetir. Isso pode ser provável, se a história não receber a devida atenção, mas não é necessariamente verdadeiro. Podemos aprender com os erros de nossos pais - e também desfazer o mal que foi feito quando crescíamos cercados de sofrimento. Mesmo se já tivermos tido relacionamentos fracassados, podemos aprender com nossos próprios erros e fazer escolhas melhores.

Liberdade para Escolher

Como vimos, há razões para problemas de relacionamento atuais. Podem existir medos da infância precoce que estejam presos em nossas redes de memórias, dos quais podemos estar cientes ou não. Podemos também ser apanhados em padrões destrutivos que nos fazem escolher os parceiros errados. Muitos desses padrões são causados por relacionamentos com nossos pais, baseados em soluções não adaptativas *deles,* que nós simplesmente não fomos capazes de evitar. Por exemplo, podemos ser guiados pela bagagem emocional transmitida para nós pelos

nossos pais, porque caímos no padrão de comportamento chamado por muitos terapeutas de "triângulo"- uma forma de nos relacionarmos com os pais que os ajuda a lidar com os seus próprios problemas. Algumas vezes, quando há tensão no casamento, os pais focalizam um "filho especial" visando a aliviar a pressão. Independentemente de o filho ser especial graças ao seu bom desempenho ou a alguma carência, ele pode tornar-se o centro das atenções. Outras vezes, quando há conflito conjugal, um dos pais escolhe uma das crianças para ser o seu "filho especial". Esse foi o caso de Sônia.

Sônia vinha de uma família italiana da classe operária. Ela inicialmente procurou a terapia devido à depressão, desesperança e falta de sentido na vida. Ela nunca havia se casado, diferentemente de suas duas irmãs, que tinham ambas marido e filhos. Aos 34 anos de idade, ela via-se como a ovelha negra em uma família que atribuía muito valor à criação de filhos. Ela era solitária e socialmente isolada, e parecia que nunca achava homens que pudessem valorizá-la e apoiá-la.

Seu fracasso em encontrar o amor vinha de um "triângulo" da infância, quando ela fora usada pelo pai como "favorita" para satisfazer a própria carência paterna de proximidade emocional. Conforme a história da família, o pai tivera uma infância marcada por abuso. Isso era usado para explicar o seu extremo mal humor. Era também a "desculpa" para tapas, xingamentos ou ataques de raiva direcionados a Sônia e seus outros filhos quando eles se "comportavam mal". No entanto, como "filha especial", Sônia era a única na família que o confrontava ou confortava. Como consequência, sua mãe ficava ressentida e demonstrava frieza em relação à filha. Em vez de procurar a esposa para obter apoio emocional adequado, o pai de Sônia frequentemente a usava para fazer confidências a respeito de como sua mãe podia ser uma pessoa difícil. Sônia aprendeu, então, a buscar atenção especial junto ao pai e a compartilhar sua visão negativa sobre a mãe "impossível". Isso não era difícil de ser feito, considerando a atitude negativa - e o ciúme - da mãe em relação à filha.

O triângulo entre Sônia e seus pais fez com que buscasse homens que não estavam realmente disponíveis para proximidade emocional e intimidade. Fez também com que ela caísse facilmente na história do homem não disponível, que alegava que sua esposa ou namorada tinham defeitos, mas era obrigado a permanecer no relacionamento. Além do mais, o triângulo preparou-a para aceitar explosões emocionais em um parceiro isento de responsabilidade, devido ao seu "passado difícil". Desde o início, Sônia passou a aceitar "ficar" com garotos que se divertiam com ela, mas nunca realmente a valorizavam ou lhe ofereciam o status legítimo de namorada. Sua história de relacionamentos era cheia de triângulos dolorosos e de homens que abusaram dela emocionalmente, afirmando "precisar" dela, mas que nunca foram realmente capazes de

estar presentes para ela de forma sustentável. O processamento das memórias dolorosas com as crenças codificadas: "eu sou má", "eu não sou digna de ser amada" e "eu não mereço ser amada" liberou Sônia em vários níveis. Agora ela reconhece os sinais de perigo e escolhe homens que também são livres para escolhê-la. Ela não se interessa mais em ser "a outra".

Abraçando bem Apertado

A maioria de nós deseja estabelecer uma intimidade verdadeira com a pessoa amada. Queremos ser capazes de compartilhar sem nenhuma sensação de perigo, ser abraçados e confortados quando precisamos, rir, brincar e ser transportados pela paixão, sem medo de julgamento. Infelizmente, para muitas pessoas existe pouca intimidade verdadeira, enquanto que para outras ela desaparece com o tempo. Na maioria dos casos, isso é porque alguma coisa destruiu a capacidade de confiar no outro. A falta de segurança emocional impede-nos de compartilhar nossa dor, pois temos receio de como nosso parceiro reagirá.

Como já vimos, alguns de nós temos medos antigos que nos impedem de nos sentirmos próximos de quem amamos. Por exemplo, Emily era casada com um homem que amava verdadeiramente. Contudo, por algum motivo incompreensível, ela temia que, caso baixasse a guarda, se abrisse e fosse realmente presente junto ao seu marido, ele "desapareceria". Tinha consciência de sentir vergonha, tristeza e medo. As crenças que vinham na esteira desses sentimentos eram: "eu não tenho valor" "eu sou insignificante" e "eu não posso confiar em ninguém". Constatou-se que os pensamentos baseavam-se em dois acontecimentos de sua infância: primeiramente, quando Emily tinha 6 anos de idade, a sua mãe esqueceu-se de buscá-la na escola; o segundo aconteceu aos 8 anos de idade, quando ela e a família estavam em um parque de diversões. Nesse caso, ela teve um ataque de manha e a sua família entrou no carro deixando-a para trás. Claro que, obviamente, em ambas as ocasiões, a família de Emily acabou por buscá-la. Mas o dano já havia sido causado, porque a dor e o medo pelos quais ela passara já estavam trancados em sua rede de memórias, constituindo a base para os seus relacionamentos futuros.

A história de Emily não consiste em um caso isolado. Quando examinamos onde nos sentimos insatisfeitos ou bloqueados em nossos relacionamentos, precisamos perguntar-nos: O que está nos impedindo de trabalhar junto com o nosso parceiro para resolver nossos problemas? Já tentamos nos comunicar sem sucesso? Ou será que nos abstivemos de expressar nossos sentimentos? Com frequência, a inabilidade de expressar os nossos desejos pode ter como base os medos de externar raiva, ser rejeitado ou ouvir uma resposta grosseira. Para outros, ela envolve o medo de dizer "não". Isso é justificado? Será que você já tentou e ficou

emocionalmente arrasado em seu relacionamento atual? Se a resposta for negativa, seria recomendável usar a técnica de Flutuar ao Passado, com o objetivo de conseguir achar uma Memória-Chave para explicar sua reação. Recorra à técnica do Espiral, do Fluxo de Luz ou outras para modificar essa memória.

Se você achar que está sendo mobilizado por questões antigas, tente usar o exercício do Lugar Seguro para lhe dar coragem de expressar-se. Diga ao seu parceiro que você tem dificuldade em se expressar e o porquê. Explique que você gostaria de trabalhar o problema como uma equipe. Considere procurar assistência profissional para obter ajuda. Infelizmente, muitas pessoas acham que o parceiro deveria "simplesmente perceber" como elas estão se sentindo e o que fazer a respeito. Seria bom se fôssemos todos leitores de mentes - mas não é assim que as coisas funcionam. Quando temos necessidades implícitas que não estão sendo atendidas, os sentimentos de se sentir insignificante ou de não ser "bom o suficiente" normalmente fazem parte de nossa própria rede de memórias não processadas de experiências anteriores. Agora temos a responsabilidade de tomar alguma atitude. Lembre-se de que a ideia é "ter e manter" - e não reter.

Aonde você foi?

Como vimos, algumas pessoas escolhem relacionamentos nos quais, desde o início, nenhuma proximidade é possível. Para outras, algo acontece ao longo do caminho. Nós nos fechamos - deixando nosso parceiro muitas vezes confuso, com raiva ou dor. O que aconteceu? Por que a relação está diferente? Onde está a pessoa com quem eu me casei? Nesses casos, a dúvida quase sempre se infiltra no relacionamento. Algumas vezes, os problemas são causados por incapacidade física, quando um dos cônjuges começa a sentir-se como um fardo, ou por dificuldades financeiras, quando aquele que exercia o papel de provedor se sente fracassado. O equilíbrio do poder é alterado em situações de aposentadoria ou de ninho vazio. Algumas vezes um acidente ou algum outro trauma trazem à tona sentimentos de vergonha ou culpa. Esses são momentos para um casal unir-se. Todavia, há ocasiões em que a situação é tão perturbadora que alguma coisa impede essa união. Esse foi o caso de Bartolomeu e Cindy. O que havia começado como um romance verdadeiro quase terminou devido a muros que nenhum dos dois sabia como derrubar. Eles concordaram em dar uma entrevista pós-tratamento, pois queriam ajudar outras pessoas na mesma situação.

Bartolomeu e Cindy estavam casados havia mais de quinze anos quando procuraram a terapia. Durante o namoro e o início do casamento, eles haviam se divertido, dado gargalhadas e formado uma profunda ligação emocional e sexual. Mas nos últimos dez anos, desde que

Bartolomeu retornara da Operação Tempestade do Deserto[3], o relacionamento o tornara-se um deserto emocional. Conforme o depoimento de Cindy:

Nós ficamos cada vez mais distantes um do outro. Quero dizer, eu tentei realmente fingir que tudo ia bem, porque não conseguia achar algo específico de errado. Por que estávamos infelizes? Por que não estávamos próximos um do outro? Qual era o problema? Eu simplesmente não conseguia descobrir. Não tinha a mínima ideia. Então nosso relacionamento íntimo começou a dar-me a impressão de que Bartolomeu estava usando o estado de êxtase que conseguia atingir com o sexo como uma droga para escapar do que estava lhe causando sofrimento e fazer com que ele sentisse ter algum valor como ser humano. Mas não se tratava de amor mútuo. Quer dizer, foi assim que eu comecei a me sentir, mas eu continuei com aquilo, tentando acreditar que nós ainda tínhamos um casamento nesse relacionamento sexual. Mas eu sentia-me abandonada e estava com raiva dele por causa disso.

Bartolomeu havia servido na guerra como médico e nunca esperava ter que pegar em uma arma. Mas, durante uma emboscada, ele foi obrigado a matar um homem, o que o deixou com sentimentos de culpa e de vergonha. Ele ficou tão arrasado por causa da culpa que nem conseguiu contar o incidente para Cindy - já que temia ser abandonado por ela. Foi Cindy que insistiu no tratamento, porque Bartolomeu não parecia ser mais a pessoa com a qual ela havia se casado. Ele não estava mais disponível emocionalmente para ela - e isso quebrou a confiança existente entre eles. Por exemplo, ele estava tão preocupado com o próprio sofrimento e suas reações eram de tal maneira disparadas por qualquer coisa relacionada a morte que, quando Cindy se desesperou e caiu aos prantos depois do falecimento do pai, Bartolomeu mandou-a parar, dizendo: "Um dia de choro já é o bastante".

Porém Bartolomeu também receava perdê-la. Portanto, sentindo-se uma pessoa má, ele tornou-se submisso e fazia tudo ao seu alcance para obter a aprovação dela, inclusive trabalhar em excesso. Sempre que ela reclamava, ele não conseguia mais se impor já que, como falou: "Eu era uma pessoa horrível por causa do que tinha feito. E estava tudo no meu subconsciente, digo, havia só uma sensação de que eu não merecia ser feliz, não merecia recompensas da vida. Eu merecia pagar pelo que fiz.". Contudo, nós somos seres complexos. Como Bartolomeu também ficava ressentido com a crítica constante de Cindy, ele irritava-se em outras ocasiões. O padrão de distanciamento emocional e de discórdia estava afastando-os cada vez mais. Como ela disse: "O vazio foi ficando cada vez maior e maior...".

---

[3] NT: Guerra do Golfo dos Estados Unidos contra o Iraque, em 1991.

Felizmente, por meio da terapia de casal e de EMDR, as coisas voltaram ao normal - com ambos, Bartolomeu e Cindy, sentindo-se iguais novamente. O conselho deles para veteranos de guerra é válido para todos os casais, cujos membros encontram-se isolados e cada vez mais afastados um do outro. Independentemente do que o faça se sentir envergonhado ou culpado, não deixe que isso o separe das pessoas que ama. Sua perspectiva sobre o problema no momento pode simplesmente ser resultado das emoções não processadas, que o mantém trancado. Por exemplo, de acordo com Bartolomeu:

Antes eu costumava dizer para mim mesmo: Você é uma pessoa horrível. Você deveria sentir-se envergonhado pelo que fez e precisa redimir-se pelo que fez. Agora digo: "Eu fui colocado em uma situação horrível, muito infeliz, mas fiz o que me mandaram fazer, o que é, em primeiro lugar, o que eu tinha concordado fazer. Você sabe, é uma escolha entre vida ou morte, e a gente aceita as consequências dessa escolha. Ainda é uma tragédia horrível ele ter morrido e eu ainda sinto-me mal a respeito disso, mas não creio que seja uma pessoa má por causa do que fiz... Procure uma boa ajuda logo, quanto mais cedo melhor - para não acumular tanta "bagagem" empilhada por cima de tudo. Eu e Cindy levamos dez anos para chegarmos a esse ponto. Há agora muitas feridas que ainda precisam ser curadas.

Para Cindy, as coisas também estão diferentes. Como ela afirma, aparências podem ser enganosas. Mas quando você está isolada de seu parceiro, seu ponto de apoio, seu amor - a dor é bem real:

Bartolomeu era perfeitamente funcional: ganhava dinheiro, era um bom pai, pagava as contas, fazia tudo o que devia fazer. Ele não batia em ninguém, não ficava bêbado, não ia para a prisão, não fazia nada de mal. Então como é que alguém pode saber que sua autoestima está mortalmente ferida? E o ex-combatente que tinha passado pela experiência de guerra não é a única pessoa que necessitaria de terapia de EMDR. Eu tinha algumas questões emocionais muito fortes que tive que superar também, como resultado do que aconteceu entre a gente ao longo dos anos, devido à experiência vivida por Bartolomeu. Logo, eu recomendaria que os dois membros do casal se envolvessem nesse tipo de terapia.

Os resultados compensam o esforço. Como ela descreveu, depois de dez anos sofrendo calada, sentindo-se isolada e usada durante o sexo, eles estão verdadeiramente íntimos outra vez:

Agora eu sinto que existe amor verdadeiro um pelo outro. Se você vê isso pelo lado emocional, é como preto e branco. Quero dizer, agora é totalmente diferente do que era no passado, porque eu me sinto amada e apreciada. E então isso é maravilhoso.

O fundamental é que, caso alguma coisa que altere o seu relacionamento aconteça, esteja disposto a falar a respeito disso. Se você

achar que está bloqueado, tente usar as técnicas de autocontrole para mudar a maneira como se sente. Caso não funcione, considere a possibilidade de procurar assistência profissional. A espera de que as coisas desapareçam por si mesmas não deve se arrastar por meses e anos. Como Bartolomeu afirmou, isso só aumenta a "bagagem".

Você é Mal, e Eu Fico Bravo

Para todos nós, há ocasiões nas quais ficamos enrascados em uma situação no trabalho, no círculo de amizades ou no seio familiar. Acreditamos firmemente que alguém está apresentando mal comportamento. Podemos estar completamente certos, mas será que realmente estamos lidando com a situação de maneira adequada? Se estivermos reagindo de forma exagerada porque a situação está se ligando a algumas de nossas próprias memórias não processadas, isso simplesmente não é saudável para nós. O estresse pode nos deixar exaustos. Por exemplo, Elena vinha de uma família numerosa que se encontrava regularmente, mas seu primo Patrick com frequência não cumpria os compromissos. Quando eles marcavam um encontro, ele em geral chegava uma hora atrasado. Se ele havia combinado de telefonar ou fazer algo, isso raramente acontecia sem que fosse preciso lembrá-lo insistentemente. O comportamento do primo sempre disparava reações em Elena. Ela havia repetido várias vezes a Patrick que acreditava ser importante a pessoa manter a palavra. Se ele se comprometesse a fazer algo, deveria fazê-lo. Se ele não pudesse cumprir o prometido a tempo, ele deveria fazer a gentileza de informá-la. Parecia muito simples, mas não adiantava nada. Patrick prometia e depois fazia tudo igual.

Como se diz, você pode escolher seus amigos, mas não sua família. Elena raramente se deparava com esse tipo de comportamento em outras pessoas, porque nós escolhemos fazer amizade com aqueles que nos trazem um certo grau de conforto. Se algum conhecido tivesse agido como Patrick, Elena provavelmente não teria se preocupado em continuar com o relacionamento. Mas ela estava ligada ao seu primo, e havia ocasiões nas quais precisava interagir com ele devido a compromissos familiares. Portanto, o importante naquele momento era examinar o grau de perturbação que ela sentia.

A maioria de nós diria que o comportamento de Patrick era inaceitável em um adulto. Mas será que isso justificava a intensidade da reação emocional de Elena? Em outras palavras, até que ponto aquilo a incomodava e haveria algo que ela pudesse fazer a respeito? Todos já nos encontramos em situações nas quais pessoas em quem confiamos concordam que estamos submetidos a um comportamento inadequado,

mas elas dizem que "não deveríamos levar para o lado pessoal". Se entendermos que reagir de forma exagerada e "levar para o lado pessoal" geralmente significa que a situação está se ligando a memórias não processadas, podemos investigar de onde vem nosso alto grau de emoções.

Elena concentrou-se na última vez que Patrick prometera fazer algo e não cumprira com a palavra. Os pensamentos que vieram a sua mente estavam impregnados de raiva e ressentimento. Segundo ela: "Eu sempre mantenho a minha palavra com ele. Pense em todas as coisas que já fiz por ele!". Então ela perguntou-se: "Como isso me faz sentir?" A resposta era: "Eu não sou importante o suficiente para que ele se esforce". A tradução para aquele pensamento era claramente "eu não sou importante". Depois, concentrando-se na imagem da última vez que Patrick tinha quebrado a sua promessa, juntamente com o pensamento de que "eu não sou importante", Elena usou a técnica de Flutuar ao Passado e deixou sua mente vagar de volta à memória mais antiga que tinha de quando se sentira daquela forma. O que surgiu foi a imagem dela mesma quando adolescente. Ela e suas amigas haviam combinado encontrar-se em uma estação de trem para passar o dia na cidade. Elena esperou até depois da hora marcada. Acreditou ver as amigas dentro do trem que passara, mas ninguém parou em sua estação. Ela arrastou-se de volta para casa, desapontada e magoada. Um pouco mais tarde, elas telefonaram para explicar que se atrasaram porque estavam arrumando o cabelo e fazendo a maquiagem de alguém. Já que não contavam que a amiga iria esperar por elas, tinham ido para a cidade sem ela. Naquele momento, estavam telefonando para saber se Elena gostaria de encontrá-las. Ela foi juntar-se às amigas, entretanto ficou com a sensação de não ter sido importante o suficiente para ser levada em consideração. Esse era o sentimento que estava sendo disparado pelo comportamento de Patrick.

Essa constatação foi suficiente para permitir que ela enxergasse mais claramente que seu primo se comportava da mesma forma com todo mundo da família. Ele estava sempre atrasado e esquecia os compromissos com frequência. Apesar de não comprovar o comportamento do primo, Elena foi capaz de usar as técnicas de Mudança de Respiração e Espiral para lidar com os sentimentos quando eles aparecessem, uma vez que ela não mais se deixava tomar pela justificada indignação. Não havia nada que ela pudesse fazer para mudar o primo. A única atitude a ser tomada era tentar minimizar as vezes que ela precisava dele para fazer algo.

Não podemos escolher nossa família. Frequentemente não podemos mudá-la. Porém podemos reconhecer quando existe a possibilidade de nossas reações serem disparadas e lidar com emoções e reações corporais negativas em vez de sermos dominados por elas com pensamentos como: Como ele ousa! ou Como ela pôde.!. As vezes pode ajudar se encaramos a situação como

uma oportunidade para a nossa própria exploração e crescimento pessoal. Elena reconheceu que a memória antiga de ter sido deixada na estação havia também influenciado sua escolha de amigos e colegas. Ela havia cortado algumas pessoas de sua vida que haviam deixado de cumprir com sua palavra até mesmo uma só vez. Talvez fosse a hora de dar a outras pessoas um pouco mais de espaço. Ela também decidiu chamar seu antigo terapeuta para processar aquela memória - e quaisquer outras que pudessem estar relacionadas a ela. Isso serve de lembrete para todos nós quando ficamos bastante magoados. Seja com a família, amigos ou colegas de trabalho, é importante perguntar: Essa reação está vindo de uma parte adulta ou criança de dentro de mim?

É claro que é importante reduzir o estresse em sua vida. Por exemplo, ficar sempre bravo ou chateado por causa do comportamento de alguém, especialmente quando as ações dessa pessoa não o prejudicaram realmente, pode estar sendo provocado por suas próprias questões envolvendo poder e controle. Você pode ficar inicialmente aborrecido pela pessoa não agir do jeito que você gostaria que ela agisse, e por você não ter poder de mudá-la. Apesar de ser às vezes difícil, é importante lembrar que o poder de escolher como os outros agem é deles. E suas escolhas são sobre você. Experimente usar seu Lugar Seguro-Tranquilo e depois calmamente pense na pessoa que o está aborrecendo e nas palavras: Eu o perdoo por ser quem você é. Faça isso algumas vezes. Você pode achar que depois disso, sempre que pensar nela, não ficará tão aborrecido. Pode ser que você não goste das atitudes dela, mas o ressentimento permanente prejudica mais você do que a elas.

Algumas Recomendações Finais Sobre Relacionamentos

Procure a causa. Algumas vezes nosso desgosto com as atitudes de um membro da família compõe-se de sentimentos de confusão e ultraje. Nós simplesmente não entendemos como a pessoa pode dar a impressão de ser boa com todo o mundo, mas ser agressiva ou insensível conosco. Tente lembrar-se de que é possível que isso aconteça porque cada um de nós possui diferentes redes de memórias relativas ao trabalho, aos amigos e à família. Memórias não processadas distintas podem ser disparadas, dependendo do tipo de relacionamento e da situação. Se você e seu parceiro estão passando por problemas, prepare-se com o auxílio do Lugar Seguro/Tranquilo e depois tente identificar as situações e os elementos disparadores juntamente com seu parceiro. Comprometa-se a trabalhar com esses fatores em parceria, uma vez que vocês dois são necessários para que o relacionamento funcione. Considere a possibilidade de usar a técnica de Flutuar ao Passado, no sentido de identificar quaisquer memórias que estejam comandando o seu espetáculo.

Pratique a generosidade. Ser generoso com o parceiro significa prestar atenção, dedicar tempo e oferecer ajuda, uma palavra gentil ou perdão por uma falha menor. Isso envolve buscarmos no fundo de nós mesmos o que temos de melhor a oferecer para as pessoas que amamos. Porém, para tanto, também precisamos cuidar de nós mesmos. Assegure-se de usar diariamente as técnicas de autoajuda já aprendidas, a fim de cuidar-se e aliviar o estresse.

Tente permanecer aberto. Algumas vezes, quando há um padrão de conflito, a pessoa pode começar a "fechar-se" e "isolar-se" do parceiro. É quase como se fechar em uma caixa de aço para evitar maiores danos. É natural querer proteger-se quando você está machucado. Contudo, o problema dessas caixas é que, se por uma lado elas o mantêm "seguro", por outro elas o isolam e constroem um muro que impede qualquer mudança. Algumas vezes isso é uma maneira de punir um parceiro, mas trata-se também de uma autopunição, já que você pode se sentir paralisado, retraído e deprimido. Observe como você se sente, a fim de tentar evitar que você se feche. Lembre-se de que você tem escolhas. Por exemplo, ao usar as técnicas que aprendeu, você geralmente pode passar do estado "fechado" para o "aberto" - relaxado, pacífico e interessado.

Comunique-se. Quando for a hora de conversar com o parceiro sobre os seus padrões e sobre como mudar, assegure-se de estar em estado aberto. Use declarações como: "Eu te amo, mas quando X acontece, eu me sinto Y"; e não: "Você me faz sentir...". Somos todos responsáveis por nossas próprias reações. Compartilhe as informações, assim como você gostaria que elas fossem compartilhadas com você. São apenas informações importantes para serem pensadas e sentidas juntos. Não se trata portanto de culpar ninguém. Se isso não funcionar, lembre-se de procurar assistência profissional e ofereça opções úteis. Às vezes é importante ter uma terceira pessoa especialmente treinada e neutra e que veja a situação com novos olhos.

Exploração Pessoal

Anote as três memórias de relacionamentos pessoais ou românticos mais perturbadoras vividas desde a adolescência. Em qual categoria de crença elas se encaixam? Elas são as mesmas ou diferentes das crenças que você já havia identificado? Use a técnica de Flutuar ao Passado para identificar as memórias da infância que possam estar alimentando as suas dificuldades. Inclua essas recordações na sua lista de Memórias-Chave.

Analise se é possível lidar com qualquer um dos problemas que você esteja enfrentando em relacionamentos por meio das técnicas de comunicação e autocontrole. Caso contrário, lembre-se de que, se a dificuldade atual é apenas um exemplo recente de uma entre várias outras já enfrentadas em sua vida, talvez seja uma boa opção procurar assistência profissional para processar as memórias que estão provocando as suas reações. Lembre-se de que você tem escolhas.

Capítulo 9: Uma Parte do Todo

Eu mencionei, no primeiro capítulo, que um dos objetivos deste livro era compreender melhor a nós mesmos e àqueles à nossa volta. Também afirmei que não se tratava de atribuir culpa a alguém. Mas, francamente, às vezes é muito difícil deixar de fazer exatamente isso. Às vezes, nosso senso de justiça grita: "ISSO SIMPLESMENTE ESTÁ ERRADO!". Nós culpamos pessoas que parecem nunca entender - principalmente quando magoam outras repetidamente. Certas pessoas sabem que suas ações estão "erradas" conforme os padrões da sociedade - mas, no entanto, continuam a agir da mesma maneira, sem compaixão ou empatia. Outras sabem estarem erradas, incomodam-se envergonham-se de seu comportamento, mas alegam que não conseguem evitá-lo. Outras ainda pensam serem as suas ações são justificadas.

Nenhum dia passa sem que os jornais estejam repletos de tragédias que poderiam ter sido evitadas. Nós lemos sobre vidas destruídas por pessoas sem, aparentemente, nenhum senso de responsabilidade por suas ações. Elas simplesmente parecem passar pela vida destruindo coisas - e pessoas - à sua volta. No entanto, a verdade é que, mesmo em se tratando de casos assim, o julgamento deve ser dosado com compreensão. Pois sem entendemos o motivo da ação, não conseguiremos ajudar a promover nenhuma mudança. Sim, tais pessoas deviam controlar-se. Sim, geralmente elas causam um mal terrível. E sim, na maioria dos casos, elas podem aprender a fazer algo para resolver o problema. Então, nós as culpamos ainda mais: Se podem aprender a parar, então elas deveriam fazê-lo - mas não o fazem!

Precisamos lembrar-nos de que a causa pela qual elas não aprendem a controlar seu comportamento destrutivo constitui parte do problema que as mantêm imobilizadas. Infelizmente, como sociedade, frequentemente desistimos dessas pessoas - e elas também desistiram delas mesmas. Nós podemos considerá-las permanentemente prejudicadas ou sem vontade de mudar. Mas nenhum desses pontos de vista chega à raiz do problema ou a possíveis soluções. Os motivos para suas ações são os mesmos de todo mundo: reações automáticas reflexas causadas por processos inconscientes. Isso não justifica suas ações. Entretanto, aqueles que causam sofrimento também fazem parte do tecido social. Talvez nós não gostemos de seus padrões destrutivos. Mas, se não aprendermos a entender e a tratar de transgressores com sucesso, continuaremos a ter vítimas. Por isso iremos, neste capítulo, analisar casos de molestadores de criança, autores de atos de violência doméstica, estupradores e viciados em drogas. É possível que alguns deles já tenham afetado vocês diretamente

ou por meio de uma pessoa amada. Em última instância, enquanto membros de uma sociedade, suas ações afetam todos nós - se não for por outra razão, podemos ser um dos indivíduos que eles acabam ferindo.

Como Tudo Começa?

Há vários motivos para as pessoas crescerem e transformarem-se em indivíduos conhecidos como "antissociais". Alguns dizem conseguir ver sinais desse comportamento "sementes ruins"- crianças que se comportam mal na escola e parecem ser inatingíveis. Mas será que elas realmente o são?

Uma dessas "sementes ruins" surgiu logo depois do dia 9 de setembro de 2001[4], quando Jorge chegou em uma escola fundamental na área rural para começar seu trabalho como conselheiro psicológico. Trazia com ele uma novíssima mala de terapia cheia de brinquedos e materiais de arte - chamados de "materiais de expressão"- usados para ajudar as crianças a comunicar seus problemas e sentimentos. Em escolas, a pessoa tende a trabalhar onde encontra espaço para atuar. O seu "consultório" era uma despensa grande onde a escola armazenava livros e um carrinho de apoio para aparelho de multimedia, sobra dos dias em que projetores eram considerados de alta tecnologia. Então Jorge limpou o carrinho e dispôs seus brinquedos e outros materiais sobre ele. Naquela época, ele nada sabia sobre a terapia de EMDR, mas tinha conhecimento de técnicas de ludoterapia que haviam funcionado muito bem para ele ao longo dos anos.

Um dos primeiros encontros de Jorge naquele dia foi com Pedro, um garoto de seis anos que estava repetindo o jardim de infância. Ele, o irmão e a irmã viviam com a avó, que os sustentava. Ambos os pais haviam sido apanhados traficando metanfetamina e estavam na prisão. Essa aparentava ser uma informação relevante, mas não parecia suficiente para explicar o comportamento de Pedro na escola. A razão pela qual ele estava repetindo o jardim de infância, sem muito sucesso, era que ele agredia fisicamente as crianças no parquinho quase todos os dias. Essa modalidade de atitude, geralmente diagnosticada como "transtorno de conduta", pode levar a um comportamento antissocial e violento na idade adulta. Em todo os Estados Unidos, esse tipo de crianças geralmente fica para trás na escola, ou então é empurrado para frente mesmo sem aprender. Muitas vezes, elas recebem medicações erradas ou em quantidade exagerada para serem mantidas sob controle. Elas frequentemente acabam por abandonar a escola. Sem nenhuma qualificação e com muita raiva, suas vidas em geral seguem padrões previsíveis.

---

[4] NT: O ataque terrorista nos Estados Unidos conhecido como 9/11

No final de sua primeira sessão de ludoterapia, Pedro ficou furioso, jogou todos os jogos para fora do carrinho e espalhou-os pela sala. Jorge disse: "Deve haver uma boa razão para você ter esses sentimentos tão fortes.". O menino simplesmente o ignorou. De fato, eles tiveram algumas sessões como aquela, nas quais a criança agarrou os brinquedos bem arrumados do carrinho e atirou-os pela sala.

Depois de algum tempo, Pedro pareceu acalmar-se e construiu um relacionamento com Jorge. Eles trabalharam juntos usando ludoterapia. Mesmo assim, depois de 20 sessões, Pedro continuava comportando-se mal na escola. Jorge sempre o encontrava sendo levado para a sala do diretor para receber castigo corporal: cabeça baixa, parecendo ser realmente pequeno, preparando-se para apanhar de vara pelas mãos de um adulto frustrado. O castigo corporal ainda era uma prática comum naquela parte dos Estados Unidos. Apesar de ter conversado com o diretor, Jorge não conseguiu dissuadi-lo de fazer o que ele acreditava ser necessário. Não adiantou explicar ao diretor que havia uma razão plausível para o comportamento intrigante de Pedro. Apesar de Jorge fazer o que podia, não conseguia extrair o motivo da criança.

Alguns meses mais tarde, Jorge viajou para outro estado com o objetivo de participar de um treinamento de EMDR. Enquanto estava no evento, ele teve a oportunidade de conversar com colegas que trabalhavam com crianças. Eles disseram-lhe que uma coisa boa sobre trabalhar com crianças era que o tratamento geralmente podia ser muito rápido. Quando encontrou Pedro duas semanas mais tarde, Jorge mostrou-lhe como usar a técnica do Lugar Seguro. E, na sessão seguinte, tudo mudou. Cinco minutos antes do final da sessão, Pedro começou a arrancar os brinquedos do carrinho e arremessá-los pela sala. Ele esvaziou o carrinho em aproximadamente 60 segundos. Agachados no chão, olhando um para o outro, no meio dos brinquedos espalhados, Jorge disse: "preste atenção no que você está sentindo e em que parte de seu corpo você sente isso". Então, usando a técnica de toques bilaterais com a mão, ele começou o processamento com EMDR.

Quase imediatamente, Pedro começou um choro que vinha do fundo de suas entranhas, soluçava compulsivamente. Para o espanto de Jorge, Pedro estava mais conectado com as suas emoções naqueles quatro ou cinco minutos no chão do que esteve em todas as sessões anteriores de terapia. Eles fizeram uma outra rodada de processamento, que produziu mais soluços e choro. Então Pedro abriu-se: "Eu me senti péssimo quando estava atirando os brinquedos no chão", e perguntou: "Você pode guardar um segredo?

Jorge respondeu que sim, sem saber o que iria ouvir. Ele preparou-se para qualquer coisa. Pedro falou entre soluços: "Meus pais estão na cadeia e não vão sair de lá até eu ficar bem velhinho."

Continuando o processamento, Pedro conectou-se com suas emoções e foi capaz de senti-las e expressá-las. Depois, ele focalizou as memórias dos pais, que estavam alimentando seus fortes sentimentos. Durante o processamento, Jorge pôde observar Pedro fazer conexões emocionais e perceber coisas que agora era capaz de descrever prontamente com palavras. Esse foi um grande passo para se chegar à causa subjacente do problema.

Para muitos jovens, algumas emoções são fortes demais para serem suportadas. O sistema de processamento de informação do cérebro fica sobrecarregado e os sentimentos mais fortes são armazenados em uma parte desconectada da memória. Mas alguma coisa que acontece no presente pode ainda disparar as emoções. Por exemplo, no final de cada sessão de terapia, Jorge, a pessoa a qual Pedro se sentia ligado naquele momento, iria deixá-lo, assim como os seus pais haviam feito. Os sentimentos de dor, medo e raiva funcionam como combustíveis para as ações que parecem descontroladas - atirar brinquedos pela sala ou machucar outras crianças como ele fazia no parquinho. Depois os sentimentos abrandam-se e a criança não é capaz de percebê-los ou de expressá-los. Crianças tornam-se adultos dessa maneira, com a dor, a raiva e o medo trancados dentro de si, mas prontos para explodir.

Na semana seguinte, Jorge conversou com a professora de Pedro e foi informado de que ele não havia se metido em confusão e estava indo bem na sala de aula. Ele havia apresentado problemas por tanto tempo, que demorou para a professora e outros adultos aceitarem o fato de ele estar realmente melhorando. Jorge continuou trabalhando com Pedro usando a terapia de EMDR. Um dia ele descobriu que a avó do garoto havia devolvido o irmão mais velho para o juizado de menores, porque ela não queria que ele exercesse uma influência negativa sobre os seus irmãos. Jorge pensou ter de começar tudo de novo, mas não foi o que aconteceu. Quando eles trabalharam juntos no atendimento daquela tarde, o menino comentou: "Meu irmão fez más escolhas. Ele foi para um lugar onde vai poder receber ajuda".

No término do ano escolar, Pedro passou para o primeiro grau e Jorge foi transferido para outro distrito. Mais tarde, ao indagar sobre o desenvolvimento do aluno a um colega, ele foi informado de que ele estava indo maravilhosamente bem. Nós não sabemos o que aconteceu com o seu irmão. Esperamos que ele tenha encontrado um terapeuta como Jorge, que o tenha ajudado a superar sua dor.

O fundamental nesse caso é que muitas ações que machucam outros, sejam elas causadas por crianças ou por adultos, são baseadas em memórias não processadas do passado que estão comandando o espetáculo. O castigo corporal não mudou o comportamento de Pedro.

Apenas serviu como combustível para a raiva, a dor e o medo que estavam armazenados nas redes de memórias. O seu fracasso em passar de ano, bem como toda a gozação no pátio da escola por causa disso, somente aumentavam a dor que inicialmente era responsável pelo seu comportamento desajustado. Isso não significa que regras e disciplina não sejam importantes. A sociedade tem que estabelecer e garantir algumas normas gerais para a segurança de todos. Mas o fracasso dos pais em proporcionar uma base para um desenvolvimento emocional saudável deixa muitas pessoas incapazes de sentirem suas emoções - ou de se acalmarem quando as emoções se manifestam. Isso leva a uma série de problemas, os quais exploraremos neste capítulo.

Fui Capturado

Por causa de seu envolvimento com drogas, os pais de Pedro não foram capazes de ensiná-lo e orientá-lo bem. Além de ser um problema destrutivo por si mesmo, o vício também contribui normalmente para outros comportamentos negativos que iremos examinar ao longo deste capítulo. O abuso de álcool e drogas é hoje em dia visto como um grande problema global de saúde. E hoje é comumente aceito que uma história de trauma pode proporcionar a base para o risco de abuso de substâncias químicas. Apesar da possibilidade de existir uma predisposição genética para a dependência em algumas pessoas, em geral é necessário que certos tipos de acontecimentos na vida ocorram para deslanchar o padrão de comportamento de abuso de drogas. A predisposição pode dificultar a recuperação do vício - mas genética não é um destino inevitável.

Ao passo que algumas pessoas não estão em contato com suas emoções, outras são simplesmente devastadas por elas. Quando a dor se torna intensa demais para suportar, elas procuram uma válvula de escape para obter alívio. Talvez elas tenham visto os pais lidarem com a dor dessa maneira, ou então simplesmente descobriram que se sentiam melhor depois de experimentar drogas ou álcool com os amigos. Qualquer que seja a razão, os dependentes de drogas geralmente sentem-se incapazes e impotentes para largar o vício, não importando o quanto elas possam querer se libertar ou quantas pessoas elas tenham magoado. Milhares de motoristas sentam-se atrás do volante de um automóvel, tendo ingerido uma quantidade de álcool acima do limite tolerado - sem nenhuma outra intenção, a não ser ir de um lugar a outro - e, como resultado, pessoas são mortas ou feridas gravemente. Seja a causa um vício ou um único lapso de julgamento, eles não deveriam dirigir naquele estado. No entanto, eles dirigem, e frequentemente alguém acaba sofrendo. Infelizmente, só depois de atingir o fundo do poço é que muitos indivíduos finalmente admitem necessitar de ajuda.

Nunca é Tarde Demais

O vício em substâncias químicas é um círculo vicioso. Ele pode começar como um sintoma do desespero interior ou do sentimento de inutilidade - mas, uma vez instalado, apenas produz, seguindo o seu curso destrutivo, mais motivos para o ódio de si mesmo. Para tratar a dependência química, é importante aprender diferentes maneiras de se administrar a dor emocional. Porém, de início, é igualmente importante processar as memórias antigas que estão alimentando a perturbação. Uma pesquisa conduzida no âmbito de um Programa do Tribunal de Entorpecentes em Washington combinou a terapia de EMDR com o tratamento de um grupo preparatório denominado Procurando Segurança [5], que incluía educação formal e técnicas para se lidar com trauma e dependência química, assim como práticas de autorelaxamento. Dados preliminares mostraram que, para aqueles que aceitaram voluntariamente o tratamento com EMDR, houve uma percentagem de 91.3% de conclusão do curso no âmbito do Programa, comparado com 62% para aqueles que estavam aptos a participar do tratamento mas haviam se recusado. Mais pesquisas são necessárias, entretanto os resultados dos participantes desse programa integrado de tratamento são claros. A conclusão do curso é o melhor indicador de que o ciclo de uso de drogas e períodos na prisão foi interrompido. Os resultados mostram que, independentemente da duração ou da gravidade da história do vício em substâncias químicas, as pessoas podem, sim, mudar para melhor.

Tom tornou-se um defensor do programa de Tratamento de Trauma com EMDR devido à sua experiência na Vara de Entorpecentes. Ele descreveu sua longa jornada "de ida e volta do inferno", na esperança de que o seu relato possa ajudar outros em situações semelhantes.

Eu comecei a beber aos 12 anos de idade, a fumar maconha aos 14 e depois, com o tempo, passei para drogas mais pesadas. O álcool e as drogas faziam todo sentido para mim, já que eu havia assistido minha mãe e meu pai, ambos alcoolistas, beberem regularmente para esquecer os seus problemas. Eles eram pais bem "legais"; eles simplesmente eram alcoolistas. E, claro, meus amigos bebiam e usavam drogas, assim como os pais deles .

Eu venho lutando contra o vício em álcool e drogas há 28 anos. Já passei quatro vezes por tratamento de desintoxicação, incluindo 70 dias encarcerado participando de um programa para dependência química, que fez parte de minha primeira passagem pela Vara de Entorpecentes. Essa tentativa fracassou e resultou em três condenações por crime, mais tempo de cadeia e o rótulo de criminoso condenado. Eu odiei aquilo.

---

[5] NT : *Seeking Safety*

Tom levava um vida tranquila, já traçada para ele devido ao negócio da família, na área de automóveis e reboques. Ademais seus pais eram amorosos e o apoiavam em seus objetivos na vida. Contudo, aos 35 anos, ele viu seu pai lutar contra um câncer por mais de dois anos e isso o levou ao uso progressivo de drogas e álcool. Pouco depois, o pai morreu.

Ao longo do ano seguinte, lutei com a vida, sem saber o que fazer. Mas depois as coisas começaram a melhorar, quando fechei um contrato com uma grande empresa de caminhões. Junto com meu irmão Steve, que era o meu motorista substituto, comecei uma nova carreira como caminhoneiro de veículo longo. Tudo parecia estar indo bem e por um período de um ano nós cumprimos nossos compromissos com sucesso, viajando através de cada um dos estados do país. Então tudo aquilo aconteceu, ao pegarmos uma carga no Texas a caminho de casa, onde iríamos passar o Natal.

Steve e eu paramos na pequena cidade de Hays, no Kansas, para fazermos algumas compras de Natal para nossas famílias. Em seguida, fomos ao bar local para "um brinde de Natal". Depois de termos fechado o bar e voltado para o caminhão, começamos a discutir sobre se deveríamos pegar a estrada imediatamente ou esperar até o amanhecer. Steve queria ir; eu queria ficar. Finalmente entreguei os pontos e concordei em ir, mas, enquanto manobrava o nosso caminhão, que pesava quase quarenta toneladas, para fora do estacionamento, nossa discussão ficou mais acalorada, berrávamos e vociferávamos a plenos pulmões. Eu dirigi para a autoestrada, o caminhão começou a ganhar velocidade e o tempo todo eu berrava para que meu irmão calasse a boca! Nós continuamos assim, gritando e xingando um ao outro; nenhum de nós era capaz de simplesmente acabar com a briga. Foi nessa hora que ele berrou a toda altura: "Talvez eu devesse dar o fora agora mesmo!". E eu, também a plenos pulmões, berrei as últimas palavras que troquei com meu irmão: "Vá em frente!". Eu engatei a marcha do caminhão, que estava aproximadamente a 100 km/h. Meu irmão calmamente se recostou, soltou o cinto de segurança, abriu a porta e pulou para fora do caminhão. Só depois de uns 400 metros consegui parar aquele caminhão de 18 rodas. Corri estrada abaixo até finalmente encontrar o meu irmão em uma vala com a face voltada para o chão, os ossos aparecendo por todo lado e um rio de sangue fluindo de seu corpo fraturado. Ele morreu nos meus braços.

Claro que lidei com a trágica morte de meu irmão da única maneira que conhecia – usando drogas e álcool. Eu estava em apuros e sabia disso. Com o amor e a ajuda de minha mãe, fui internado para o meu primeiro programa de tratamento de desintoxicação. Infelizmente, depois de poucos meses de recuperação, voltei exatamente para aquilo que parecia funcionar melhor - substâncias químicas, apesar de elas nunca serem suficientes sequer para tocar a dor que deveriam extinguir.

Nos anos que se seguiram, Tom não conseguiu manter o emprego, divorciou-se, perdeu sua mãe para uma enfermidade no fígado relacionada ao álcool e gastou todo o seu dinheiro em drogas. Depois, ele foi preso por posse de metanfetamina e por dirigir com a carteira suspensa.

Ao longo do ano seguinte, fui preso e fichado pela polícia 13 vezes. Eu ia para cadeia, pagava fiança, não comparecia à audiências do tribunal, recebia mandado de prisão, me escondia e fugia da polícia. Eles iam até minha casa, derrubavam a porta de entrada, apontavam uma arma para minha família e vasculhavam tudo a minha procura. O meu medo maior não era ir para a cadeia. Era saber que, assim que eu fosse preso, não seria mais capaz de me dopar. Fui excluído do Programa do Tribunal de Entorpecentes, condenado por três crimes e cumpri minha pena.

Depois de solto, Tom voltou imediatamente a consumir drogas, foi capturado e mais uma vez mandado para a prisão. Daquela vez, enquanto estava em liberdade condicional, e diante da ameaça de ter que voltar para a prisão se retornasse às drogas, ele aceitou participar do programa de pesquisa de tratamento de trauma com a terapia de EMDR oferecido pelo Tribunal. Nos cinco meses seguintes, Tom trabalhou com as "questões-chave" de sua dependência. E ele gostaria que as pessoas soubessem que o tratamento tornou possível a sua recuperação.

Por querer que outras pessoas experimentem o tratamento de EMDR, Tom oferece-nos uma visão de sua vida atual:

Nos seis anos de minha recuperação, dei uma guinada na minha vida. Paguei mais de 10.000 dólares em multas judiciais, recuperei minha carteira de habilitação, evitei que minha casa fosse confiscada, paguei as dívidas com meu advogado, completei todo o tempo de liberdade condicional. Eu tenho administrado meu próprio negócio com sucesso por um ano e meio e pago todas as minhas contas. Hoje, sou um cidadão responsável e confiável e o melhor de tudo isso é que tenho uma família formada pela minha noiva, que está se recuperando da dependência química há 19 meses, minha filha de 17 anos, que voltou a morar conosco, e minha outra filha de oito anos, que sempre faz minha vida ficar interessante. Agora eu espero ansiosamente por cada dia.

Muitas pessoas acreditam que o vício é simplesmente falta de "disciplina". Elas não entendem como a vida de alguém pode escapar do controle dessa maneira. Espero que a história de Tom ajude a esclarecer essa questão. Quando as pessoas usam álcool ou drogas para lidar com suas emoções, as substâncias químicas podem ganhar vida própria. Mas, quando as memórias não processadas que estimulam a dependência são trabalhadas, a vida pode dar novamente uma reviravolta. Não deixe que a vergonha do seu passado o aprisione e arruíne seu futuro. Procure a ajuda

necessária para fazer novas escolhas com responsabilidade. Mesmo depois de três décadas batalhando contra seus demônios, a história de Tom mostra que nunca é tarde demais para fazer as escolhas e as mudanças necessárias a uma vida saudável.

Procurando a Fonte

O tratamento de EMDR recebido por Tom incluiu (1) o processamento de memórias passadas que alimentavam a perturbação, (2) as situações atuais que disparavam o desejo de usar drogas e (3) novas maneiras de lidar com experiências perturbadoras. Com vistas a evitar uma recaída, é importante processar as memórias mais antigas que estão provocando a dor. No caso de Tom, elas envolviam traumas graves, como a morte do irmão e o sentimento insuportável de ter sido responsável por ela. Para outros dependentes, mesmo com a existência de acontecimentos graves em suas vidas, pode ser que a memória mais importante seja algo insuspeitável.

Karen, por exemplo, havia sofrido de ataques de pânico desde que se entendia por gente. Ela lidava com eles por meio do vício em várias drogas e em sexo. Dez anos de terapia não haviam acabado com os ataques de pânico e, por mais que tentasse, ela também não conseguia se livrar de seus vícios. Quando finalmente encontrou um terapeuta de EMDR, eles focalizaram as sensações de medo em seu corpo. Nesse processo, sua mente voltou para o passado, chegando até os quatro anos de idade. Seus pais haviam deixado Karen no parque com a irmã de dois anos e recomendaram que tomasse conta dela. Pareceu uma eternidade até que eles retornassem e, quando chegaram, a menina estava em estado total de pânico, vomitando e soluçando, tomada pelo medo. Em vez de consolá-la, seu pai simplesmente berrou com ela - e depois riu por ela ter agido como uma "medrosa". O medo, a vergonha e a falta de controle codificados nessa memória abriram o caminho para seus vícios. Ela tomou o seu primeiro gole de cerveja aos cinco anos de idade e, desde então, continuou nesse caminho. Como frequentemente acontece nesses casos, os pais de Karen não estavam em sintonia com suas necessidades e não lhe proporcionaram apoio ou confiança, nem lhe mostraram maneiras construtivas e positivas para administrar a perturbação. Tom, por outro lado, descreveu seus pais como pessoas "amorosas" e "legais" que o apoiaram. Mas eles o ensinaram a beber mostrando, com o próprio exemplo, que a forma de se lidar com emoções negativas e problemas era "beber para espantar os males". Nos dois casos, independentemente da causa do vício, a estrada para a recuperação é clara: há que se encarar a dor diretamente - descobrir novas maneiras de enxergar o passado, lidar com o presente e fazer planos para o futuro. Se essas sementes poderosas do vício não forem abordadas, as coisas provavelmente só irão piorar.

Quando Não Há Nenhum Outro Lugar Para Ir

Uma das terapeutas que trabalha para os Programas de Assistência Humanitária de EMDR já administrou um centro comunitário para desabrigados. Eles ofereciam, quando requisitado, tratamento psicológico adicional para pessoas interessadas, como também outros tipos de assistência social - distribuição de casacos de inverno, orientação para tratamentos médicos ou alimentação. Em um determinado momento, todos os seus pacientes perguntavam à terapeuta se a vida ficaria melhor depois que eles se tornassem sóbrios. Ela respondia-lhes que sim, como se fosse verdade. Ela sabia que, nesse caso, eles teriam acesso a uma habitação mais segura, maior chance de encontrar e manter um emprego e talvez a oportunidade de reatar laços com as pessoas que amavam. Mas ela sabia também que, sem o manto confortante das substâncias químicas para encobrir a dor, seria difícil - e muito - pois todos eles haviam suportado anos de trauma. Em particular, ela preocupava-se com os homens e mulheres cuja dependência química havia lhes custado o convívio com os próprios filhos, bem como com as pessoas que haviam sofrido, tanto na rua como nos próprios lares, abusos sexuais ou físicos quando jovens.

Anos se passaram desde aquela época e hoje em dia há um maior entendimento da dependência química como sendo uma doença, bem como também do modo como o trauma do passado fomenta os processos destrutivos. Aquela psicóloga agora emprega a terapia de EMDR em seu consultório particular e continua a tratar de pessoas com graves problemas de abuso de substâncias químicas. Segundo seu relato:

Ontem, uma de minhas pacientes que estava melhorando chegou levemente dopada e chateada devido a uma perda recente. Em certo ponto, ela fitou-me nos olhos e perguntou-me diretamente: "Será que vou sentir que mereço ser amada algum dia? Será que algum dia eu vou aceitar um companheiro que irá me amar e se preocupar comigo ?".

Eu pensei em tudo que ela já havia conquistado usando EMDR – deixado um marido violento e alcoolista, mantido longos períodos de abstinência de álcool, sobrevivido e lidado com estupro, abuso sexual e negligência, que começaram na idade de cinco anos e persistiram durante a vida adulta - e garanti para ela: "Sim, você vai chegar lá". A hesitação interior que sentia nos tempos que trabalhei na instituição para desabrigados havia desaparecido. Eu sabia que ela definitivamente iria alcançar o destino almejado, mas, de fato, ela ainda não podia ver o que eu via - que ela já havia percorrido a metade da jornada. Porque, quando ela pediu uma carona para casa depois da terapia, um amigo confiável e carinhoso - alguém que a ama -

ansiosamente se ofereceu para levá-la para casa. Apesar das dificuldades, sua vida estava melhorando e eu sabia que podia ajudá-la".

Sim, existe ajuda disponível. Mas, para obtê-la, é preciso que haja uma faísca de esperança forte o suficiente.

Aprendendo a Conectar-se

Nem todas as pessoas recorrem às drogas para lidar com suas emoções negativas. Algumas fazem uso, em excesso, de pornografia, sexo, jogo, comida ou quaisquer outras diferentes experiências que permitam uma sensação temporária de distração, calma ou satisfação. Mas há muitos outros modos saudáveis de se alcançar sentimentos positivos duradouros. Comportamentos de dependência são apenas remendos temporários que não funcionam a longo prazo porque não tocam na raiz do problema. Quando o "estado de torpor" acaba, os sentimentos negativos retornam. Para qualquer um que tenha crescido em uma família se sentindo sozinho, isolado, com pensamentos de não ser bom o suficientemente - ou que nunca aprendeu a lidar com emoções negativas intensas - os riscos são óbvios. Lidar com vícios de modo eficaz significa, não apenas identificar as fontes da dor, mas também aprender as ferramentas para administrar as emoções perturbadoras quando elas aparecem, bem como novas maneiras de interagir com os outros.

Aqueles que foram traumatizados quando crianças têm probabilidade significativamente maior de desenvolver um vício do que o resto da população. Devido à dor e ao sentimento de serem "diferentes", eles não se ajustam ao grupo e não aprendem as habilidades sociais necessárias para manter relacionamentos saudáveis. Sem terapia, eles frequentemente não conseguem fazer as conexões necessárias à recuperação. Por exemplo, o sentido de comunidade, uma boa acolhida, a abertura e a honestidade, que fazem parte de um Programa de 12 Passos[6], podem ser muito úteis. Entretanto, muitos também precisam da terapia de EMDR para ajudá-los a lidar com os requisitos do Programa, pois a participação em grupos ou a expectativa de que a pessoa "se abra", revelando coisas sobre si mesma, pode disparar sentimentos de vergonha e insegurança. Como você já deve suspeitar a esta altura, esses sentimentos estão enraizados em experiências anteriores de vida que necessitam ser processadas. A questão essencial é que, não importa quantas vezes alguém possa ter fracassado antes, vale a pena tentar novamente com a ajuda certa. Como você pode ver pela experiência de Tom, há um caminho.

Colocando Uma Máscara

[6] NT : Modalidade de programa de grupo de apoio como os Alcóolicos Anônimos

Um dos primeiros pacientes com quem trabalhei veio para terapia por causa de suas dificuldades em situações sociais. Segundo a descrição de José, quando estava cercado por pessoas, ele tinha: "Um medo que toma conta de mim, tão intenso a ponto de interromper qualquer coisa que esteja acontecendo no momento. E ele simplesmente me domina de uma maneira tal que eu quero correr e me esconder". Quando eu lhe pedi para colocar os sentimentos em palavras, ele falou: "Apenas me sinto diferente - como se eu não pertencesse ao ambiente." Ele acrescentou que queria ajuda porque: "parece que essa sensação se apoderou de uma parte tão grande de minha vida que me fez seguir o caminho do álcool e das drogas para conseguir me ver livre. Eu simplesmente fico tão entorpecido a ponto de não sentir mais essa experiência. Mas a dor está vindo à tona especialmente mais forte agora que estou tentando me recuperar dos vícios."

José cresceu pensando: O que há de errado comigo? Como ele descreveu:

Tenho um irmão mais jovem. Quando estávamos crescendo, ele era o favorito. Ele era melhor em tudo e era mais aceito. Ele tinha mais de tudo. Meu padrasto à época - o meu pai verdadeiro não conheci - gostava mais dele. Ele dava-lhe mais crédito por tudo e isso me afetou tanto ao ponto de ter que chorar para ganhar atenção. Acho que eu tentava fazer tudo o que estava ao meu alcance e eu meio que atrapalhava as coisas, de modo desajeitado, para tentar conseguir alguma forma de atenção. Para dizer ao meu padrasto: "Ei, olhe para mim, eu também estou aqui. Sabe, eu faço muitas coisas boas também. Algumas até melhor". Eu odiava meu irmão. Ele tinha mais namoradas e, sabe, aquilo me afetava a tal ponto que me tornei muito tímido e pensava comigo mesmo: "não importa, quem iria mesmo querer conversar comigo?". Assim, no final de contas, acho que eu lhe dei muito poder.

Quando perguntei ao José onde mais o medo surgia, ele disse:

Lutas de gangues. Reformatório. Prisão. Brigas com meus irmãos. Depois de mais perguntas, ele explicou: *O medo que eu tinha - o sentimento sobre mim mesmo - de ser diferente; de não ser querido; de não receber atenção. Acho que aquilo me fez pensar que eu era diferente e que não pertencia ao grupo e eu ficava me questionando. Então aquilo só levava a desentendimentos. O ódio que se desenvolveu sempre causava mal-entendidos entre meus irmãos, minhas irmãs e eu. Então, como resultado, era como se vivêssemos em um permanente campo de batalha.*

Quando eu lhe indaguei sobre o reformatório de menores, ele explicou:

O reformatório aparecia - ele vem da época em que cresci no Texas, quando eu era adolescente. Ainda acontece hoje em dia, mas no Texas existia uma rivalidade barra pesada entre Norte e Sul - havia diferentes gangues, como eles diziam. Eu e meu outro irmão meio que nos envolvemos com as gangues quando a gente estava crescendo e sempre tinha a briga de uma gangue contra outra, ou uma invadindo o território da outra e sendo, de alguma forma, expulsa. E foi aí que o reformatório de menores entrou na minha vida.

Eu perguntei a ele: Como a sensação de medo de ser diferente fez você se envolver nisso? José explicou:

Achei que a gangue era uma coisa que podia me aceitar e fui aceito. E foi aí que o álcool entrou em cena. Ele me dava falsa coragem para lidar com aqueles sentimentos. Eu, estranhamente, caí nessa. Ser machão. Ficar rondando por aí sem fazer nada. Beber. Falar palavrões. Fumar. Zombar das pessoas e machucá-las. Eu me sentia aceito naquele meio. Quero dizer, aquele era o único jeito com que eu podia lidar com a vida naquela época. Era tipo uma questão de sobrevivência. Caso contrário, a ideia de pôr fim em mim mesmo vinha à cabeça de vez em quando.

José é um exemplo bem típico daqueles que recorrem à violência em razão de sentimentos subjacentes de raiva e dor. Apesar de muitas pessoas acreditarem que aqueles que parecem não sentir empatia alguma e não hesitam em machucar os outros sejam "psicopatas" sem possibilidade de tratamento, pesquisas recentes indicam nem sempre ser esse o caso. Nossas prisões estão abarrotadas de pessoas cujas infâncias deixaram-nas sentindo-se isoladas. Já que todos precisamos de um sentido de identidade, gangues frequentemente funcionam como "famílias" substitutas. Não importa se a pessoa faça parte ou não de uma gangue, a falta de apoio por parte dos pais - ser deixado de lado, abandonado, humilhado ou espancado - resulta no sentimento de não ser bom o suficiente e deixa a pessoa pronta para machucar os outros. José estava fazendo a mesma coisa que Pedro havia feito.

Caso você se sinta abandonado, inútil ou um estranho em sua própria família, como pode então se identificar com o resto da sociedade? E, se você não se identifica com a sociedade, por que então obedecer as regras? Elabore suas próprias - dessa forma você estará no comando e será aquele que machucará os outros. Isso tudo pode terminar de forma assustadora. Mas o início é geralmente o mesmo - uma criança vulnerável, zangada e confusa. O processamento de suas memórias liberou Pedro e José da dor e dos sentimentos de isolamento. É melhor fazer isso cedo, na idade de Pedro - tanto para a criança quanto também para a sociedade. Porém, como vimos no caso do José e do Tom, até mesmo uma passagem pela prisão não significa que seja tarde demais.

Casa Da Dor

Assim como é fácil olhar para membros de uma gangue de rua e comprar a imagem de poder e controle do tipo "não se meta comigo" que eles estão tentando projetar, o mesmo acontece com os infratores que cometem crime de violência doméstica. Como já vimos, alguns casais participam igualmente de uma dança destrutiva de ciúmes, críticas, manipulação e frustração. No entanto, a violência física doméstica em um relacionamento é geralmente uma via de mão única. Apesar de algumas mulheres também serem agressoras, aproximadamente 85% das pessoas que recorrem à violência são homens. Esse problema também não é tão raro como você poderia imaginar. Na verdade, uma das razões mais citadas para as mulheres ficarem desabrigadas é a violência doméstica.

Em geral, o comportamento abusivo de um homem pode envolver uma intenção permanente de amedrontar, machucar ou destruir a parceira ou qualquer coisa que pertença a ela. Esse comportamento não é um reação exagerada isolada, estimulada por drogas ou álcool. Há frequentemente um sentido de "posse". O parceiro abusivo exerce seu poder para controlar o comportamento da mulher, no sentido de assegurar sua obediência. Ela existe para agradá-lo e confortá-lo. A violência frequentemente ocorre em um processo de três estágios. A tensão aumenta, o homem explode de raiva e, por último, ele expressa seu amor e tenta compensar a violência com um período de "lua de mel". O ciclo repete-se sempre. Há relatos de que a violência doméstica é uma das principais causas de ferimentos e de morte de mulheres entre 19 e 44 anos em todo o mundo.

Na maioria das vezes, é a mulher quem procura ajuda porque a vida se torna impossível de ser administrada. Quase sempre, ela descreve sentimentos de depressão, ansiedade ou preocupação com os filhos. No caso de Marie, a gota d'água foi quando Jacques se tornou violento com o filho deles de oito anos na festa de aniversário dele e pegou uma faca para amedrontar ambos. Ele nunca havia feito aquilo. Anteriormente, ele tinha sido violento somente com ela, mas sem usar arma. Finalmente Marie decidiu partir. Foi uma decisão difícil, ela sabia o perigo de o marido ficar cada vez mais violento. Portanto foi embora enquanto ele estava no trabalho. Como Jacques contou ao seu terapeuta posteriormente, quando descobriu que a esposa havia partido: *Procurei por ela em todo lugar. Ao ser perguntado por que, ele respondeu: Para matá-la e depois me matar. Mas então eu pensei nas minhas crianças e não fiz isso. Só comecei a me acalmar só três dias mais tarde.*

Basicamente, Jacques sentia que não podia viver sem Marie. Por esse motivo, ele tinha um medo intenso toda vez que ela tentava mostrar alguma independência. Por exemplo, ele costumava levar todos os telefones da casa com ele para o trabalho, pois não podia entender por que ela precisaria de falar com qualquer outra pessoa além dele. De acordo

com Jacques: "Se ela me ama como eu a amo, ela não precisa falar com mais ninguém. Se fala, é porque quer esconder alguma coisa de mim". Essas atitudes são típicas de agressores domésticos. Eles tentam isolar as parceiras por meio do controle dos seus recursos, do acesso a amigos ou de outros aspectos da vida diária.

Marie aceitava o comportamento de Jacques porque tinha uma autoestima muito baixa. Ela também provinha de uma família na qual as mulheres eram treinadas para cuidar dos homens. A sua tarefa era alimentá-lo, vesti-lo - ela escolhia as roupas que ele usava todos os dias - e estar disponível para ele. Assim como Marie havia tentado conquistar o amor dos pais sendo servil a eles, ela não poderia se envolver em um relacionamento com alguém que não precisasse de seus cuidados, conforme revelou Marie a seu terapeuta. Ambos estavam repetindo padrões de comportamento aprendidos em suas famílias de origem: os homens não faziam nada em casa; as mulheres faziam tudo. Os homens não existiam por eles mesmos e as mulheres acreditavam que a razão de suas vidas era tomar conta de seus maridos.

Por não estarem realmente em contato com seus sentimentos ou não conhecerem técnicas para expressá-los, Jacques frequentemente tinha explosões de raiva, Marie se acovardava e em geral acabava machucada. De diferentes maneiras, sentindo como se estivesse "pisando em ovos", ela estava sempre vigilante - em um estado constante de medo e alerta máximos. Marie tinha o que alguns psicólogos chamam de "cérebro congelado". Sua mente lógica e racional não estava realmente funcionando. Era parecido com o modo com que os animais na natureza ficam "congelados" ou "fogem", quando confrontados com o perigo. E, quando a fuga é impossível, eles entram em colapso. Então, quando Jacques se tornava violento, Marie simplesmente aquiescia.

Ela também se encontrava em um estado que outros psicólogos chamam de "desamparo aprendido". Nada que pudesse fazer mudaria alguma coisa. Afinal de contas, ela havia aprendido que os homens deveriam conseguir fazer o que quisessem com as mulheres. Ela amava Jacques e acreditava não poder viver sem ele. Achava que ele nunca chegaria de fato a machucá-la "demais". Assim como acontece com muitas outras vítimas de violência doméstica, Marie não foi capaz de agir até alguma coisa quebrar o padrão. Foi somente quando Jacques foi violento com o filho deles e usou uma faca que Marie, não conseguindo mais tolerar as atitudes do marido, foi embora.

Após deixar a casa, ela morou com os dois filhos em uma instituição para mulheres. Ela e Jacques já estavam separados há seis meses, quando ela ouviu um psicólogo falar sobre violência doméstica em um programa de rádio. Ela então telefonou para marcar um consulta para Jacques, assim o descrevendo: "Ele é um pouco nervoso e estoura com

facilidade". Ele ainda não havia admitido seu comportamento violento e provavelmente veria um terapeuta apenas para agradar a esposa. O terapeuta informou-a que Jacques precisaria ligar para marcar sua própria consulta.

Quando Jacques foi se encontrar com o terapeuta, disse que queria tentar entender o que havia acontecido com ele e o que poderia fazer para conseguir a esposa de volta. Se ele achava que era violento? "Não exatamente, apenas um homem muito ciumento com um pavio curto. Eu fiz tudo por ela. Eu construí nossa casa; dei o meu dinheiro para ela". Ele claramente não entendia o que acontecia dentro dele mesmo - mas concordou que estava machucando Marie. Há quanto tempo a violência já acontecia? "Há 19 anos", ele respondeu. A seguir, confessou que respeitava mais Marie agora, depois de ela ter partido: "Ela me mostrou que é capaz de fazer isso. Antes, ela sempre falava em me deixar, mas nunca ia embora. Eu tenho orgulho dela". Apesar de que, quando ela partiu, Jacques primeiramente tenha buscado por ela, com a intenção de matar ambos, a reação dele naquele momento não era fora do comum. Agora ela não estava mais lá para cuidar dele e fazer com que ele se sentisse protegido. Quando Marie se foi, Jacques sentiu-se completamente impotente, sem controle e precisava achar uma solução dentro de si mesmo.

Com os dois agora vivendo em apartamentos separados, a terapia durou um ano. Além da terapia de EMDR, eles participaram de terapia de casais e de família, bem como de sessões de grupo. Havia vários objetivos terapêuticos, que incluíam o desenvolvimento de um maior grau de autoestima e um apego saudável para ambos os membros do casal, como também o aprendizado de ferramentas de comunicação necessárias em um relacionamento adulto. Ademais, Jacques precisava processar as primeiras memórias de violência em sua família de origem e aumentar sua habilidade para lidar com emoções fortes. Marie tinha que aprender a viver satisfatoriamente sem ele e também a tomar conta de si mesma. Ela deu-se conta de que, em sua família original, ela "sempre vinha bem depois de todos os outros".

Alguns dos alvos processados por cada um deles com a ajuda da terapia de EMDR são muito reveladores dos processos inconscientes de memória que comandavam o espetáculo de ambos. O primeiro grande alvo para Jacques foi sua última explosão violenta, quando ele ameaçara o filho com uma faca. O maior *insight* desse processamento foi a constatação de que nunca soubera ser um bom pai. A única pessoa que importava para ele era a sua esposa. As crianças estavam sempre entre os dois. Depois, ele focalizou outra memória muito importante, de quando tinha oito anos de idade. Ele estava junto com a família e queria ajudar a mãe, levando a comida para a mesa de jantar. O seu pai, de modo bastante violento, gritou com ele: "Sente-se, somente garotos gays levantam para ajudar." Ele

lembrava-se de ter ficado paralisado com a observação e sem saber o que fazer.

Outras memórias importantes para Jacques envolviam ter medo de que sua mãe não o amasse e sempre tentar atrair a atenção dela. Ele percebeu que: "Se eu tivesse me sentido mais seguro do amor dela, não precisaria ser tão dependente do amor de minha mulher". Também fez parte da terapia focalizar formas por meio das quais ele poderia viver só, cuidar de si mesmo e ser menos dependente de sua esposa - como, por exemplo, ir ao cinema sozinho, enquanto ela passava algum tempo com amigos.

Para Marie, o alvo inicial foi a primeira vez que Jacques havia sido violento com ela. Ela estava grávida do primeiro filho e assim se recordava do ocorrido: "Ele me bateu na barriga, sabendo que o bebê estava lá dentro". O *insight* maior da parte dela foi perceber que ele estava "doente com um ciúme inadequado e exagerado" e que ela não podia fazer nada a respeito daquilo. Marie tinha de aprender a proteger a si mesma. Outro alvo-chave foi: "Ele sempre me pedia para ficar contra a luz antes de sairmos, para verificar se dava para ver algo através do meu vestido". Já que ela própria sempre examinava cuidadosamente sua roupa, percebeu então como havia deixado que o marido a controlasse. Ela continuou processando as questões afetas a controle que havia visto entre os seus pais. Seu pai controlando sua mãe com dinheiro, o carro, os programas de televisão - a mãe controlando o pai com os hábitos de se vestir, o que comer, o cuidado com as crianças e todas as decisões emocionais. Ela percebeu, no seu íntimo, que tinha de se livrar daquela necessidade de controlar e de ser controlada. Precisava descobrir e experimentar a liberdade por si mesma.

Claro que os filhos também não tinham sido poupados dos efeitos da violência. Foi necessário o uso da terapia de EMDR para ajudar a filha do casal, que começou a exibir um comportamento delinquente na escola. O filho havia começado a reproduzir o comportamento do pai em relação à irmã, valendo-se de violência física. As sessões de terapia de família contribuíram para interromper aquelas atitudes e estabeleceram novos padrões de comportamento. Ambos os pais tiveram que mudar o estilo parental e Marie teve que aprender a intervir na criação dos filhos, em vez de esperar pela reação de Jacques.

Para compreender a violência doméstica, é importante lembrar-se de que se trata de uma situação complexa, podendo envolver a história familiar, traumas mal resolvidos ou fatores culturais. Usualmente, os sentimentos de impotência e de desamparo têm origem em histórias de trauma dos primeiros anos de vida. No começo do tratamento, tanto Marie quanto Jacques tinham em comum

as mesmas cognições negativas: "eu não tenho valor" e "eu sou um idiota". Ambos tinham medo de viver sem o outro. Os dois compartilhavam o mesmo nível de apego inseguro devido à violência psicológica e física (no caso dele) existente em suas famílias de origem. No final do tratamento, ambos descreveram um sentimento geral de liberdade, como se alguma coisa tivesse sido tirada de cima deles para permitir que todos pudessem viver e respirar. Eles voltaram a morar juntos e têm vivido em paz há muitos anos.

Outros casais talvez não consigam manter o esforço e o compromisso necessários à cura. Para que a família saia ilesa, é fundamental que o agressor participe integralmente do tratamento. É recomendável que todos os membros considerem a necessidade de terapia. Normalmente, a vítima precisa processar as memórias do abuso. É também vital que os filhos sejam avaliados cuidadosamente porque eles, com frequência, acabam culpando-se pelas falhas dos pais. Sem terapia, eles podem cair nos mesmos padrões de comportamento de seus pais, como também carregar os sentimentos de culpa e de insegurança dentro deles.

Como exemplo, eis o depoimento de uma garota que se escondia debaixo das cobertas com o irmão, ouvindo a sua mãe soluçar e gritar enquanto apanhava do marido. Ana começou a terapia de EMDR dizendo: "Parece que o mundo está se fechando a minha volta, e um buraco negro me engoliu. Por causa do papai, tudo ficou escuro". Ao processar a pior memória que, segundo ela, a fazia sentir como se o seu "coração estivesse dilacerado", cada série de movimentos oculares trouxe-lhe uma nova compreensão do problema:

>>*Eu me sentia realmente culpada e pensava que era minha culpa ser tão malcriada e fazer ele ficar zangado; e foi por causa disso que tudo aconteceu.*

>>*Eu apenas pensei que tinha feito algo muito ruim sem nem mesmo notar e fiz com que o meu pai ficasse muito zangado. Pensando bem, não acho que seja minha culpa. Se eu tivesse feito qualquer coisa de errado, ele teria vindo para bater em mim, não na mamãe.*

>>*Eu não acho que a mamãe tenha feito alguma coisa de errado. Provavelmente o papai tinha bebido.*

Depois de mais processamento, Ana está hoje livre da dor, mas ela não perdoa a atitude do seu pai. Se a família voltará ou não a se reunir, dependerá de vários fatores. Um dos mais importantes é uma clara mudança na atitude e no comportamento de seu pai.

Agressores Sexuais

Não há nada que embrulhe mais o estômago das pessoas do que a ideia de abuso sexual infantil. De novo, apesar de existirem mulheres agressoras, a maioria deles é do sexo masculino - e crianças demais são afetadas. Os jornais publicam relatos diários de menores molestadas por professores, treinadores e por vários tipos de líderes juvenis. De fato, as pesquisas mostram que aproximadamente 20% das meninas e 10% dos meninos, em todo o mundo, já foram molestados. É também preocupante que as avaliações dos tratamentos mais difundidos para agressores sexuais têm mostrado resultados desanimadores. É por isso que muitos estados dos EUA exigem o rastreamento de pedófilos durante toda a vida, frequentemente por meio do uso de braceletes que monitoram sua localização via satélite. Existe um entendimento de que essas pessoas são doentes demais para serem curadas. Um dos problemas é que os programas geralmente adotados não evoluíram muito nos últimos 20 anos. Eles envolvem principalmente terapia de grupo para ajudar a esclarecer motivos; estratégias de aprendizado de automonitoramento, no sentido de evitar situações nas quais sentimentos sexuais pervertidos poderiam ser ativados; e, por último, técnicas para tentar eliminar o desejo. Uma das razões pelas quais, em regra geral, esses programas não funcionam pode ser o fato de o tratamento lidar apenas com o comportamento, ao contrário de atacar também sua causa.

Mesmo que a terapia de grupo e o automonitoramento possam ser úteis, o problema é que o agressor, com frequência, não está realmente apto a participar do tratamento. A terapia de grupo deve ajudar o agressor a assumir a responsabilidade pelo que fez e esclarecer os motivos. Mas um dos sintomas desse tipo de infrator é a "negação"- eles, via de regra, simplesmente acreditam não serem realmente culpados por suas ações e não terem na verdade machucado ninguém. Não obstante os melhores esforços de terapeutas para quebrar a atitude de negação, em geral os agressores apenas aprendem a responder com as palavras certas, mesmo que continuem a manter, profundamente guardadas, crenças equivocadas. Isso pode vir a acontecer porque eles não estão em contato com os sentimentos, em decorrência de seu próprio histórico de abuso. Muitas vítimas de abuso infantil acabam tornando-se, por sua vez, pedófilos. Isso não quer dizer, absolutamente, que todos os que foram molestados irão também molestar outras pessoas. Longe disso. Porém, quando certas circunstâncias são favoráveis, um histórico de abuso parece ser um fator que contribui para o comportamento abusivo.

Como você já viu neste livro, uma experiência traumática fica trancada no cérebro com emoções, pensamentos e sentimentos que estavam lá na ocasião do acontecimento. Quando crianças são molestadas, há várias percepções erradas da experiência que elas podem carregar

consigo. Por exemplo, a criança pode pensar: "Isso é como a vida é. Isso é o que eu tenho que fazer para conseguir amor e atenção. Essa é uma boa forma de conseguir o que eu quero. Eu odiei o que aconteceu, mas isso me deixou mais forte" e assim por diante. Basicamente, há uma vasta gama de reações capazes de contribuir para as emoções e crenças não ditas, que mais tarde podem ser a mola propulsora do abuso sexual.

Infelizmente, muitas crianças que foram molestadas culpam a si mesmas pela agressão, assim como Ana se culpava enquanto seu pai batia em sua mãe. Além do mais, diferentemente de um estupro que, em geral, é uma demonstração espontânea de força, raiva e poder, molestadores normalmente "conquistam" as vítimas. Enquanto que alguns aterrorizam jovens para serem condescendentes por meio de ameaças, outros adotam outra tática. Eles agem de forma a fazer com que as vítimas escolhidas se sintam bem antes de o abuso começar. Quando as crianças vêm de famílias que as fazem se sentir insignificantes ou indesejadas, receber tanta atenção é uma nova e prazerosa experiência para elas. Como resultado, é possível que elas concordem em fazer qualquer coisa que o molestador queira. Então, já que corpos saudáveis com frequência reagem à estimulação física, se esse for o caso, os molestadores dizem às suas vítimas que elas realmente gostaram da experiência e que, na verdade, provocaram aquilo - e as crianças acreditam neles. Isso também confunde o senso de confiança da criança e seus pensamentos sobre o que é certo ou errado nos relacionamentos entre adultos e crianças.

Muitas vezes, com a vergonha e a culpa trancadas dentro da memória armazenada no seu cérebro, crianças molestadas podem "lembrar-se" que elas queriam "aquilo" e a culpa é delas. Logo, em vez de direcionar a raiva e a culpa para o agressor, a vítima as direciona para si própria. "É minha culpa - eu provoquei isso!" Então, se elas molestarem outros quando ficarem adultas, culpar a própria vítima torna-se uma consequências direta. "A culpa é dele. Ele queria muito aquilo". "Eu fiz aquilo porque ela estava flertando comigo. Ela divertiu-se". Para muitas pessoas, as sensações físicas trancadas no cérebro também são disparadas quando elas veem uma criança. A nova vítima normalmente tem a mesma idade que elas tinham na época da agressão original. Soma-se a isso o fato de que muitos desses molestadores se originam de lares onde foram ignorados ou molestados. Eles nunca aprenderam a lidar com suas emoções e frequentemente acabam por nem mesmo estarem em contato com seus sentimentos. É neste ponto que o tratamento de EMDR entra.

Um estudo com molestadores de crianças participantes de um programa que utilizava uma abordagem tradicional, incluindo terapia de grupo e técnicas de automonitoramento, foi publicado pela *Journal of*

Forensic Psychiatry and Psychology (Revista de Psiquiatria e Psicologia Forense). Dez agressores que haviam sido molestados quando crianças foram tratados com oito sessões adicionais de EMDR direcionadas à memória do próprio abuso. Os resultados foram comparados com os de outros agressores que não haviam feito terapia de EMDR e os benefícios foram claros em nove dos dez molestadores. Pela primeira vez, os homens assumiram a completa responsabilidade pelo que haviam feito. Em vez de culparem as vítimas, eles perceberam o estrago que haviam causado. E, ainda mais importante, os pesquisadores utilizaram um aparelho chamado de "pletismógrafo peniano", que usa o fluxo de sangue para o pênis com o intuito de medir fisicamente a excitação sexual. Pesquisadores e médicos veem esse dado como o primeiro sinal de que existe a possibilidade de a pessoa cometer outro abuso. Esse teste mostrou que, em nove dos dez agressores, a excitação sexual em relação a crianças apresentou uma queda considerável. Os transgressores explicaram a diminuição do nível de excitação pelo fato de que agora viam crianças como "pessoas" e não como "objetos sexuais". Os resultados foram os mesmos quando eles foram testados novamente após um ano. Planejam-se mais pesquisas, mas, desde então, muitos agressores estão sendo tratados com sucesso por meio da terapia de EMDR.

É importante entender as causas de um problema se nós iremos solucioná-lo. Pela primeira vez, os agressores tratados com EMDR foram capazes de entrar em contato com os sentimentos que experimentaram quando eles mesmos foram molestados. Isso transformou-os e agora eles querem encorajar outros a também procurar tratamento. Vamos começar com Kevin, que molestou a enteada. Ele havia sido sodomizado por um grupo de garotos maiores quando jovem. Eles convenceram-no de que ele próprio tinha provocado aquilo. Durante o processamento, Kevin conseguiu entrar em contato com seus sentimentos sobre o acontecido. Lembrava-se de ter visto alguém passar pelo barracão enquanto o ataque estava acontecendo e ele foi capaz de sentir novamente a solidão e a dor experimentadas naquela época. Ele reconheceu que gostou da atenção que estava recebendo dos garotos mais velhos e eles o tinham usado. Mas também, pela primeira vez, reconheceu que sua enteada também havia gostado de atenção - porém não do ato sexual.

A seguir, ele explica o que mudou graças ao processamento de seu próprio abuso com o uso de EMDR.

Eu ainda estava me culpando pelo que aconteceu, assim como culpava a minha vítima, com se fosse ela que tivesse causado aquilo. Até aquela hora, refletindo sobre o que tinha acontecido comigo, eu pensava: "Você não é uma vítima, porque você buscou isso para si mesmo. Você estava pedindo por isso". Mas eu não fiz coisa nenhuma. Eu não fiz absolutamente nada. Eu não causei

*aquilo. E esse pensamento me ajudou a ter um **insight** sobre o meu próprio abuso e ver que não havia sido minha culpa. Assim como a minha vítima não era culpada. É duro. É duro olhar para aquilo. Mas, quanto mais você olha, mais claro fica o que fez e também mais clara fica a realidade. Quando você realmente vê isso de forma clara, você pode olhar para trás e falar: "Ah, por que diabos eu fiz isso?". Ou: "Como diabos eles puderam fazer aquilo comigo?" e também: "Como eu pude fazer aquilo com elas?". E isso dói. É um grande acerto de contas com a realidade. Eu não entendia nada sobre os meus sentimentos, sobre meus próprios sentimentos. Para ser capaz de entender os sentimentos delas, eu realmente tinha de conseguir entender os meus próprios. E, quando eu pude entender os meus, também entendi os delas.*

*Ser também capaz de sentir a mágoa da outra pessoa. É como aquele filme que vimos outro dia, **Acusados**. Eu fiquei danado, muito danado da vida, por que diabos eles estavam fazendo com que ela parecesse ser a agressora? Quero dizer, droga, ela era a vítima. E eles estavam fazendo com que ela parecesse a criminosa. Antes do tratamento, eu teria dito: "ela entrou naquele bar". Ela foi lá produzida daquele jeito. Ela teve o que merecia. Para começo de conversa, ela nem deveria ter ido lá". Mas mesmo se ela fosse uma prostituta e tivesse feito sexo com quatro pessoas, se eu chegasse nela e ela dissesse: "Não, eu não estou a fim" - violentá-la seria errado, porque ela não queria aquilo. Mas eu nunca tinha olhado as coisas dessa maneira antes.*

Louis é um outro agressor que foi preso por molestar sua enteada e também confessou vários estupros. Um tio, 20 anos mais velho do que ele, começou a abusar sexualmente dele quando Louis tinha aproximadamente dez anos de idade. Depois, por sua vez, ele iniciou seu comportamento abusivo com garotos de sua idade, que conheceu na escola. Aos 17 anos, Louis saiu de casa para alistar-se no serviço militar e foi mandado para o exterior. Enquanto estava lá, passou a fazer sexo com prostitutas, mulheres que conhecia em bares e homens dispostos a lhe pagar. Após retornar aos Estados Unidos, ele cometeu quatro estupros. Encontrava as mulheres em festas, levava-as para um lugar privado e forçava-as a fazer sexo.

Mais tarde, Louis casou-se e tornou-se um pai para os dois filhos pequenos de sua mulher. Quando sua enteada se aproximou da puberdade, mais ou menos na idade que ele próprio tinha quando havia sido molestado, Louis passou a envolvê-la em jogos sexuais. Ele ficava sexualmente excitado naquelas ocasiões - oscilando entre envergonhar-se de sua reação e ficar zangado por ela "exibir energia sexual". Finalmente, Louis começou a tocá-la sexualmente. Esse comportamento continuou e estendeu-se por vários meses. Enquanto isso, ele tornava-se cada vez mais verbalmente agressivo com a esposa e com as crianças. Sua mulher então insistiu para que todos eles participassem de sessões de aconselhamento familiar. No curso da

terapia, a enteada revelou o abuso sexual. Louis foi preso, acusado e condenado. Ele participou de um programa de tratamento e foi solto sob supervisão judicial. Apesar de iniciar uma terapia para agressores sexuais em liberdade e aparentar estar "motivado", ele fez pouco progresso. Ainda acreditava que as mulheres "exibiam energia sexual", o que fazia com que cometesse o delito. Naquele momento, Louis iniciou o programa de tratamento com EMDR.

No processamento de EMDR, Louis entrou em contato com a raiva e a vergonha que tinha experimentado quando fora molestado. Por acreditar que ninguém se preocupava com ele, por seu turno ele também não se preocupava realmente com ninguém. Percebeu, além disso, que e sua crença distorcida sobre "exibir energia sexual" vinha da ideia de que, de alguma forma, ele havia provocado o seu próprio abuso. Pelo contrário, ficou claro para ele que o tio o havia manipulado e usado. Isso, por sua vez, levou-o a ter um senso de responsabilidade, assim como um remorso verdadeiro pelo que havia feito a sua enteada. Os membros de seu grupo notaram como ele passou a responder de maneira diferente - demonstrava mais empatia e preocupação. Porém, ele ainda não estava pensando com clareza sobre os estupros que havia cometido.

Ao continuar o processamento de alvos, ele entrou em contato com seus sentimentos de raiva em relação à mãe. Ela não somente havia fechado os olhos para o abuso físico do pai bêbado em relação a ele, como também tinha feito com que ele se sentisse extremamente humilhado. Ele urinava na cama com frequência, até o começo da adolescência (no período em que estava sendo molestado) e isso era fonte de vergonha e conflito na família. Sua mãe ficava enraivecida com ele, esfregava os lençóis molhados no seu rosto e no corpo e mandava-o para a escola cheirando a urina, em um esforço para acabar com aquele hábito. Quando Louis foi capaz de processar com sucesso a raiva por sua mãe e pelas mulheres em geral, ele também assumiu total responsabilidade pelos estupros. É importante reconhecer aqui que as ações de Louis como molestador e como estuprador precisavam ser focalizadas separadamente, uma vez que eram ligadas a conjuntos distintos de memórias. Isso reforça a necessidade de se avaliar todos os caminhos para os diferentes tipos de abuso sexual. Apesar de as vítimas de Louis serem principalmente adultos, ele ficou inicialmente confuso pelas reações físicas que teve como molestador de crianças. Assim Louis descreve sua experiência com a terapia:

Depois que eu saí da prisão, queria entender por que eu tinha molestado a minha enteada e por que, enquanto adulto, sentia-me atraído por uma criança. Por que eu tinha uma ereção quando estava perto de uma criança?

O que eu percebi é que fiquei emocionalmente preso como criança, naquele processo de ser molestado. E também eu não tinha uma ligação de amor com meus pais. Havia oito crianças em casa. Todos eram estressados ao máximo com o papel de cada um para manter a engrenagem rodando. Eu não tinha um relacionamento exclusivo, cara a cara, com minha mãe ou com meu pai. Então, eu não podia chegar até os meus pais e contar que estava sendo molestado.

Quando fiz EMDR, eu passei da criança com aquelas experiências para o meu lado adulto. Percebi então como eu era capaz de molestar e estuprar com a raiva, vergonha e culpa associadas àquela criança. Toda minha vida adulta eu havia sido um adulto imaturo com as emoções de uma criança, deixando que elas me servissem, mas elas não me prestaram um bom serviço. Eu acabei machucando muitas pessoas, indo para a prisão e destruindo vidas.

Por Que Isso é Importante

O fundamental aqui é que as memórias não processadas fazem com que as pessoas reajam ao mundo por meio de emoções, crenças e sensações físicas existentes na ocasião da experiência traumática. Certas vezes elas são as únicas pessoas machucadas - ao sentir perigo sem razão e apresentando fobias, depressão e ataques de pânico. Em outras ocasiões, as pessoas prejudicam outras. Algumas agem movidas pela dor, raiva, ódio ou desespero e não se importam com quem é machucado. Outras nem entendem que estão fazendo algo de errado. Isso não é uma desculpa. Mas trata-se de uma explicação. Como membros de uma sociedade, somos todos parte de um todo. Os "piores" entre nós podem machucar os mais vulneráveis. Temos que realizar muito mais pesquisas e investigações, em todas essas áreas, ao longo da próxima década. Mas, por enquanto, evidências apontam para a possibilidade de não ser necessário desistir de ninguém. E isso é uma boa notícia para todos nós.

Eu não estou afirmando que todas as pessoas podem ser tratadas com sucesso neste momento. Há muito mais para se aprender. Por exemplo, algumas pesquisas indicam que lesões celebrais traumáticas também podem contribuir para um comportamento criminoso. Mas o comportamento destrutivo de milhões de pessoas que cometem crimes é provocado por problemas de saúde mental tratáveis. As razões podem vir da infância ou o trauma pode esgueirar-se nessas pessoas já adultas e balançar suas bases. Sam é um bom exemplo disso. Trata-se de um prisioneiro que procurou o psicólogo do presídio por ter ataques de pânico sempre que algum acidente de avião era mostrado na televisão. Sam havia sido um policial - e dos bons. Segundo suas palavras, ele "trabalhava para as pessoas". Era sua tarefa "manter as pessoas a salvo, não importa o que custasse". Todo dia ele, muito além

do solicitado, fazia patrulhas a pé, chegava cedo ao trabalho e saía tarde. Foi aí que presenciou, em sua cidade, um acidente horrendo de avião que se estendeu por uma área de doze quarteirões.

Como contou ao terapeuta da prisão, ele havia estado em milhares de cenas trágicas como acidentes e visto muitos, muitos mesmo, ferimentos e mortes. Mas aquele acidente o balançou - tão fortemente que ele acabou largando o emprego e, ao longo de um período de dez anos, foi afundando-se cada vez mais, até começar a cometer crimes que o levaram ao sistema de prisão federal. O que mais o assombrava era, segundo ele, a "paisagem que parecia de uma área após uma catástrofe nuclear, onde antes existiam bairros residenciais". Além disso, havia as coisas que estavam juntas mas "não deveriam estar": uma cadeira, uma mesa ainda com um copo com água dentro e um torso. Uma boneca, um braço com um anel ainda no dedo e um livro infantil. Coisas dessa natureza.

O alvo da terapia de EMDR foi a "paisagem nuclear". A primeira série de movimentos oculares resultou em uma mudança espontânea do quadro para outro, onde ainda havia tristeza, mas já "limpo", com o entulho já removido. A série seguinte impressionou Sam, pois viu gramados verdes e árvores crescendo no lugar. O terapeuta disse "Fique com isso". Na outra, ele viu que um parque havia sido construído na área. Ele tinha se esquecido de que aquilo havia acontecido. Então, ele pôde lembrar-se calmamente do incidente com o foco maior no fato de que não poderia ter feito nada para evitá-lo e também de que a área foi recuperada e reconstruída para a alegria dos futuros residentes.

Sam não teve mais ataques de pânico ao ver acidentes de avião na televisão. Ele também retornou para o seu verdadeiro eu, devotado e "decente". Assim como acontece com os outros neste capítulo, sejam os delitos deles graves ou pequenos, é importante lembrar que eles fazem parte de nossa sociedade. Como foi dito em uma entrevista publicada na revista médica *Lancet*: "A doença mental que aumenta o risco de crime e repetição do delito é comum em prisioneiros". Tratar dos problemas de saúde mental, que orientam o comportamento de tantos deles, protege e fortalece todos nós. Por meio do tratamento de agressores, nós os ajudamos a se conectarem a um sentido compartilhado de humanidade. E podemos contribuir para impedir a produção de mais vítimas.

Sam disse que a memória de um lugar bom, surgindo de um outro totalmente destruído, serviu com metáfora valiosa para a própria vida. E eu diria que ela serve também como uma boa metáfora para todos nós.

Não importa se a paisagem horrenda, aparentando uma catástrofe nuclear, surge para um adulto ou uma criança - ela pode ser transformada. Nós temos apenas de fazer o melhor possível para conseguir a ajuda necessária para modificá-la. E é preciso tentar fazer com que o auxílio chegue até aqueles que, por falta de conhecimento, não conseguem solicitá-lo.

Capítulo 10: De Estressado Para Mais do Que Bem

Independentemente de estarmos lidando com nossa família, com o trabalho ou com outras facetas de nossas vidas - aquelas coisas que ainda não examinamos ou processamos podem levar a caminhos que nos trazem dor e infelicidade. O enfrentamento direto dessas coisas libera-nos para aproveitarmos a vida. Alguns de nós estão lidando com problemas já existentes há muito tempo, enquanto que outros estão enfrentando novas situações que são difíceis de compreender. Alguns dos problemas estão confinados a um núcleo de nossas vidas e outros parecem ser bem abrangentes, contaminando todas as áreas de nossa existência. Em ambos os casos, você pode beneficiar-se ao usar as técnicas aprendidas neste livro para compreender a razão pela qual você sente ou responde ao mundo de determinada maneira - e o que fazer a respeito.

No presente capítulo, continuaremos a nossa exploração da paisagem oculta do inconsciente e aprenderemos novas maneiras de lidarmos com o estresse em nossas vidas. Eu também explicarei algumas técnicas que artistas, executivos e atletas usam para maximizar o desempenho. Basicamente, viver não consiste apenas em se livrar do sofrimento. É também expandir os nossos potenciais, enquanto abraçamos sentimentos de felicidade e bem-estar.

Estressados ao Máximo

Nós não temos nenhum controle sobre nossa genética, nossa infância ou, em geral, sobre as situações atuais que surgem em nossas vidas. Entretanto, mesmo quando existe uma predisposição genética, na maioria dos casos os problemas aparecem ou intensificam-se por causa da interação entre essa predisposição e as experiências de vida no presente. As pesquisas mostraram que, de fato, o estresse pode afetar negativamente os nossos genes e até mesmo danificá-los ao ponto de encurtar o nosso período de vida. Ele também pode produzir um efeito negativo no próprio cérebro. A melhor atitude a tomar é encontrar meios de reduzir o estresse em nossas vidas. Em muitos casos, a razão principal são as memórias não processadas que estão nos dominando. No entanto, a boa notícia é que não são necessários anos para se identificar e corrigir os problemas. Podemos aprender a controlar melhor nossos corpos e mentes. Isso talvez nos permita mudar a maneira como vemos o mundo e também ajude a modificar as reações que podem nos conduzir a situações causadoras ou intensificadoras o estresse.

Portanto, vamos dar uma olhada no estresse de duas áreas com as quais todos lidamos. O primeiro exemplo focaliza a família; o segundo o ambiente de trabalho. Depois iremos tratar de técnicas adicionais de autocontrole, inclusive algumas recomendadas por treinadores de atletas e de executivos. As seguintes histórias são exemplos de como nós criamos o mundo no qual vivemos.

Por Que Você Me Deixou?

Em um capítulo anterior, mencionei que pesquisas indicam que muitos portadores de transtorno de pânico foram separados dos pais por algum tempo quando jovens. Porém, os sintomas não são sempre óbvios. Várias pessoas que sofrem de ataque de pânico não apresentam esse histórico. E muitas que foram separadas dos pais não desenvolvem esse transtorno. Em vez disso, elas podem apresentar outros sintomas que envenenam sua existência. A vida de Frank é um exemplo de como é possível que aquelas memórias não processadas da infância sirvam de base para uma vasta gama de problemas. No caso de Frank, isso levou a escolhas ruins, relacionamentos mal sucedidos quando adulto e uma série de outros sintomas. Observe quantos sintomas Frank apresenta e veja se algum deles tem relação com você.

Aos 55 anos de idade, Frank precisava lidar com o estresse devastador pelo qual passava em sua vida. Ele chegou à terapia queixando-se de dores de cabeça frequentes, esquecimento, ataques de raiva, irritabilidade, tristeza e sensação de insegurança. Estava bem acima do peso ideal e sofria de diabetes, pressão alta e dor crônica nas costas.

"Eu sou uma pessoa bem controladora", Frank admitiu ao seu terapeuta. "Eu tenho que ter o controle o tempo todo". Ele não confiava muito nas pessoas, incluindo a esposa atual, Arlene, e seus filhos. Temia o fracasso, especialmente em suas relações pessoais. Ele também tinha medo de intimidade e baixa autoestima. Impelido por seu mundo interior, Frank tentava sempre agradar as pessoas. Ele sentia que, se mantivesse todos a sua volta felizes, ninguém o abandonaria. Na verdade, todos fizeram isso. Todos, suas duas ex-mulheres e seus filhos, acabaram por deixá-lo de uma forma ou de outra. Ele havia sido casado três vezes e desejava desesperadamente que o casamento atual desse certo. Receava que Arlene se divorciaria dele, caso realmente viesse a saber quem ele era, então tentava guardar, para si mesmo, a maior parte de suas emoções e opiniões.

Infelizmente, quando tentamos abafar nossas emoções, elas com frequência escapam pelas laterais. Ele relatou um ciclo repetitivo de explosões de raiva direcionadas à Arlene, assim como havia agido com relação às ex-esposas. Um conflito em potencial começava, a tensão aumentava, normalmente era ele que "estourava" e depois surgia a mágoa e mais raiva ainda. Então Frank e Arlene distanciavam-se um do outro por

algum tempo. Dias depois, eles reconciliavam-se, sem ter resolvido o problema original. Frank comentou: "Eu não sou capaz de conversar sobre as questões que surgem entre a gente. Simplesmente estouro de raiva quando a mágoa se torna grande demais para aguentar. A única coisa em que consigo pensar é me proteger".

A investigação das cognições negativas de Frank revelou: "eu não tenho valor", "eu não sou digno de ser amado" e "eu sou insignificante". Com o intuito de melhor identificar a fonte de seus medos e da insegurança, a técnica de Flutuar ao Passado foi utilizada, e trouxe uma Memória-Chave proveniente da primeira infância. Quando Frank tinha cinco anos de idade, sem nenhuma explicação, sua mãe largou-o na casa dos avós. Ele não tinha nenhuma ideia do motivo pelo qual estava lá ou de quanto tempo iria ficar. A imagem que ele tinha era a de sua mãe indo embora, enquanto ele ficou na entrada da casa com a avó. A mãe não se virou para dizer "adeus" quando saiu andando e nem ao menos olhou para ele quando partiu de carro. Ele somente voltou a vê-la cinco meses mais tarde. Sua cognição negativa era: "eu sou inútil", acompanhada dos sentimentos de raiva, vergonha e impotência em suas "entranhas".

Antes de Frank ser largado na casa de seus avós, seus pais haviam se divorciado e o pai deixara a casa em que moravam. Foi insuportável para Frank ver a mãe indo embora também. Pela primeira vez, ao reprocessar a memória da mãe deixando-o na entrada da casa, ele espontaneamente viu a aflição e medo em seu rosto, quando ela fechou a porta do carro e saiu dirigindo. Ele foi tomado por uma onda de compreensão e alívio ao perceber, finalmente, que o ato de deixá-lo para trás naquele dia não era algo que sua mãe queria ter feito. Era uma coisa que ela sentia ter de fazer. A capacidade de Frank aceitar outras pessoas e confiar nelas, incluindo a si mesmo, mudou dramaticamente depois daquela sessão. Ele tornou-se muito mais confortável consigo mesmo e não precisava mais agradar constantemente as pessoas que amava. Com mais processamento, as frequentes dores de cabeça, esquecimento, ataques de raiva, irritabilidade, tristeza e sensação de insegurança desapareceram. Agora ele podia concentrar-se em perder o peso que havia acumulado por usar a comida como uma forma de consolo. Isso poderia ajudar a manter sob controle sua diabetes, pressão alta e dor lombar crônica.

A mãe de Frank, porém, o havia deixado em boas mãos. Os avós amavam-no. A mãe ficou afastada por alguns meses e depois regressou. Ele também talvez tivesse ficado tão magoado quando ela partiu que não se lembrava de ela ter explicado o motivo de estar partindo ou quando voltaria. Ele talvez tivesse se esquecido daquilo, assim como se esquecera da expressão do rosto da mãe. Mas o que realmente acontece não é tão importante como a maneira com que somos afetados pelo que aconteceu naquele momento. Aos cinco anos de idade, a situação fez com que Frank

ficasse tão magoado que a experiência foi trancada em seu cérebro na forma de uma memória não processada. Aquela memória comportava as emoções e sensações físicas que estava sentindo quando a mãe se foi. Como as crianças costumam fazer na maioria dos casos, ele culpou-se pelo fato de a mãe ter ido embora. Acreditou que a culpa era dele. Assim, ele lidou com o seu medo de um novo abandono tentando agradar os avós para que eles não o deixassem também. O fato de eles não terem ido embora reforçou a crença de que era necessário agradar as pessoas para elas não partirem. Quando a mãe voltou, ele manteve o mesmo padrão de comportamento. E, como ela não o abandonou de novo, em sua mente, isso significou que ele estava certo. Assim ficou estabelecida a base para o resto de seus relacionamentos.

Basicamente, as antigas emoções que ele verbalizava em suas cognições negativas tinham sido armazenadas em memórias não processadas de infância. Elas determinaram seu comportamento nos 50 anos posteriores e contribuíram para dois divórcios. Sua insegurança e raiva espantavam a todos. Depois, cada relacionamento malsucedido ficava, por sua vez, armazenado em suas redes de memórias e reforçava os sentimentos negativos em relação a si mesmo que eram: não ser digno de ser amado, não ter valor e ser insignificante. Muitos de seus sintomas já existiam havia anos. Foram somente o aumento das dores de cabeça e o medo desesperado de perder a esposa atual que finalmente o levaram a procurar terapia. Logo, para cada um de nós, fica a pergunta: O quão infelizes precisamos nos sentir antes de fazermos algo a respeito? Se reconhecermos que o problema está dentro de nós, então entenderemos também que temos que carregar a nós mesmo aonde quer formos. Esse é o primeiro passo para se fazer alguma coisa a respeito do problema.

Eu Estou me Enlouquecendo

O processamento não acontece somente no consultório do terapeuta. Muitas coisas podem surgir em nossa vida diária, fazendo com que nossas emoções mudem e os *insights* ocorram. Tadeu, por exemplo, precisou de terapia para processar um conjunto de memórias, ao passo que uma outra série de conexões veio por meio da leitura de um livro. Ele escreveu-me que, quando decidiu experimentar fazer terapia:

Eu não era nada mais do que um computador ambulante naquela época, com pouca emoção restando em meu corpo. Minhas horas de trabalho eram longas, estendendo-se até 18 por dia. Eu mantinha três empregos muito bem remunerados e recebia 11 mil dólares por mês. Estava rangendo os dentes e foi a dor vinda desse problema que me levou, primeiro ao meu dentista, depois a uma clínica especializada em ATM (disfunção da articulação temporomandibular) e finalmente a um psicólogo.

Tadeu havia tido uma infância horrorosa, com um pai extremamente abusivo. Ele e seu terapeuta focalizaram uma das Memórias-Chave principais e, como Tadeu descreveu:

Eu achei incrível que, depois de cada série, ficava cada vez mais fácil ver que eu não tinha culpa. Eu era apenas uma criança totalmente inocente. Sei que meu terapeuta havia tentado muitas vezes incutir esse pensamento em mim por meio de outras formas de terapia, mas isso simplesmente não tinha dado certo. Dessa vez, com a terapia de EMDR, a tentativa funcionou e senti uma sensação grande de alívio por tudo ter finalmente acabado.

Havia ainda muito trabalho de EMDR para ser feito. Contudo, uma parte da vida de Tadeu mudou apenas por ele ter entendido como contribuía para o seu próprio desconforto. Ao ler um capítulo de um dos meus primeiros livros, ele percebeu que reagia em relação a alguém que considerava incompetente no trabalho da mesma forma que a pessoa na história, cujo nome era "Jonas". Aquela pessoa havia voluntariamente oferecido sua experiência para o livro, com o objetivo de ajudar outras. Agora Tadeu quer fazer o mesmo. Como ele relata:

Eu descobri um outro problema resolvido. Era a história de Jonas. Como gerente distrital, eu tinha dificuldades com alguns funcionários e aquilo acertou em cheio o alvo. Eu consegui me identificar completamente com Jonas e até achei que as palavras eram exatamente as que eu usaria...o desespero e a falta de controle.

À medida que eu ia lendo devagar, podia ver a imagem de minha assistente Patrícia, irritando-me com a sua lentidão, e o meu desespero para conseguir que ela se movesse com mais rapidez. E então a ficha caiu. Enquanto eu lia e pensava em Patrícia, percebi como a situação ia ganhando a forma que realmente tinha. Aqui, Patrícia estava executando uma tarefa e eu a mandava fazer várias outras coisas diferentes. Não era de se espantar que a pobre mulher parecesse ser tão devagar. Eu exigia dela que tentasse executar cinco tarefas importantes distintas, em quatro lugares diferentes, tudo ao mesmo tempo. Eu a fazia correr em círculos e a mandava para várias direções distintas. Comecei a rir muito daquela situação ridícula, pois entendi exatamente o que eu estava fazendo com ela.

Meu estresse estava sendo causado por minhas próprias ações como gerente. Eu estava exigindo que ela tentasse fazer coisas demais ao mesmo tempo. Descobri uma falha em mim mesmo que posso agora corrigir. Posso ser capaz de resolver quatro ou cinco coisas ao mesmo tempo, porque só tenho que trabalhar sentado diante de minha mesa. Mas eu não posso pedir a uma pessoa que esteja em quatro ou cinco lugares diferentes e atinja aquele nível de desempenho esperado por mim. Eu não me sinto mais desesperado, nem sem o controle da situação. Acho que eu era o instigador nessa questão. Patrícia trabalha muito melhor agora que eu

não a pressiono mais e não tento parti-la em vários pedaços, para que ela seja mais rápida e possa estar em diversos lugares. Eu conseguia ver o incidente original que explicava por que isso estava acontecendo - era meu pai exigindo o impossível. Eu sentia-me tão sem o controle naquela época como sentia-me em relação à Patrícia. Isso agora também está resolvido.

Assim como Tadeu, muitos de nós podemos ser conduzidos por expectativas irrealistas de como o mundo "deveria ser". Muitas vezes, não percebemos que nossos padrões e nossa visão de mundo não são ditados pela "razão" e sim pelas memórias não processadas que comandam nosso espetáculo. Até que ponto nossas próprias questões relacionadas ao controle contribuem para o aumento do estresse em nossas vidas? Quando ficamos detidos no trânsito na autoestrada, atrás de um motorista vagaroso, o que fazemos? Se nós não podemos achar uma maneira de nos desviarmos dele, será que xingamos e ficamos furiosos, ou somos capazes de deixar para lá e apreciar os nossos pensamentos ou o som do rádio? Se não conseguimos deixar nossa frustração ir embora, a que propósito ela nos serve? Sim, as pessoas deveriam saber dirigir e manter o limite de velocidade ou então parar o carro. Nós podemos até esperar que elas façam isso, mas, e se os motoristas lentos estiverem preocupados com a morte de uma pessoa amada? E se eles forem idosos e não perceberam que estão em declínio cognitivo? E se eles forem pessoas centradas em si mesmas, que pensam que o mundo gira em torno delas? Não temos ideia de qual seria a razão. Mas com certeza o nosso estresse não está nos ajudando em nada. Portanto, podemos reservar um momento para observar como estamos nos sentindo? Podemos então nos comprometer com nosso próprio bem-estar e praticar as técnicas de autocontrole para nos livrarmos dos sentimentos negativos? Caso contrário, talvez valesse a pena usar a técnica de Flutuar ao Passado quando chegarmos em casa para descobrirmos o motivo.

Mantendo-se Consciente

A experiência de Tadeu é um exemplo do motivo pelo qual incluí tantas histórias neste livro. Eu espero que você tenha se identificado ou reconhecido alguma pessoa amada ou alguém com quem você está tendo problemas; e que agora possa entender melhor o que move as pessoas. Segundo Tadeu, ele estava planejando continuar trabalhando com o seu terapeuta para "usar o processamento de EMDR como a arma principal contra o passado". Entretanto, o uso das técnicas da terapia de EMDR aqui aprendidas pode fazer com que você entenda o que se esconde por detrás de suas próprias questões e algumas vezes isso pode ser suficiente.

Citemos, por exemplo, Joseane. Ela amava intensamente o marido. Então, por que havia sido tão grosseira, durante a semana passada, toda vez que ele lhe perguntava alguma coisa? Joseane e Alan estavam juntos

havia quase 30 anos. Ambos sentiam ter encontrado a alma gêmea e mostravam abertamente o afeto um pelo outro sempre que estavam juntos. Mas, embora se sentisse segura e satisfeita nos braços de Alan, Joseane percebia que algo estranho estava acontecendo. Sem qualquer motivo aparente, toda vez que Alan lhe fazia uma pergunta ela gritava com ele impacientemente. O seu sentimento era que tudo dependia dela e, com o passar dos dias, Joseane sentia-se cada vez mais sobrecarregada. Ela começou a perceber que, sempre que aquilo acontecia, pensava: "Tudo eu!". Aquilo não fazia sentido, uma vez que Alan participava igualmente das tarefas domésticas e de outras necessidades diárias na vida de um casal. Porém, por mais que ela respirasse fundo para se acalmar depois de cada incidente e, em geral, se desculpasse, aquilo continuava a acontecer.

No Capítulo 1, relembrei o verso infantil: *Rosas são vermelhas, Violetas são azuis*. Joseane estava em uma fase "Rosas são vermelhas". Rosas são vermelhas - algumas vezes. Então, já que tinha prazos importantes a cumprir no trabalho, Joseane desabafava seus sentimentos em casa, na esperança de que eles desaparecessem. Talvez as perguntas de Alan estivessem colocando pressão demais sobre ela naquele momento e seus sentimentos fossem justificados. Talvez. Mas então ela percebeu que, na esteira daquela impaciência, vinha à tona um sentimento desesperador de que o seu casamento estava acabado. Definitivamente, o sentimento de que "é o fim" estava surgindo - mas aquilo era uma maluquice. Ao dar-se conta de que "Violetas NUNCA são azuis", ela finalmente decidiu tomar alguma atitude.

Usando a técnica de Flutuar ao Passado com as frases: "Eu não aguento mais. Tudo eu!" e concentrando-se na sensação de estar sobrecarregada, ela deixou a sua mente voltar ao passado. O que apareceu fez com que ela batesse com a mão na cabeça exclamando: "Mas é claro!". Ela retornou exatamente para o ano anterior, quando havia voltado para a sua casa de infância e estava empacotando a mudança de sua mãe, que ia para um asilo de idosos. A mãe estava no hospital e Joseane, interrompendo uma viagem de negócios, havia corrido para junto dela, a fim de tomar conta de tudo. Todos os pertences precisavam estar na casa de idosos antes que Joseane fosse embora. Seu irmão morava próximo, mas ficou doente e não podia ajudá-la. Ela foi obrigada a fazer tudo sozinha. Foi uma semana horrível, na qual lutou contra o cansaço para terminar a tarefa.

Quando Joseane foi embora, tudo estava pronto, mas ela ficou emocional e fisicamente exausta. Fazia exatamente um ano que ela havia viajado de volta para casa e para Alan. Sua mãe nunca chegou a deixar o hospital e morreu algumas semanas depois. Era então compreensível o sentimento de Joseane de que: "tudo eu" e "é o fim". Aquela era como uma

"data de aniversário", que pode trazer sentimentos negativos ligados a um acontecimento perturbador - às vezes anos após anos.

A percepção de Joseane da origem de sua perturbação foi suficiente para permitir que tudo se encaixasse no lugar. As conexões do processamento foram feitas imediatamente. Os sentimentos negativos desapareceram e ela parou de ser intolerante com Alan. A vida voltou ao normal. Às vezes basta algo assim para as coisas serem resolvidas.

Exploração Pessoal

Uma medida que Joseane tinha adotado era a prática diária de técnicas de autoajuda, de forma que sua experiência geral de vida transcorresse tranquila e feliz. Por isso ela foi capaz de notar algo de errado e tomar uma atitude a respeito. Isso nos remete novamente às escolhas que você pode fazer em sua vida quotidiana.

Cuidados Diários Consigo Mesmo

Todos nós devemos cuidar da saúde mental da mesma maneira que tratamos de nossa saúde física. Muitos estudos demonstraram os benefícios físicos do exercício diário (como 30 minutos de caminhada cinco dias por semana), de certos tipos de alimento (como peixes do mar ou nozes) ou de suplementos alimentares que contêm gordura ômega 3. Essas estratégias também são úteis para a manutenção de nossa saúde mental, já que pesquisas revelaram como elas podem ajudar a aliviar a depressão. Na verdade, em alguns estudos, 30 minutos de atividade física, de três a cinco vezes por semana e durante o período de três meses, provocaram o mesmo efeito do que antidepressivos convencionais. A inclusão de exercícios bem como de ômega 3, em sua rotina diária, pode ajudar a tornar a sua vida mais fácil, assim como a alimentação certa e a quantidade de sono suficiente são importantes para a saúde física e mental.

As técnicas de autocontrole que você já aprendeu também devem ser praticadas diariamente. Elas irão ajudá-lo a manter-se em sintonia com suas próprias reações. Dessa forma, você será capaz de reconhecer mais rapidamente estados emocionais negativos e decidir se eles estão escapando do seu controle - e o que você precisa fazer a respeito. O uso das técnicas de Lugar Seguro/Tranquilo, Espiral, Lata de Tinta, Personagem de Desenho Animado, Mangueira D'Água, Abraço de Borboleta (ou toques alternados sobre as pernas), Feixe de Luz e Respiração pode ajudá-lo a livrar-se das perturbações quando elas aparecerem. Mas é importante praticar e reforçar o seu arsenal de Lugar Seguro/Tranquilo diariamente, a fim de certificar-se de que ele continua forte o suficientemente para auxiliá-lo. Eu inclui uma Tabela Pessoal no Apêndice A, que você pode copiar e usar como uma lista de tarefas para manter-se nos trilhos.

Também é importante manter práticas diárias de autoconsciência, para ter certeza de que as coisas não mudaram com o tempo. Para tanto, continuar a manter o relatório DICES pode ser útil. Possivelmente, algumas das qualidades pessoais que permitiram que você alcançasse sucesso em certa etapa de sua vida trarão problemas mais tarde. Por exemplo, o que você conseguia realizar facilmente aos 20, 30 ou 40 anos de idade pode exigir energia e esforço físico excessivos quando você tem 60 ou 70 anos. É fundamental reconhecer as limitações físicas sem sentir-se fracassado. Todavia, se você está sendo comandado por memórias não processadas, então os processos inconscientes, que anteriormente o ajudaram a ser bem-sucedido, podem agora ser um fator debilitante. Não o ajuda em nada se memórias que guardam estados emocionais como: "nunca é suficiente; eu tenho que obter sucesso de qualquer maneira" o impulsionam além da capacidade do seu próprio corpo. Se olhar cuidadosamente, você poderá descobrir que a "necessidade de ser bem-sucedido" não processada está exigindo muito de você a qualquer momento da vida. Por que passar por uma confusão interior para conseguir ser bem-sucedido? Por que não processar os medos para obter sucesso em paz? Outras vezes, situações novas são capazes de perturbar-nos de uma forma que não parece fazer sentido algum. É por isso que a "Fase de Reavaliação" constitui parte da terapia de EMDR, pois visa verificar como uma pessoa com memórias recentemente processadas está ajustando-se à nova situação.

Por exemplo, Lúcia tinha as seguintes crenças negativas, provindas da infância: "eu não tenho valor" e "eu não consigo ser bem-sucedida". No trabalho, ela apresentava um desempenho suficiente para ir levando, mas nunca era capaz de lidar com confrontos ou se impor. Ela e seu terapeuta processaram as memórias negativas associadas àquelas cognições e depois disso Lúcia foi capaz de pensar que: "eu sou boa" e "eu tenho escolhas". Seu comportamento no trabalho mudou, seu desempenho melhorou e ela ficou mais assertiva.

À medida que seu trabalho melhorava, as pessoas começaram a perceber que Lúcia havia mudado e reagiram de acordo com a mudança. Por algum tempo, isso fez com que ela se sentisse bem. Porém, de repente, ela ficou bastante perturbada por ter sido promovida. Por quê? Esse novo reconhecimento positivo no trabalho disparou uma memória não processada que continha as emoções e a crença negativa de que: "se eu for bem-sucedida demais, serei abandonada". Aqueles medos associados à cognição nunca haviam sido disparados anteriormente, pois antes disso Lúcia não havia tido um desempenho tão bom. Os medos vinham de uma experiência na escola, na qual alguns de seus colegas zombaram dela por ter tirado a nota mais alta da classe em um trabalho sobre um livro. Uma vez processadas as memórias subjacentes, ela conseguiu aproveitar integralmente

seu novo sucesso. A propósito, muitas mulheres podem ser perseguidas pela crença negativa mencionada acima, devido a advertências inadequadas recebidas na infância, tais como: "Não seja tão esperta, senão os garotos não irão gostar de você". Isso é comum em muitas culturas.

É importante ressaltar que o estresse pode vir sob muitas formas diferentes e de lugares insuspeitos. Qualquer um de nós pode ser afetado negativamente pelo estresse - prazos demais a serem cumpridos e pouco sono possivelmente contribuem para a situação. Às vezes, surgem crises repentinas e ficamos temporariamente sobrecarregados. Nossa tarefa é permanecer atentos para a maneira pela qual devemos responder à vida dia após dia e usar os recursos que temos, de forma a evitar que sejamos tomados por estados emocionais negativos ou que briguemos conosco porque "isso não faz sentido". Na verdade, isso faz sentido sim. Trata-se simplesmente de causa e efeito. Algumas vezes há tantas coisas acontecendo, o que nos deixa arrasados. Nesse caso, temos de fazer outras escolhas em relação ao nosso tempo e energia. Entretanto, quando não fazemos boas escolhas, temos que nos lembrar de investigar o nosso interior. O que estaria nos impedindo de incluir a nós mesmos em nossa lista de prioridades? Seria esse um padrão repetitivo? Em caso afirmativo, alguma coisa precisa mudar. Ao determinar o que necessita de mudança, tenha em mente que as percepções do mundo interior estão conectadas e matizadas pelas nossas redes de memórias. A maneira como nos sentimos a cada momento é influenciada pelo conteúdo dessas redes de memórias. Seja a visão que temos das pessoas à nossa volta ou de nós mesmos, memórias não processadas podem estar comandando o espetáculo.

Desenvolvendo uma Linha do Tempo

Se estiver mantendo seu relatório DICES e usando a técnica de Flutuar ao Passado juntamente com a lista de *Cognições Negativas*, então você deve ter um registro útil dos acontecimentos recentes que dispararam suas reações negativas e também das memórias correspondentes. Caso queira, você pode agora começar a colocar as memórias em uma sequência cronológica - *Linha do Tempo*, visando a entender melhor a sua própria história. Inicie um novo item em seu caderno e escreva as memórias de acordo com a sua idade quando os acontecimentos ocorreram. Comece com a idade, depois acrescente a memória, a cognição negativa e o grau SUD. Deixe algumas linhas entre cada registro. Isso permitirá que você acrescente qualquer outra Memória-Chave nova se mais revelações vierem à tona com o tempo, à medida que encontrar novas experiências desafiadoras ou investigar outras áreas de sua vida. Após acrescentar a memória na *Linha do Tempo*, marque-a com um asterisco toda vez que for afetado por ela. Isso mostrará a você quais memórias são realmente "quentes" e estão, em geral, comandando seu espetáculo.

Detenha-se um minuto para verificar mentalmente todas as suas memórias em ordem cronológica. Na *Linha do Tempo*, anote quaisquer outras memórias que considere serem as mais perturbadoras de sua infância. Por exemplo, haveria alguma memória particularmente perturbadora de seus pais brigando ou de você sentindo-se ignorado, humilhado ou rejeitado? Concentre-se nela. Se você conseguir sentir qualquer desconforto em seu corpo, associado à memória, em um grau maior do que 4 na escala SUD, então anote o número na *Linha do Tempo*. Não se esqueça de usar uma das técnicas de autocontrole para livrar-se de quaisquer emoções negativas, depois de cada uma das memórias.

Agora você pode dar uma olhada em sua *Linha do Tempo* para ter uma noção de quando desenvolveu diferentes reações, sentimentos e crenças negativas. Ela também pode dar-lhe uma boa ideia de quais pessoas em sua vida contribuíram para esses problemas. Você talvez queira verificar se qualquer pessoa com quem você tenha dificuldades no momento se assemelha a elas. Isso deve ajudá-lo a reconhecer quando suas reações estão sendo disparadas no presente e também lembrá-lo de fazer alguma coisa a respeito. A prática diária de cuidados consigo mesmo para monitorar e fortalecer suas fontes de autocontrole pode aumentar o foco no bem-estar. Isso traz implicações importantes, não apenas para você mas também para aqueles a sua volta.

Os Quatro Elementos Para a Redução do Estresse

Para todos nós, o estresse pode acumular-se ao longo do dia. Somos capazes de lidar melhor com a vida quando assumimos o controle de nossas próprias reações, em vez de sermos controlados por reações exacerbadas. Portanto, precisamos monitorar-nos e dar alguns passos de volta ao estado neutro quando o estresse ameaça nos sobrecarregar. Já que muitos de nós sentimos que ir ao trabalho é como entrar em uma zona de guerra, estou incluindo uma sequência de técnicas inicialmente desenvolvidas para residentes de áreas afetadas por ataques terroristas. Devido ao constante nível de ansiedade e de alerta decorrente das circunstâncias perigosas, as sugestões contêm lembretes para o dia a dia. Acredito que os procedimentos são importantes para todos que convivem com altos níveis de estresse.

Apesar de sabermos ser importante o automonitoramento e o uso de técnicas quando nos encontramos em estado de perturbação, às vezes, quando nos vemos aprisionados em uma rotina estressante, acabamos por nos esquecermos disso. Se você tende a ficar absorvido pelas demandas diárias, poderá, como lembrete, usar uma pulseira colorida, colar um adesivo no seu telefone celular, no computador ou em uma foto na sua escrivaninha. Sempre que você notar o lembrete, observe como está se sentindo. Caso tenha algum incômodo, atribua a isso um grau SUD.

Depois use as quatro técnicas abaixo até que ele diminua. A sequência dos Quatro Elementos: Terra - Ar - Água e Fogo foi projetada para acompanhar seu corpo dos pés à cabeça.

- **Terra:** *Aterramento, Segurança no Presente-Realidade*: Dedique um minuto ou dois para "aterrissar" e para estar aqui e agora. Ponha os dois pés no chão e sinta a cadeira apoiando-o. Olhe a sua volta e observe três novas coisas. O que você vê? O que você ouve?
- **Ar**: *Respirando para o Centramento:* Você pode usar seu exercício de respiração favorito aqui. Outra opção é inspirar pelo nariz enquanto conta quatro segundos, depois prenda a respiração por dois e, por último, expire contando novamente até quatro. Faça cerca de doze respirações profundas como essa.
- **Água**: *Calmo e Controlado* para acionar a *Resposta de Relaxamento*: Verifique se você tem saliva em sua boca. Produza mais saliva movendo a língua pela boca e imaginando o sabor um limão (ou chocolate). Quando você está ansioso ou estressado, sua boca geralmente resseca porque parte da resposta emergencial do estresse envolvida no "lutar ou correr" bloqueia o sistema digestivo. Parece, então, que quando você começa a produzir saliva, aciona tanto o sistema digestivo novamente quanto a resposta de relaxamento a ele associada. Essa é uma teoria utilizada para explicar porque se oferece chá, água ou chicletes para pessoas que acabam de passar por uma experiência difícil. Se você tiver dificuldade em produzir saliva, então estimule o processo com um gole d'água.
- **Fogo**: *Ilumine* o caminho de sua *Imaginação*: Traga à mente a imagem de seu *Lugar Seguro* ou uma outra imagem positiva. Em que parte de seu corpo você sente isso?

Enquanto você combina todos os quatro elementos, lembre-se de que pode continuar a sentir a Segurança Agora de seus pés no Chão; sentir-se Centrado enquanto você Inspira e Expira; sentir-se Calmo e em Controle enquanto você produz mais e mais Saliva; e pode deixar o Fogo Iluminar o caminho de sua Imaginação para trazer uma Imagem de um lugar onde você se sente Seguro ou uma memória na qual se sentiu bem consigo mesmo.

Lembre-se de que agora você conhece uma vasta gama de técnicas que ajudam a controlar seus níveis de estresse. Muitos de nós ficamos tão focados em nossas tarefas no trabalho e em casa, que não percebemos o quanto estamos nos exaurindo. Nós pensamos: "Ah..Eu cuido de mim mais tarde". Mas o efeito do estresse nos sistemas imunológico, cardíaco e outros de nosso corpo é imediato e cumulativo. Seria bom ter em mente

que a vida é uma maratona e não uma corrida de curta distância. E, em sendo assim, pode ser uma corrida bastante divertida.

Do Fracasso Para a Liberdade

Muitos tipos de experiências não processadas podem prejudicar nosso sucesso na vida. Enquanto que algumas delas têm origem na infância, problemas podem vir de uma grande variedade de tipos de educação que, na superfície, talvez aparentem ser bem diferentes. Por exemplo, Darlene buscou tratamento devido a uma ansiedade insuportável em relação ao seu chefe. Toda vez que era o foco da atenção dele (seja positiva ou negativamente), ela enrubescia-se de maneira incontrolável, a pele ficava húmida e o coração acelerava. Essas reações estavam interferindo de forma negativa em seu desempenho e colocando em risco o seu emprego. Além do mais, ela sempre via o patrão humilhando os subordinados. Ele às vezes gritava com os funcionários, envergonhando-os na frente dos outros e não assumia nenhuma responsabilidade pelo seu próprio comportamento. O que mais incomodava Darlene era sua incapacidade de "controlar o próprio corpo", apesar de, racionalmente, saber que o patrão "era um imbecil".

A fonte de seu problema veio à tona durante a técnica de Flutuar ao Passado. O procedimento revelou que sua mãe costumava questioná-la sobre todos os tipos de coisas. Parecia que ela não iria parar nunca de perguntar o que a filha tinha feito durante o dia. A mãe queria saber o que as outras pessoas haviam falado e feito e simplesmente tudo o que Darlene pensava ou sentia. Ela, por sua vez, considerava invasiva aquela experiência de ser perpetuamente questionada, fora de controle e irritante. Mas Darlene lembrava-se de sentir-se completamente impotente para acabar com aquilo. A mãe continuava com o interrogatório, mesmo quando a filha implorava para ela parar.

Durante o processamento, a moça começou a soluçar, relatando que a pior parte era a humilhação. Frequentemente, quando estavam em público, sua mãe a "lembrava" de diferentes coisas que Darlene havia dito em alguma outra ocasião e depois "usava aquilo contra ela", embaraçando-a e envergonhando-a em várias circunstâncias diferentes. Naquele ponto, Darlene exclamou: *Puxa, não é de se espantar que eu fique com tanto medo quando as pessoas começam a voltar a atenção para mim! Nunca entendi por que pessoas que prestavam "atenção" em mim, de forma positiva, podiam me deixar tão aborrecida. Mas agora estou percebendo que havia sempre a sensação de "esperar até que o outro sapato caia". Quando eles acabariam me embaraçando de alguma forma? Eu não acredito que AQUILO vem DISSO!*

Se a ansiedade de Darlene tinha origem em uma mãe que era excessivamente intrusiva, Reinaldo apresentava o problema oposto.

Quando criança, ele foi praticamente ignorado pelos seus pais. Ele começou a terapia de EMDR porque se sentia bloqueado para fazer escolhas relativas à carreira. Ficava aterrorizado com as avaliações de sua chefe. Sempre esperava que ela achasse erros em seu trabalho. Antidepressivos não haviam funcionado e seus sentimentos estavam piorando. Esse é um exemplo claro de que crescer em meio ao luxo não constitui uma garantia de saúde mental. Os pais de Reinaldo eram ricos e ele foi criado por empregados. Esse fato levou-o a sentir-se abandonado - acreditando não merecer a atenção dos pais. Quando ocasionalmente passava algum tempo com o pai, eles costumavam jogar jogos os quais Reinaldo nunca tinha permissão de vencer.

A incapacidade de atrair a atenção positiva dos pais levou-o a sentir que não poderia conseguir o que queria. Quando adulto, as cognições negativas que expressavam seu estado emocional eram: "Eu não sou bom mesmo. Eu não posso ser bem-sucedido em meu emprego". Durante o processamento, ele descreveu a sensação física de um aperto na boca do estômago como se fosse "uma rocha". Com mais processamento, a pedra transformou-se em uma presença suave e quente, "como uma base". Reinaldo chamou-a de: "uma força e um exemplo da alma". Sua cognição positiva passou a ser: "Sou capaz de conseguir sucesso por mim mesmo. Ficarei bem."

O ponto essencial é que essas experiências iniciais da infância podem constituir o alicerce para os fatores que o estão prejudicando no presente. Porém, com algum auxílio, é possível transformá-las em uma nova fonte de saúde. As causas de um comportamento caracterizado pela ansiedade englobam desde um episódio de humilhação em um jogo de acampamento, até o fato de nunca ter sido capaz de agradar a um dos pais, ou ainda até mesmo algo completamente inesperado. Por exemplo, Paulo, um homem de negócios, apresentava a cognição negativa "eu não sou bom o suficiente" entremeada com um perfeccionismo obsessivo. Ele sofria de ansiedade antes de "atuar"- seja em apresentações de negócios ou jogos de golfe. Sabia que a sua reação não era racional. Ele tinha a percepção e a competência necessárias para alcançar um bom desempenho, mas o seu alto nível de ansiedade persistia e estava prejudicando sua capacidade para ser bem-sucedido.

Ao focalizar sua ansiedade a respeito de uma situação recente no trabalho, juntamente com a cognição negativa "eu não sou bom o suficiente", o terapeuta guiou Paulo usando a técnica de Flutuar ao Passado. Ele então recordou-se de uma apresentação em uma aula de teatro - junto com a ansiedade prévia e o alívio quando percebeu que tudo havia acabado. No processamento, ele lembrou-se de ter sido aplaudido de pé. Aparentemente, o cérebro de Paulo havia armazenado a memória não processada de sua atuação sem a informação de que seu desempenho fora

brilhante. O processamento levou Paulo a perceber que poderia lidar com qualquer acontecimento futuro. Pensar em "atuar" agora deixava-o empolgado, em vez de ansioso ou com medo.

Cuidado Consigo Mesmo

Se estiver ansioso antes de uma apresentação, você pode ser capaz, por si próprio, de promover a mudança do estado de ansiedade para o de excitação. Muitas pessoas acreditam ser necessário sentir ansiedade por causa de conceitos equivocados sobre como nosso corpo responde quando confrontado com um desafio. Nosso cérebro prepara-nos para um desafio por meio de certo grau de estímulo. Pesquisas sobre desempenho indicam que há níveis ideais de estímulos para diferentes tipos de tarefas. Contudo, a maneira como vemos e lidamos com esse sentimento de excitação pode fazer a diferença entre sucesso e fracasso. Na verdade, alguns psicólogos do esporte agora estão usando a palavra "intensidade" em vez de excitação, ansiedade ou nervosismo, com o intuito de eliminar as conotações negativas associadas a esses termos. Lembre-se de que existem muitas formas de sentir um grau aceitável de intensidade, como sentir-se empolgado pelo ideia de estar oferecendo uma contribuição positiva para sociedade.

Tente concentrar-se nos aspectos positivos do que você está prestes a fazer. Você também pode controlar a intensidade de sua excitação por meio de técnicas de respiração. Algumas vezes, você pode ajudar a si mesmo a mudar do estado de ansiedade para o de excitação, forçando um sorriso em sua boca ou mudando sua postura física. Imagine um super-herói fazendo a apresentação. Permita-se capturar essa imagem e assumir a mesma postura. Assim como os ombros das pessoas afundam e suas posturas desmoronam quando elas se sentem derrotadas, aprumar os ombros de propósito, corrigir a postura, levantar o queixo e sorrir; tudo isso pode ajuda-lo a sair do estado de ansiedade.

Além disso, dê uma olhada na lista de *Memórias-Chave* que você fez com os acontecimentos recentes, as memórias e as cognições negativas. Observe quais cognições negativas estão sendo disparadas em seu caso. Quando a questão é o desempenho no trabalho, seria a cognição algo como: "eu sou um fracasso", "eu não sou bom o suficiente", "eu não dou conta disso" ou "eu não posso errar"? Retorne à lista de *Cognições Negativas* para ver quais delas se conectam melhor com os sentimentos que você está experimentando no trabalho. Uma vez identificadas as conexões que surgem para você, use as técnicas já aprendidas para proporcionar a si mesmo uma maneira alternativa de se sentir. Lembre-se de desenvolver e reforçar seu arsenal de Lugar Seguro/Tranquilo para incluir estados emocionais positivos necessários para combater as suas cognições negativas.

Enfoque o cuidado consigo mesmo. Se você regularmente acha que não é "bom o suficiente", certifique-se de acessar diariamente as memórias que o fazem se sentir valorizado. Caso você, com frequência, tenha a impressão que: "eu irei fracassar", certifique-se de recuperar as memórias nas quais você obteve sucesso. Saboreie aquelas memórias positivas, experimente a sensação e permita-se aproveitá-las. Mais uma vez, concentre-se em seu corpo. Observe como você respira, fica em pé e sustenta a cabeça quando pensa nas memórias positivas. Se sentir que suas reações estão sendo disparadas, tente modificar a respiração e a postura de volta à maneira como se sentia no estado positivo. A prática diária pode ser útil no sentido de tornar as emoções, crenças e sensações corporais positivas mais disponíveis quando você precisar delas.

Aprendendo a Atingir a Excelência

A maioria das pessoas adoraria sentir-se capaz de desempenhar suas tarefas de forma brilhante. Porém, há uma grande diferença entre fazer algo com confiança e paz interior ou ser obrigado a fazê-lo. Como exemplo, podemos mencionar Spencer, pai de dois filhos, divorciado de meia-idade, que trabalha como fisioterapeuta. Ele buscou a terapia de EMDR por recomendação da namorada, para tratar do excesso de dedicação ao trabalho. Ele sabia que sua preocupação com o dinheiro e o trabalho excessivo estavam provocando nele explosões de raiva. Reconhecia que essas haviam sido as razões do fracasso do seu casamento e não queria que seu relacionamento atual terminasse. Spencer deu-se conta de que a sua cognição negativa "eu tenho que ser perfeito" fora herdada do seu pai e do avô. A mensagem que eles passaram para ele era: "Trabalhe duro e faça tudo com perfeição". O processamento incluiu o foco em uma memória do sexto ano primário, quando Spencer estava estudando matemática com sua mãe e teve um ataque porque não conseguia entender os problemas. Ele processou a memória com sucesso em uma sessão e a crença positiva que surgiu espontaneamente foi: "Tudo o que posso fazer é dar o melhor de mim e relativizar o resto".

Técnica de Centramento

Relativizar as coisas implica reconhecer que nós não precisamos da ansiedade negativa e do medo para nos impulsionarem visando atingir um desempenho máximo. Nós podemos simplesmente apreciar o que estamos fazendo. O relaxamento é um trampolim muito melhor do que o estresse. Juntamente com o arsenal de Lugar Seguro/Tranquilo e a técnica de Mudança de Respiração, você também pode usar a respiração para realizar a técnica de Centramento que é ensinada a muitos atletas e executivos.

Há várias maneiras de "centrar-se". Uma das melhores é focar na respiração. Leia completamente o parágrafo abaixo e tente seguir as instruções.

Volte-se para dentro de si mesmo e concentre-se em sua respiração. Certifique-se de inspirar D-E-V-A-G-A-R pelo nariz. Observe o ar frio quando ele entra pelas suas narinas e atinge sua garganta. Imagine sua traqueia como um tubo de vidro que desemboca no estômago. Observe o quanto seu estômago se expande enquanto você inspira vagarosamente. Observe a condensação do ar quente no tubo de vidro enquanto você expira. Relaxe a sua mandíbula, expirando através da boca, e observe o ar quente secar enquanto passa pela sua língua e pelo céu da boca. Repita o procedimento algumas poucas vezes e deixe os sentimentos positivos ganharem força.

Ensaiando para o Sucesso

As pesquisas revelam que ensaiar mentalmente uma tarefa antes de executá-la pode ser extremamente útil. Por exemplo, a experiência de visualização de acertos no lance livre antes de jogos de basquete tem demonstrado ser eficaz na melhora do desempenho, em comparação com jogos nos quais há somente a prática física na vida real. Até mesmo atletas olímpicos valem-se de exercícios com visualizações mentais para optimizar suas reações. Na verdade, uma pesquisa conduzida no centro de treinamento de atletas olímpicos dos Estados Unidos mostrou que 90% dos atletas usaram imagens mentais com o intuito de prepararem-se para a competição. Além do mais, 94% dos treinadores olímpicos questionados relataram a utilização de exercícios de imagens mentais em seus programas de treinamento. Consultores pessoais de *coaching* instruem os clientes, em uma vasta gama de profissões, a lançar mão de técnicas de imagens mentais. Você pode aprimorar seu próprio desempenho no trabalho ou em jogos usando a sua imaginação dirigida.

Pesquisas mostram que as mesmas áreas do cérebro são ativadas quando as pessoas são solicitadas a se lembrarem de ter feito alguma coisa no passado e a imaginarem fazer o mesmo no futuro. Como vimos, se você tem memórias não processadas do passado, elas podem matizar a forma como você enxerga o presente e imagina agir no futuro. Logo, o tratamento completo de EMDR abrange três etapas: o processamento de memórias do passado que estabeleceram a base para os problemas; o processamento dos elementos disparadores no presente; e a codificação de novas memórias de sucesso por meio da imaginação de um bom desempenho no futuro. Durante o processamento, as memórias perturbadoras transformam-se em experiências de aprendizagem que estabelecem o fundamento para a saúde mental. Depois do processamento, as pessoas veem-se automaticamente

respondendo ao mundo de uma maneira nova e positiva. Entretanto, nós usamos a terceira etapa, denominada "Projeção para o Futuro", para ajudar no aprendizado de técnicas adicionais e intensificar a codificação de um padrão no sistema de memórias, visando a obtenção de sucesso futuro.

Nós geralmente executamos as etapas nessa ordem (presente, passado e futuro), pois memórias não processadas podem interferir na codificação de memórias novas positivas. Por exemplo, atletas talvez precisem processar memórias de ferimentos e fracassos anteriores, para lidar com a falta de autoconfiança, a motivação reduzida ou a ansiedade com relação ao desempenho. Eu incluí aqui alguns dos procedimentos da Projeção ao Futuro, a fim de que você possa utilizá-los em casa. Se não houver nenhuma memória não processada bloqueando o seu caminho, você poderá usar esse exercício visando preparar-se para os desafios relacionados com situações sociais futuras, entrevistas de empregos ou ainda para aprimorar seu desempenho nos negócios ou nos esportes.

Se houver uma situação futura para a qual gostaria de ajuda, durante o exercício você imaginará a si mesmo vivenciando-a de maneira feliz e bem-sucedida. Mesmo se tiver dificuldade em imaginar uma conclusão favorável, o exercício fornecerá informações importantes. Se você encontrar algum bloqueio, abra os olhos e use as técnicas de respiração para retornar ao estado neutro. Depois, tente identificar quaisquer cognições negativas que possam existir. Considere usar o Escaneamento de Afetos ou a técnica de Flutuar ao Passado, para determinar qualquer memória não processada que possa estar interferindo em suas reações. Veja se há alguma que deva ser incluída em sua lista de Memórias-Chave. Se você estiver se debatendo contra memórias não processadas, tente fortalecer o arsenal de Lugar Seguro/Tranquilo para ajudá-lo a lidar com elas. Caso o procedimento não funcione, considere a possibilidade de ter as memórias processadas com a ajuda de um terapeuta treinado na técnica de EMDR.

Primeiro, identifique a situação futura que você gostaria de trabalhar. Encare-a realisticamente. Você tem a informação necessária para ser bem-sucedido? Caso seja uma prova, você estudou para ela? Se tiver de fazer uma apresentação, você preparou o material? Se tiver que atuar, você memorizou suas falas? Se a resposta for negativa, então a sua primeira tarefa é decidir o que o impediu de fazer o que deveria ter sido feito. Imaginar uma situação de sucesso quando você não está preparado com o básico é um problema da vida real. Se você estiver procrastinando, então use as técnicas de Flutuar ao Passado ou Escaneamento de Afetos, para identificar qualquer memória não processada. Achar a fonte do problema talvez sirva para afrouxar as amarras. Tente usar algumas das técnicas de

autocontrole para enfrentar qualquer nível de ansiedade. De qualquer modo, é importante completar sua preparação antes do desempenho na vida real. Você também pode usar a Projeção ao Futuro para se imaginar completando a preparação com sucesso. Comece deixando de lado todas as distrações. Decida que você lidará com qualquer interferência depois do exercício e concentre-se nas etapas seguintes.

Projeção para o Futuro

1. Relaxe o seu corpo e respire muitas vezes devagar e profundamente. Se você achar que a sua mente está vagando, respire fundo mais uma vez e traga-a de volta ao exercício.
2. Focalize a situação futura que você gostaria de trabalhar.
3. Decida como gostaria de estar vendo, sentindo, agindo e acreditando nessa situação.
4. Use o exercício do Lugar Seguro/Tranquilo para trazer à mente o sentimento que você gostaria de ter; faça isso identificando alguma experiência em seu passado que tenha sido bem-sucedida.
5. Depois mentalize a cognição positiva "eu posso ter sucesso". Focalize os sentimentos positivos, como força, clareza, confiança ou calma.
6. Focalize uma imagem de ser bem-sucedido na situação futura. Sinta as emoções e as sensações corporais positivas que a acompanham. Você pode ampliá-la ainda mais se deixar envolver-se fisicamente. Adote a postura que lhe permita sentir-se bem-sucedido e confiante.
7. Projete um filme em sua mente, no qual você lida bem com a situação do começo ao fim. Certifique-se de que o filme tem um início, meio e um final. Note o que você está vendo, pensando, sentindo e experimentando em seu corpo. Rode o filme mentalmente pelo menos três vezes e aproveite as emoções e sensações positivas.
8. Imagine alguns desafios surgindo, como falhas de equipamento na apresentação, e imagine-se enfrentando-os com autoconfiança e calma. Deixe esse filme rodar até um final bem-sucedido.

Assegure-se sempre de finalizar as sessões retornado para as imagens mentais positivas de seu sucesso. Se quaisquer desafios aparecerem antes de seu desempenho real, você poderá projetar um novo filme, no qual lida bem com a situação. Isso ajuda a determinar um padrão de memória de sucesso. Se você ficar perturbado durante a situação real, lembre-se de usar as técnicas de autocontrole. Qualquer um pode ficar momentaneamente perturbado. Saber como lidar com a perturbação é importante para todos os executivos, atletas e artistas de sucesso.

De Sobrevivente a Vitorioso

A terapia às vezes tem angariado má reputação, como se fosse de alguma forma um indicador de fraqueza. Pessoalmente, eu considero-a um sinal de coragem. Milhões de pessoas foram machucadas e mesmo assim seguem em frente - dando um passo depois do outro, enquanto permanecem em relacionamentos e empregos que detestam. Elas frequentemente fazem isso pela melhor das razões: eu não quero magoar ninguém; eu tenho uma responsabilidade; eu não posso decepcionar as pessoas. O que a terapia faz por aqueles que são corajosos o suficiente para enfrentar seus medos é dar-lhes uma nova chance na vida. Uma vida na qual eles são tão importantes quanto a pessoa ao lado. Onde "Ame o próximo como a si mesmo" significa que eles podem se amar também. Mas você precisa estar disposto a tentar. E se você tem medo de fracassar, isso provém daquelas redes de memórias que estão provocando medos os quais você não pediu e não teve o poder de evitar quando foram plantados dentro de você. Mas você tem a chance de livrar-se deles.

Eu também gostaria de enfatizar que é o seu próprio cérebro que opera a cura. Se o sistema de processamento cerebral está bloqueado, você simplesmente está recebendo ajuda para dar a partida. Por exemplo, Jeanne veio para a terapia por causa da ansiedade relacionada a uma promoção iminente. Ela iria supervisionar e conversar rotineiramente com um grupo de 250 pessoas. Na primeira sessão de levantamento da história clínica, ela disse ao terapeuta: "Não há nada realmente sério lá no passado". Então o terapeuta ensinou-a a técnica do Lugar Seguro e na sessão seguinte trabalharam a ansiedade de Jeanne, bem como o pensamento de "eu não tenho importância". Eles tentaram identificar uma Memória-Chave, mas Jeanne insistia: "O sentimento sempre existiu". Então eles focalizaram a primeira apresentação que ela teria que fazer depois da promoção. A cognição negativa era "eu não importo", juntamente com os sentimentos de medo e vergonha. Era muito ruim, com um SUD de grau 9 e sensações negativas na garganta e no peito.

Enquanto seu terapeuta conduzia o processamento, a mente de Jeanne pôde, naquele momento, fazer as conexões apropriadas. Ela viu-se com três anos de idade, sentada no colo de sua mãe e tagarelando. Então seu padrasto chegou, tirou-a do colo da mãe, sentou-a no chão e começou a conversar com a esposa. Jeanne tinha razão. O sentimento de "eu não importo" tinha estado lá realmente por um bom tempo. Depois surgiu uma outra memória de quando ela estava com sete anos de idade. Jeanne tinha acabado de ser transferida para uma nova escola, em uma nova cidade, e as crianças no parquinho chamaram-na de gorda e feia. Quando as informações de suas redes de memórias adaptativas conectaram-se, ela percebeu que seu padrasto era um ignorante em matéria de questões parentais e que os amiguinhos estavam apenas se comportando como

típicas crianças implicando com alguém recém-chegado. Ela conseguiu visualizar-se aos sete anos de idade e percebeu como era valorosa. Ela sentiu o amor parental quando alcançou um novo senso de identidade. Quando esse processo foi concluído, ela e seu terapeuta focalizaram a apresentação iminente e, durante a Projeção ao Futuro, sua cognição positiva de "eu tenho importância" pareceu ser totalmente verdadeira.

Eles marcaram uma sessão para a semana seguinte, mas Jeanne ligou cancelando. Ela disse: "A apresentação foi ótima! Eu não tive problema nenhum. Isso é incrível! Obrigada, eu não preciso ir à próxima sessão. Mas se eu precisar de você para qualquer coisa no futuro, eu ligo."

O ponto essencial nesse caso é que o terapeuta pode atuar como consultor. Eles sabem como guiá-lo para que o poder de seu próprio sistema possa assumir o controle. Uma vez que isso ocorra, você conseguirá virar-se por conta própria. Se as memórias não processadas estão bloqueando sua capacidade de aproveitamento, então considere buscar a assistência de um terapeuta. O tempo necessário ao tratamento depende da preparação requerida para o processamento, do número de memórias envolvidas e da quantidade necessária de "aprendizado novo". Caso você esteja interessado em explorar as possibilidades, você encontrará indicações e orientações para escolher um terapeuta no Apêndice B.

Lembre-se de que o sucesso na vida não se limita a aliviar o estresse e o sofrimento. Trata-se também de focar o bem-estar em todas as áreas de sua existência. Os tentáculos das memórias negativas não processadas podem estar envolvendo sua vida e impedindo que você desenvolva todo o seu potencial. A identificação das áreas nas quais você se encontra bloqueado e o uso das técnicas que aprendeu podem ajudá-lo a guiar sua vida na direção para a qual você gostaria de ir. Todos nós sabemos que é muito mais fácil ter um melhor desempenho quando a vida está equilibrada e relativamente livre de ansiedade e depressão. Incluir as ferramentas de melhoria de desempenho neste capítulo é um passo lógico.

O trabalho com atletas de elite mostra claramente que o talento e a habilidade são apenas parte do que é necessário para se obter um desempenho bom e consistente. Para manter-se motivado e administrar o estresse e a ansiedade, algumas das técnicas de treinamento mental mais confiáveis incluem o centramento e a imaginação guiada que você acaba de aprender. Sua eficácia não é limitada a apenas uma área de sucesso. Por exemplo, Lucas era um estudante de nível médio e atleta de alto rendimento que veio à terapia para trabalhar sua falta de confiança e motivação. Ele processou memórias de lesões e distrações, como adversários impositivos, comentários dos pais e expressões de decepção no rosto do treinador. Um grande número de técnicas, incluindo aquelas que você aprendeu, bem como a *Projeção ao Futuro*, foram usadas para ajudá-lo

a manter-se concentrado no jogo. Após a graduação, Lucas, recebeu uma bolsa de estudos para estudar em uma importante universidade e jogar em seu time - bem colocado no *ranking* da Divisão I do NCAA (*National Collegiate Athletic Association* - Associação de Basquete Estudantil). Conforme o seu depoimento: "Isso não apenas ajuda no meu desempenho esportivo, não é? Eu estou tirando nota *A* em todas as matérias pela primeira vez!". Ele havia frequentado uma escola paroquial academicamente desafiadora e sempre lutado com dificuldades de aprendizagem.

O fundamental é que você nunca é jovem ou velho demais para começar a assumir o controle de sua própria vida.

Capítulo 11: Trazendo Para Casa

Certa vez eu estava dirigindo, em um morro nevado, em Spokane, e a marcha do carro pulou para o neutro. O carro atrás de mim desviou para o lado, já que o meu parou de repente. Quando o motorista se emparelhou comigo, mostrou seu punho, olhando-me com uma expressão feia. Ao passar a minha frente, vi o adesivo em seu para-choque, que dizia "Visualize a Paz Mundial". Onde será que ela começa? Ou será que aquele era o carro da mulher dele?

A citação acima é parte de um *email* que recebi de um colega há mais ou menos um ano. Ela sintetiza muito bem a condição humana. Nós nos esforçamos para sermos uma coisa e nossas emoções, via de regra, simplesmente não nos acompanham. Sejam quais forem a denominação que possamos dar para eles, os "altos e baixos" ou "luz e escuridão" atuam dentro de todos nós. Geralmente não conseguimos ser quem realmente gostaríamos e o mundo simplesmente não se ajusta às nossas expectativas. Assim, o modo como vivemos no dia-a-dia é, no fundo, o que determina o nível de felicidade e de estresse que teremos em nossas vidas. É nesse ponto que a autoconsciência e o compromisso com a saúde mental e física entram em cena.

Nós já vimos, ao longo deste livro, como podemos entender melhor quem somos e o que fazer a respeito disso. Neste capítulo, iremos explorar como é possível sermos influenciados por nossa cultura e pela sociedade. Além disso, focalizaremos alguns desafios significativos que todos teremos que enfrentar cedo ou tarde. Eles oferecem oportunidades para o autoconhecimento e talvez ajudem a explicar problemas com os quais você, bem como pessoas próximas, podem estar atualmente lidando. Eu também darei mais sugestões sobre o cuidado consigo mesmo que podem abrir novas possibilidades para o bem-estar pessoal. Nossas escolhas na vida têm consequências importantes, não apenas para nós mesmos, mas também para os que estão a nossa volta. Em última instância, cada um de nós pode ser mais importante do que pensa.

Os Fios de Humanidade

No primeiro capítulo deste livro, afirmei que, quando buscamos respostas, não se trata de apontar culpados, mas sim de compreender melhor a situação. Nós não podemos nos culpar por padrões trancados dentro de nós desde a juventude. E, não obstante nossos pais terem ajudado a moldar quem somos hoje, eles também foram forjados por suas próprias experiências de vida. Assim, embora as pessoas sejam responsáveis por suas próprias ações, teríamos, com frequência, que voltar algumas gerações para entendermos completamente as nossas raízes. Além

do mais, também podemos ter "herdado" certas formas de enxergar as pessoas que nos distanciam de um senso comum de humanidade. Se estamos tentando fazer as melhores escolhas para nós mesmos e para nossas vidas, é bom olhar para todos os potenciais cantos escuros com o intuito de descobrir o que possa estar escondido de nossa visão.

Desconexões Familiares

Todos podemos, de uma maneira ou outra, superar nossas histórias pessoais, familiares e até sociais. Somos capazes de ir além dessas questões dolorosas e abraçar a vida integralmente, sem ter aquelas velhas memórias nos puxando para trás. Essa foi a experiência de Helene. Sua vida era um emaranhado de duas histórias - anos saltando obstáculos incansavelmente salpicados com episódios de autodestruição. Ela recebeu uma bolsa integral para a faculdade, formou-se com ambos: um bacharelado em sociologia e um problema crescente de abuso de substâncias químicas. Na sequência, ela tornou-se assistente social para crianças com múltiplas deficiências durante o dia e garçonete de bar e traficante de drogas à noite. Aos 27 anos, ela internou-se em um centro de tratamento para drogados. Dois amigos haviam morrido recentemente de forma violenta, um suicidou-se e o outro foi vítima de um assassinato relacionado às drogas. Ela viu o perigo que corria. Seria apenas uma questão de tempo até que o envolvimento com as drogas a levasse a perder o seu emprego, seu apartamento, sua liberdade ou sua vida.

Depois de receber alta do centro de reabilitação, ela conseguiu manter-se livre das drogas, mas sofreu ondas de depressão e de ansiedade. Após arrastar-se por anos sofrendo com diagnósticos mal feitos, tratamentos fracassados e desespero, Helene se autodiagnosticou com TEPT e, depois de alguma pesquisa, iniciou a terapia de EMDR. Naquela altura, ela começou a entender a origem de seu vício. Enquanto estava crescendo, Helene foi frequentemente separada de seus pais e enviada para temporadas na casa de parentes alcoólatras. Era naquelas ocasiões que sua tia Jan abusava fisicamente e sexualmente dela e dos irmãos. Todos sabiam que Jan estava "aterrorizando" a família, contudo ninguém fazia nada a respeito. Um pesado manto de negação e silêncio cobria toda a família extensa. Embora tivesse sido extremamente difícil, Helene trabalhou a dor proveniente dessas experiências e conseguiu resolver suas questões ao longo de três anos. Contudo, cinco anos mais tarde, ela retornou à terapia, agora com outro objetivo.

Apesar de Helene ser produtiva e bem ajustada, ela continuava a ter problemas em uma área em especial. Desde que terminou a terapia, sentia-se alienada de sua família, já que era a única pessoa saudável e livre do vício das drogas ou do álcool. Por que será que a sua família parecia fadada à extinção? Ela estava vendo os mais jovens seguirem o mesmo

caminho que havia escolhido. O que poderia fazer para ajudar? Ela também queria entender como alguns membros de sua família tinham sido capazes de agir com tanta crueldade. Ao pesquisar suas histórias, Helene levava-as à sua terapeuta para que funcionassem como uma caixa de ressonância. Juntas, as duas trabalharam os sentimentos que foram sendo suscitados. Helene sentia-se puxada em duas direções: considerava-se impotente para interromper o desespero familiar e vivenciava a "culpa do sobrevivente" - por ela mesma ter "melhorado". Ela queria uma atingir uma sensação de paz e equilíbrio que esperava obter compreendendo sua história familiar e seu papel atual dentro dela.

Helene começou com sua tia materna Jan, a mulher que mais a prejudicou e com quem havia morado durante a maior parte de sua infância. Ao investigar a história de Jan, descobriu uma mulher que tinha nascido na cultura errada e na época errada. Sua tia era uma estranha no ninho. Ela era uma pessoa altamente inteligente, visivelmente lésbica masculina, em um mundo que exigia que ela fosse outra coisa. Todas as portas para as profissões e opções de estilo de vida que queria pareciam permanentemente trancadas para ela. Ela vivia sob constante pressão de sua família e da cultura para ser algo que não conseguia ser. Subvalorizada e invisível, ela cozinhou sua raiva em fogo brando.

O fato de ter de viver uma mentira pode claramente cobrar o seu preço. Mas outros fatores precisam estar envolvidos para que a dor se transforme em violência. Para Jan, foi o abuso e abandono que sofreu em sua própria infância. Seu pai era indisponível, trabalhava 14 horas por dia, seis dias por semana. Sua mãe não conseguia dar conta das crianças e sempre descontava sua frustração em Jan. Já a mãe dela, a avó materna de Helene, imigrante alemã, trabalhou duro para integrar-se a uma cultura que não foi receptiva. Era uma mulher de intenção e propósitos fortes, que se sentiu compelida pela sociedade a seguir os sonhos de seu marido em detrimento dos seus. Ela usava o álcool para abrandar a dor, agredindo seus filhos quando a bebida não lhe bastava. Tudo isso ocorreu em uma época na qual o estigma de mulher alcoólatra era tão forte que havia poucos tratamentos disponíveis. Jan, a tia de Helene, assistiu a mãe morrer lentamente de alcoolismo, rodeada de familiares paralisados pelo segredo e pela vergonha. Basicamente, Jan foi criada por uma mulher lutando desesperadamente para sobreviver nas águas de uma cultura que não valorizava ou ouvia as mulheres, em uma época que as diferenças não eram toleradas, em um lugar onde a ajuda parecia indisponível.

Helene encontrou o mesmo alcoolismo e desespero na família do pai. Ela descobriu que sua avó paterna foi uma índia americana que havia desesperadamente escondido sua ascendência, depois de muitas

experiências com discriminação e racismo. Era um "segredo de família" tão profundamente acobertado que Helene nunca conseguiu desvendar todos os detalhes.

A investigação de sua árvore genealógica ajudou Helene a entender totalmente a seiva que havia corrido nela por várias gerações - uma substância tóxica chamada vergonha. Ela também se viu encarando de frente as faces feias da opressão: racismo, homofobia e discriminação de gênero. Sua história, assim como a da sua família, agora fazia sentido para ela e esse conhecimento a ajudou a seguir em frente. Helene finalizou essa rodada de terapia, descobrindo o que poderia fazer. Ela daria um bom exemplo para os filhos de seus irmãos ao manter-se salva e saudável, bem como ofereceria orientação e refúgio quando eles precisassem. Outra possibilidade seria também defender, no âmbito de sua carreira, as populações oprimidas.

Como ela disse:

Foi apenas graças a circunstâncias do nascimento, cor da pele e outros privilégios que eu tive a oportunidade de processar e superar meu passado. Eu vi a direção para a qual minha dor estava me levando. Eu desobedeci a lei, machuquei a mim mesma e a outros e vivenciei dentro de mim o potencial de infligir um dano muito maior. As dores não tratadas produzem mais dores. Eu não estou satisfeita com todos os detalhes de minha história, mas consigo superar meu passado. Penso que aprofundei meu entendimento sobre o sofrimento de minha tia Jan, mas ele nunca ficará completamente esclarecido, já que essa é a história dela e eu nunca vou saber de tudo. Eu perdoo minha tia e meus outros parentes, pois isso me liberta, mas perdoar não significa aceitar pessoas abusivas em minha vida. Todos escolhemos como lidar com nosso sofrimento e eles poderiam ter administrado melhor os deles. Eu agora vejo meu trauma como resultado de gerações de ódio, sofrimento e mal entendidos e isso é muito maior do que eu e minha família. Eu estou agradecida por ter tido a oportunidade de melhorar, mas não estou satisfeita que outros não tenham essa chance. Não é certo que em todo mundo esse tipo de sofrimento se perpetue e eu planejo fazer a minha parte para melhorar a situação.

Quando cada um de nós se debruça sobre sua história familiar, imagino quantos não encontrarão pessoas que tenham sido abusadas, desalojadas ou influenciadas por opressão, guerra ou outras forças fora de seu controle. É útil entendermos que esses não são apenas conceitos abstratos. Eles são experiências que ajudaram a moldar nossos ancestrais, bem como quem somos hoje. Nos dias atuais, muitas pessoas continuam sendo discriminadas ou sendo vítimas de violência por causa de gênero, nacionalidade, religião ou orientação sexual. Isso nos deixa com a questão sobre o que podemos fazer em nossas próprias vidas para superar os padrões destrutivos de dentro de nós. Não apenas para nós mesmos, mas também para as futuras gerações.

Irmã/Irmão ou o Outro?

Aqueles entre nós que foram vítimas de *bullying* ou excluídos na escola por serem diferentes - eram baixos, altos, magros, gordos; usavam óculos; eram deficientes, primeiro/último da turma - entendem o quão acuados e sozinhos podemos nos sentir. Os insultos e as humilhações podem abalar nossos sentimentos de confiança e causar anos de sofrimento infindável. Imagine como é ainda pior quando adultos no poder sentem-se no direito de fazer comentários negativos por causa das coisas que nós permitimos que nos separem - sejam elas a cor da pele, a religião, o gênero ou a cultura. Apesar de a tecnologia estar aproximando o mundo, as notícias diárias e as guerras que parecem intermináveis continuam a nos trazer sentimentos de medo do "outro". Esse é mais um exemplo de que a solução está dentro de nós, independentemente de estarmos na ponta que dá ou na que recebe. O fundamental é que, para ajudar a fazer do mundo um lugar diferente, a mudança tem de começar de dentro.

Kate foi obrigada a fazer terapia. Ela não queria aquilo, principalmente com aquela mulher baixinha loura que caminhou porta a dentro. O que cargas d'água aquela terapeuta pensava que poderia fazer por ela? Mas Kate não tinha escolha. Ela havia trabalhado como gerente do departamento pelos últimos 20 anos e recebido boas avaliações. Havia sido a primeira afro-americana a ser promovida para aquela posição. Mas agora o escritório central da empresa multinacional estava exigindo que todos naquele cargo passassem em um exame que ela já havia prestado duas vezes sem sucesso. A empresa tinha indicado aquela terapeuta para ela e não havia como fugir disso. Ela não conseguia lidar com a ansiedade de desempenho sozinha e, se ela recusasse a ajuda daquela mulher, seu chefe ficaria furioso. Então ela fitou Terry com ressentimento - mas não pôde escapar. Kate não conseguiu evitar deixar claro que se sentia presa na sala com a terapeuta e não gostava nada disso.

Terry disse que a entendia e demonstrou empatia. Em seguida, explicou que, ante o curto espaço de tempo disponível, elas iriam concentrar-se apenas no que estaria impedindo Kate de passar no exame. Então, após um breve exercício de preparação com o Lugar Seguro, Terry pediu a Kate que se concentrasse no sentimento de estar "presa na sala". Depois de estabelecer como cognição negativa "eu estou presa" e os sentimentos de raiva e ressentimento que a acompanhavam, elas começaram o processamento. O tema rapidamente mudou para "Eu não confio em você". Terry disse: *observe isso*. E, com a próxima série de movimentos oculares, elas já estavam andando a passos largos. Surgiram imagens e cenas de todo o preconceito que Kate havia suportado. Elas continuaram viajando de volta ao passado e Kate não hesitou em verbalizar seus ressentimentos. Ela surpreendeu-se com todos os insultos e obstáculos que teve que superar para chegar onde estava hoje. Lembrou-se

de uma professora, que se parecia muito com Terry, menosprezando-a. Ela disse a Terry: *Você é igualzinha a ela. Eu odeio você.* Agora fazia sentido. Terry apenas disse: *observe isso.*

Kate lembrou-se de ter sido chamada de burra e de ouvir que nunca chegaria a lugar nenhum - que prestava apenas para limpar casas. O processamento prosseguiu pelas cinco horas seguintes e no final o SUD era zero e a cognição positiva "eu tenho escolhas" parecia completamente verdadeira. Ela percebeu que poderia fazer o teste naquele final de semana, apesar de antes nunca ter conseguido estudar corretamente ou reter informação. Ela fez o teste e foi informada de que não havia passado. Mas agora era diferente. Ela não sentiu nenhuma ansiedade e começou a estudar com confiança para o próximo exame, no qual acabou passando. Também não hesitou em encaminhar outros funcionários da empresa para tratarem-se com Terry. Kate sentia que agora elas eram duas pessoas trabalhando juntas, de igual para igual, com o objetivo de ajudar outras.

Exploração Pessoal

A dor e o ressentimento nascidos do preconceito são sempre uma via de mão dupla. Quando nós afastamos pessoas ou as marginalizamos, enquanto sociedade perdemos as contribuições positivas que elas poderiam ter dado. Quando reagimos às pessoas com medo e ressentimento, nós os cultivamos em outros. A questão básica é: Queremos ser parte da solução ou do problema? Isso significa identificar os lugares onde dói - ou onde machucamos os outros. Considere procurar pelo ressentimento, medo, vergonha e dor que você possa estar carregando e use a técnica de Flutuar ao Passado para identificar de onde eles estão vindo. Utilize as técnicas de autocontrole que aprendeu para ver se consegue alterar suas reações. A dor que não foi cuidada pode fazer com que você seja cruel, crítico e abusivo com relação a si mesmo e talvez aos outros. Pessoas seguras não são dominadas pelo medo. Elas não pintam grupos inteiros de pessoas com um mesmo pincel porque um membro desse grupo as magoou. Ou porque alguém disse que elas deveriam se sentir daquela forma.

Lembre-se de que somos todos vulneráveis ao *"efeito horn"*. Ele ocorre quando nós vemos uma característica que não gostamos em alguém e supomos que a pessoa tem um ampla gama de outros atributos negativos. É o oposto do "efeito halo", no qual supomos que o indivíduo possui uma variedade de boas qualidades porque gostamos de algo a seu respeito. O preconceito pode colocar vendas em nossos olhos que nos impedem de ver qualquer coisa positiva em outra pessoa. Para enxergarmos os outros com clareza, precisamos estar dispostos a enxergar também nossas próprias falhas, dessa forma podemos fazer algo a respeito delas.

A maioria de nós já ouviu o dito: *Ame ao próximo*. Mas, na qualidade de famílias e indivíduos, nós podemos ficar cada vez mais isolados em nossas próprias comunidades. Talvez um bom começo seja tentar conhecer outras pessoas. Isso pode ajudar-nos a nos reconhecer como parte da família humana - uma família que se apresenta em uma variedade de formas, cores, crenças e escolhas de estilo de vida. Observe qualquer medo ou desprezo pelas diferenças que possam estar escondidos e a espreita dentro de você e gentilmente comece a fazer algumas perguntas. Onde você aprendeu isso? Isso realmente lhe serve para alguma coisa? O que você pode fazer para reduzir isso? Será que sua desconfiança é influenciada pela história de outra pessoa, ou você foi pessoalmente magoado? Caso a identificação da origem da sensação de isolamento ou de ser diferente não ajudar, será que permanecer dessa forma está lhe servindo para algo? Em caso negativo, considere fazer o processamento da memória.

Afinal, nós temos a liberdade de escolher. Somos todos como Kate, possivelmente cantando a canção de outra pessoa. O preconceito que ela sofreu em sua vida a isolou e a tornou tão crítica com relação a pessoas de outra raça como eram aqueles que a haviam magoado. Ao processar suas memórias, ela livrou-se de sua raiva e ressentimento em relação aos outros e eliminou o veneno de seu próprio sistema. Isso a liberou para ir mais longe do que jamais havia chegado.

O Grande Equalizador

Independentemente de quantos aspectos nos diferenciam como seres humanos, muito mais coisas apontam para nossas semelhanças. Nesse sentido, dois desafios que todos temos em comum são: a doença e a mortalidade. Cada um de nós, cedo ou tarde, irá enfrentar a perda de um ente amado. A maneira com a qual lidamos com isso é parcialmente determinada por nossas conexões de memórias. Para alguns, em de vez de um luto que vai se abrandando com o tempo, o sofrimento torna-se mais complicado e permanece intenso, porque está ligado a memórias não processadas.

O Mundo é Cinza

Jane estava na casa dos 50 anos e tinha perdido seu marido, Mike, cerca de seis meses antes de iniciar a terapia. Estava tocando bem sua vida - trabalhando e lidando com as questões relativas ao negócio do marido - mas, por dentro, sentia-se aprisionada na dor. Ficava deprimida e todo o colorido parecia ter sido drenado de sua vida. As coisas não melhoravam nada com o decorrer do tempo. Todo mundo disseram a ela que tudo ficaria mais fácil, mas já diziam isso há alguns meses e nada havia

mudado. Ela não tinha sido capaz de chorar e tudo parecia sufocá-la. Sua crença negativa era: *eu sou impotente; nunca serei capaz de seguir em frente.*

A morte do Mike foi trabalhada com a terapia de EMDR e, durante o processamento, Jane espontaneamente pensou na morte da mãe em decorrência de um câncer, quando era criança. Ela lembrou-se de que, antes de morrer, sua mãe lhe havia dito: *Você precisa ser forte.* Ambas sabiam que a mãe iria morrer. Esse foi um verdadeiro momento de revelação para Jane. Ela percebeu que havia levado a orientação de sua mãe muito a sério. Ela era apenas uma pequena garota - com nove anos de idade - mas sentia ser sua obrigação apoiar o pai. Mesmo após a morte da mãe, não se permitiu sofrer. Ela havia reprimido qualquer sentimento de tristeza e perda como sendo sinal de fraqueza.

O processamento dessas memórias liberou Jane para vivenciar o que precisava sentir. Percebeu, então, que sua mãe não quis dizer que ela estava proibida de sofrer. Ela apenas queria que sua filha ficasse bem. Jane de repente permitiu-se sentir as emoções e enfrentar a tristeza armazenada dentro dela. Como contou ao terapeuta: *Eu agora posso sofrer e seguir em frente.* Ela entendeu que isso era normal – era-lhe permitido sentir. Ela chorou compulsivamente por Mike e, finalmente, por sua mãe. Ao sentir-se aliviada e leve, conseguiu prosseguir suavemente com o processo de sofrimento, tendo como consolo as memórias positivas da mãe e do marido.

Muitas pessoas de luto têm a sensação de estarem presas na dor, junto com imagens terríveis que continuam a dilacerar seus corações. Em especial, quando alguém morre de repente, a pessoa pode ser assombrada por sentimentos de culpa quando pensa em todas as coisas que "deveria ter" dito ou feito - e não fez, quando teve a oportunidade. Esses sentimentos de culpabilidade são frequentemente intensificados por memórias das pessoas amadas em agonia. As memórias geralmente permanecem não processadas e podem causar sofrimento por anos. Para outros, mesmo que não haja o sentimento de culpa, existem somente memórias negativas que continuam alimentando a dor. Felizmente, o processamento com EMDR não apenas elimina as associações negativas intrusivas, como também permite que as positivas voltem. Por exemplo, dois jovens irmãos tratados por mim só tinham memórias negativas com relação ao pai. Ele havia sido alcoólatra e, toda vez que pensavam no pai, surgia a imagem dele sentado vestindo seu velho roupão, rodeado por latas de cerveja. O processamento dessas memórias permitiu que essa imagem se desvanecesse, e agora, quando eles pensavam no pai, surgiam imagens de todos juntos em passeios de pescaria e acampamento.

Um estudo sobre a terapia de EMDR demonstrou que, em comparação com outras formas de tratamento, o EMDR resultou em uma maior recuperação de memórias positivas de pessoas amadas,

acompanhadas de uma sensação de alívio. Há pessoas bloqueadas porque temem que, ao deixar a dor da perda ir embora, não honrarão seus mortos ou deixarão de sentir-se conectadas a eles. Isso simplesmente não é verdade. As conexões emocionais irão permanecer, mas sem o sofrimento. Justamente como qualquer pessoa amada iria desejar para você.

O Mundo é Negro

Enquanto que o sofrimento constante pode envenenar nossa existência, para alguns a perda de alguém amado pode resultar em sentimentos de raiva e no desejo de vingança. Isso é particularmente verdade quando se perde alguém em decorrência de um ato de violência - e a vingança tem alimentado séculos de guerra em vários países. A dor passa de uma geração para outra, gerando mais e mais violência. Quando assistimos a conflitos em tantas partes do mundo, reconhecemos o trabalho dos terapeutas de ajuda humanitária que tentam ser parte da solução. Por exemplo, um terapeuta no Paquistão tratou de vários sobreviventes de atos terroristas, assim como de soldados e pilotos que participaram da "guerra contra o terror". A seguir ele narra a história do tratamento dos filhos de um funcionário governamental de alto nível:

O pai deles foi um mártir nas mãos de um terrorista suicida. Seu filho e sua filha ficaram traumatizados com o episódio e com as imagens de partes de corpos e do sangue do pai e do seu motorista espalhados pela estrada. O filho queria abandonar a escola de medicina e juntar-se a um grupo de militantes para vingar a morte do pai. A filha recusava-se a sair de casa e ficou muda.

O trabalho com foco na tristeza e a terapia de EMDR, ao longo de quatro semanas, ajudou-os a reestruturar-se e ambos voltaram a suas respectivas instituições de ensino. A filha casou-se no ano passado e agora está esperando um bebê. O filho completou sua educação e está fazendo residência médica em cirurgia. Ele quer tornar-se cirurgião plástico. Ambos ajudaram sua família a construir um moderno hospital para atendimento secundário na cidade de origem do pai. Essa instituição é voltada ao tratamento de famílias de sobreviventes e de mártires da guerra contra o terror. O EMDR não apenas aliviou sua dor, agonia e tristeza, como também levou a resultados positivos em suas vidas pessoais. A terapia ajudou-os a transformar seus sentimentos de vingança em uma atitude humanitária e significativa.

A transformação da dor no desejo de ajudar outros é frequentemente um resultado natural do processo de cura. É uma prova do potencial que todos temos dentro de nós. Nosso sistema de processamento da informação é organizado para permitir que aprendamos com o que é útil e descartemos o resto. Quando nos liberamos da dor, podemos ser guiados em direção a um futuro feliz e produtivo. E o que é mais útil do que ajudar a fazer do mundo um lugar melhor para todos vivermos?

Exploração Pessoal

Avalie em que ponto você pode se sentir preso em relação a uma pessoa que morreu. Alguns de nós não conseguimos viver o luto ou ficar em paz, porque memórias de sofrimento mantêm viva a tristeza, mesmo depois de a pessoa já ter partido há muito tempo. Por exemplo, Michelle começou a fazer terapia por causa de ansiedade. Ao processar uma situação atual na qual ela se sentia "presa e desamparada", veio uma memória de infância de seu pai balançando-a sobre um rio violento, quando tinha quatro anos. Como Michele tinha medo de água, ele estava tentando dessensibilizá-la, segurando-a sobre a água. Mas não funcionou. O que ficou trancado em sua rede de memória foi o medo de que, se ela se debatesse para desvencilhar-se, ele a deixaria cair. O processamento não apenas a liberou do seu sentimento de estar "presa e desamparada", como também levou a uma reconciliação curativa entre Michelle e seu falecido pai.

Nunca é tarde demais para fazer as pazes. Portanto, considere usar a técnica de Flutuar ao Passado para ajudar a identificar onde você pode estar preso em sentimentos de raiva e ressentimento. Em que você precisa se segurar e o que você pode deixar para trás?

Mais do Que Um

À medida progredimos através de histórias que mostram como as memórias não processadas podem afetar nosso corpo, mente e emoções, vimos como o medo e a sensação de impotência podem frequentemente nos manter presos. As mesmas coisas que atrapalham nosso progresso no desenvolvimento pessoal podem também retardar o que chamamos de "desenvolvimento espiritual". Ou seja, uma expansão do conhecimento e uma sensação de conexão além de nossos limites pessoais na qualidade de mortais neste planeta. Em muitas tradições e religiões, isso traduz-se por um sentido de mais amor e preocupação com a humanidade como um todo.

Algumas vezes, esses sentimentos de maior conexão espiritual são um resultado natural do processamento. Por exemplo, uma paciente que tinha sido estuprada pelo seu pai, há muitos anos, estava presa em sentimentos de baixa autoestima. Durante as sessões de processamento com o terapeuta, seus sentimentos mudaram. A certa altura, após uma série de movimentos oculares, ela disse: *Eu pensei apenas no amor. "Deus me ama" são na verdade as palavras que pensei.* Seu rosto iluminou-se em um bonito sorriso e ela continuou na jornada do processamento. Ela somente conseguiu vivenciar a sensação de que: "Deus é amor!", quando livrou-se da armadilha dos sentimentos de autoaversão. Foi uma mudança espontânea. Para outros, os bloqueios para esse tipo de paz interior mais intensa devem ser trabalhados individualmente.

Desconexão Espiritual

Algumas pessoas que lutam para obter conexões espirituais podem ver-se bloqueadas por memórias não processadas que provocam sentimentos de depressão, impedindo-as de atingir seus objetivos. Por exemplo, Cristiano, um homem de meia-idade, buscou terapia queixando-se de fadiga, raiva, pouco sono, distanciamento da esposa e estresse relacionado ao conflito com um antigo sócio nos negócios. Contudo, ele falou mais sobre a frustração com sua jornada espiritual e sua prática de meditação de mais de 30 anos.

Ele escolheu sua raiva e desilusão com a meditação como seu primeiro alvo. Por que ele não conseguia atingir a sensação de calma e paz, assim como tantos de seus amigos, durante e depois da meditação? Os sentimentos que continuaram a surgir para ele eram: "O mundo não é seguro. Por que se engajar no mundo?". Cristiano e seu terapeuta usaram a técnica de Flutuar ao Passado e logo emergiu a Memória-Chave. Ele tinha três anos de idade e havia sido derrubado pela vaca do vizinho. Cristiano deu uma gargalhada e balançou a cabeça enquanto contava a história, dizendo: *É uma história boba, mas ainda me perturba. A vaca me empurrou com seu focinho e começou a lamber minha barriga, mas eu pensei que ela fosse me comer. Eu gritei por minha mãe. Ela não veio, pelo que pareceu uma eternidade, mas foram provavelmente só uns cinco minutos. O que me chateou mais, como um garoto de três anos, foi que minha mãe estava rindo quando me levantou do chão.* Essa "falta de sintonia" trancou dentro dele sentimentos de falta de segurança e confiança por mais de 40 anos. A cognição positiva com a qual Cristiano iniciou foi "eu não consigo lidar com isso", mas o processamento transformou-a em "esse é mais um tijolo para construir minha força". Essa foi uma importante descoberta emocional em vários aspectos. Assim como ocorre com outras memórias que estão nos mantendo presos, o processamento de informação proporciona uma experiência de aprendizado, tornando-se, assim, uma base para nossa saúde mental.

Na sessão seguinte, Cristiano relatou que estava dormindo melhor, estava focado novamente em sua espiritualidade e tinha aumentado sua carga de exercícios físicos. Contou também que sua raiva havia diminuído significativamente e que ele e sua esposa tinham voltado a se comunicar melhor. Então ele processou outra memória relacionada à crença negativa: "O mundo não é um lugar seguro. Eu não consigo lidar com isso". Cristiano era um adolescente quando foi sequestrado em um carro e seu amigo foi espancado. Ele sentiu-se péssimo consigo mesmo por não ter reagido aos ladrões. Dessa vez, a cognição positiva era: "eu sou forte". Na sessão seguinte, relatou que sua energia havia voltado e seu sono estava ótimo. Suas meditações agora o conectavam com uma sensação de segurança, paz e tranquilidade. Ele também ficou satisfeito porque espontaneamente se sentiu forte o suficiente para lidar com o conflito

referente ao seu sócio e resolvê-lo. No final das contas, não há separação entre corpo, mente, emoção e espírito. Se as memórias não processadas estão bloqueando você em alguma área, elas, provavelmente, estão afetando-o em outras áreas também.

Os Sete Pecados Capitais

Tendo em vista que uma meta da religião é estimular conexões mais significativas com nosso mundo interior e com aqueles a nossa volta, seus dogmas podem também revelar onde podemos estar bloqueados. Onde nós nos esforçamos e acreditamos que falhamos? Como ilustração tomemos o caso de Simon, pastor que queria usar a terapia de EMDR para ajudá-lo a trabalhar seu desenvolvimento espiritual. A partir de leituras sobre a terapia e de busca interior, ele passou a acreditar que "cada um dos sete pecados capitais são traumas para nossas almas", provenientes de eventos anteriores de nossas vidas. Ele sentia que os pecados contra os quais lutava o tornavam menos eficaz como marido, pai e pastor. Achava também ser importante curar esses pecados dentro dele.

Simon considerava-se desleixado no cuidado das tarefas domésticas, assim como de importantes funções na igreja. Dessa forma, ele escolheu focalizar a Preguiça. A crença negativa de Simon era: "Eu digo uma coisa, depois faço outra. Eu não posso confiar em mim mesmo". A técnica de Flutuar ao Passado revelou que havia ocorrido um Evento-Chave quando ele tinha três anos de idade, enquanto cochilava no chão. Sua mãe fez um joguinho inocente com ele, dizendo: "*É hora de levantar de sua soneca*". Mas quando ele tentava se levantar, ela ria e o segurava contra o chão. Após aquela memória ser reprocessada, Simon relatou que estava mais consciente de suas ações e tinha expectativas mais realistas ao escolher suas tarefas. Ele foi capaz de assumir obrigações maiores em casa e na igreja, bem como lidar com elas de forma mais eficiente e menos emotiva.

A Ira foi outro alvo de Simon. Ele relatou que tinha uma longa história de explosões verbais e de bater nas paredes e nas portas de casa quando estava com raiva. Isso amedrontava sua mulher e sua filha e o envergonhava. O Evento-Chave foi quando ele viu sua mãe atirar algo no relógio da cozinha quando estava brava. Ele achava que aquilo lhe daria permissão para explodir sempre que ficasse com raiva. O pensamento que acompanhava seu comportamento era: "Se eu explodir de raiva, eu terei poder e controle". Sua cognição positiva desejada era: "eu sou amável; eu sou um pacificador". Quando o alvo foi processado, Simon chorou e disse: "Eu quero a coragem de ser autêntico e vulnerável e ter humildade, assim como Jesus Cristo durante a crucificação". Conforme todos os relatos, Simon tornou-se mais flexível, cuidadoso e amoroso, tanto com sua família como consigo mesmo. Ele acredita que, após ter se curado, tornou-se mais

completo como pessoa e passou a ser um pastor muito melhor. O fundamental é que, se você está tendo dificuldades para viver à altura de suas próprias crenças religiosas ou espirituais, pode ser que haja memórias não processadas atrapalhando. Você pode fazer algo para melhorar as coisas.

O Último Portal

Enquanto muitos de nós encontramos conforto em crenças espirituais ao longo de nossas vidas, nosso grande desafio frequentemente vem quando nos deparamos com nossa própria morte. A maneira como abordamos esse teste final de coragem e força normalmente depende da intensidade do medo que está nos afligindo.

Dois anos após o diagnóstico, os doutores comunicaram a Donna que não havia mais nada a ser feito e ela deveria preparar-se para morrer. O câncer havia tomado todo o seu corpo, mesmo assim ela não diminuiu o seu desejo de cura. Naquele momento, ela voltou-se para dentro de si mesma, visando preparar-se para o que estava por vir. Comunicou ao terapeuta que queria remover alguns bloqueios de dentro dela, pois assim poderia "liberar seu espírito para continuar seu caminho". Apesar de, ao longo dos anos, ter feito seu próprio trabalho de desenvolvimento pessoal interno, ela disse que agora queria ver se não tinha deixado nada para trás, ou *restos*.

Donna e seu terapeuta começaram estabelecendo um Lugar Seguro, que ela poderia usar sempre que se sentisse sobrecarregada ou se a dor - física ou emocional - fosse forte demais. Com longo histórico de fé católica, ela escolheu visualizar-se perto de Jesus com os braços de Maria sobre ela. No inicio, ela chorava e tremia. Enquanto seu terapeuta fazia movimentos tácteis em suas pernas, ela respirou devagar e profundamente e disse: "Isso é tão reconfortante. Eu sinto todo o meu corpo relaxar. Sinto um grau profundo de conforto que nunca havia experimentado". Seu corpo afundou suavemente na cadeira, até mesmo seus pés ficaram relaxados. A tensão constante em sua face foi visivelmente abrandada.

O terapeuta indagou-a sobre os *restos* que mencionara antes e se ela estava consciente de qualquer coisa que produzisse desconforto. Ela olhou para cima e disse: "Meu pai - tenho medo de encontrá-lo depois de morrer". A partir desse ponto, eles começaram a processar esse medo. Ela disse: "Eu tenho medo de que ele se aborreça comigo. Eu posso sentir isso em meu coração; é pesado e dói". Depois de passar pelos pensamentos e memórias do medo de ser reprovada, ela acabou dizendo: "Ele tem estado comigo todo o tempo e tem orgulho de mim. Eu posso ver seu rosto sorridente e meu coração parece se abrir".

Outro *resto* estava relacionado aos seus sentimentos sobre a enfermidade e sua responsabilidade por estar doente. Ela questionava-se:

"Será que eu causei isso para mim? Será que a culpa é minha? Será que alguém me culpa por isso?" Ela passou pelos sentimentos de raiva do câncer, a sensação de traição de seu corpo, que não conseguia voltar a ser saudável, bem como a dúvida sobre se teria lutado o suficiente contra a doença. Finalizou com um profundo sentido de perdão e disse: "Eu fiz tudo que podia, tudo que eu sabia fazer na ocasião". E acrescentou, com um suspiro de alívio: "Todos na família sentiam-se tão desamparados quanto eu, ninguém me culpa."

Com o passar dos dias, Donna foi ficando mais cansada e precisava de maiores períodos de descanso. O terapeuta visitou-a todos os dias para continuar o trabalho juntos. Sua família relatou que ela mudou do estado de grande agitação para o de crescente tranquilidade, com cada vez menos medicação. A dor ficou mais suportável e, quando estava acordada, ela ficava mais alerta.

Donna focalizou o que aconteceria quando tivesse morrido. Ela visualizou os *Portões Perolados*. O terapeuta perguntou: Como você gostaria que as coisas ocorressem? Quem vai recebê-la? Ela sorriu e disse: "Eu estou tão leve, o movimento não exige esforço algum, e sim ele está lá, meu pai, minha mãe e tantos outros que eu amo. Eu estou sorrindo e eles também. Não há nenhuma tristeza ou dor. Tudo é muito claro e eu sinto que vivi uma vida boa e estou seguindo em frente". Ela estava radiante durante esse processamento. Parecia que estava sorrindo lá do fundo da alma. Naquele momento, não tinha consciência de seu corpo devastado. Quando o terapeuta perguntou o que ela observava em seu corpo, ela disse: "Eu me sinto leve. Eu me sinto livre. Isso é incrível!"

Quando Donna deu os seus últimos suspiros, havia um sorriso suave em sua face. Conforme comentou seu terapeuta: "A Luz da Vida sempre brilhou através dela e agora a libertou".

Exploração Pessoal

Milhões de pessoas sentem que a fé é uma parte importante de suas vidas e são confortadas pela oração. Outras acreditam em um poder supremo, mas sentem-se isoladas e sozinhas, incapazes de rezar. Milhões buscam a paz interior por meio da meditação e, muitas delas, sentem-se igualmente bloqueadas. Seja qual for o caso, a terapia de EMDR pode trabalhar esses obstáculos, que frequentemente são causados por memórias não processadas de dor, sofrimento ou frustração. Após essas barreiras serem removidas, estaremos livres para explorar formas de aprofundar nossas conexões espirituais por meio das práticas que mais nos atendam. Isso permite a escolha da prática de oração ou de meditação, em separado ou combinadas, para melhorar a vida quotidiana.

É claro que a pessoa necessita ter fé ou crenças religiosas para dedicar-se à oração. Mas basta olhar para a ciência que encontraremos

razões para adotar a prática de meditação. Apesar de, em países ocidentais, a maioria das pessoas associarem meditação à tradição budista, existem várias técnicas provenientes de diferentes culturas. Recentemente algumas práticas de meditação têm sido separadas de qualquer sistema específico de crenças e avaliadas em vários estudos. As pesquisas documentam que a prática de técnicas de *atenção focalizada* pode facilitar a administração do estresse, bem como fortalecer o sistema imunológico. É uma excelente contribuição para o cuidado diário consigo mesmo.

Essas práticas de meditação incluem a Plena Atenção (*Mindfulness*) - simplesmente prestar atenção sem qualquer vinculação ou julgamento. Essa é uma parte dos procedimentos da terapia de EMDR, já que as instruções durante o processamento são "apenas observe". Em vez de tentar fazer com que algo aconteça, apenas observe. Enquanto um terapeuta o guia através da rede de memória para viabilizar o processamento, "apenas observar" o movimento dos pensamentos pode ajudá-lo a identificar quando você se encontra aprisionado em um círculo fechado que não o leva a lugar nenhum. Algumas vezes, essa conscientização por si só já pode ajudar a libertá-lo da memória que o incomoda. As pessoas que meditam fortalecem sua habilidade emocional para manter-se em plena atenção no seu dia a dia, o que lhes permite fazer escolhas melhores para si mesmos e para os outros.

No Apêndice A, encontram-se orientações de visualização guiada e meditação. Contudo, uma maneira fácil de começar é simplesmente ficar sentado e observar seu abdômen expandir-se e contrair-se enquanto você respira. Simplesmente observe, tranquilamente. Se verificar que sua mente vaga para outros pensamentos, então gentilmente traga a atenção de volta para seu abdômen. Veja se consegue fazer isso por cinco minutos de cada vez. Depois aumente o tempo de meditação diariamente até que você possa se sentar confortavelmente por 20 a 30 minutos.

Se você também quiser incluir algumas de suas práticas religiosas, considere acrescentar uma frase proveniente da sua crença como: "Deus é bom" ou "Deus é grande" ou "Deus é o único". Você poderia também usar a palavra "Om" da tradição indiana. Ou uma palavra como "paz" ou "amor". Repita a frase ou palavra cada vez que inspirar e expirar. Ademais, práticas de meditação que focalizam um sentido de gratidão também podem ser muito úteis. Sente-se tranquilamente e pense nas coisas em sua vida pelas quais você é grato. Volte sua atenção para o seu coração e simplesmente repita: "Obrigado por tudo que você me deu" enquanto você inspira e expira. O "você" pode ser Deus ou Espírito ou Vida ou sua própria boa índole.

Essas práticas de meditação podem apaziguar tanto sua mente quanto seu corpo, trazendo valiosos benefícios físicos e mentais de longo

prazo. Outro aspecto importante é que elas podem lembrá-lo de que você vale mais do que qualquer perturbação atual em sua vida.

Se você já sentiu conexões espirituais anteriormente, mas agora está bloqueado, essa é outra situação que pode ser causada por memórias não processadas. As vezes, as razões podem ser prosaicas, como no caso de Cristiano, cuja Memória-Chave era ser lambido por uma vaca quando tinha três anos de idade. Para outros, as razões podem ser um grave trauma que abalou sua visão de mundo. Aqueles que perderam pessoas amadas de repente podem se sentir isolados e sozinhos com um sofrimento mal curado. Contudo, é possível que o processamento dessas memórias libere a dor e traga de volta uma sensação de esperança e conexão. Até mesmo pais de crianças que perderam a vida em decorrência de violência nos ataques de *11 de Setembro* e em todo o Oriente Médio, ou devido desastres naturais como terremotos, furacões e tsunamis, podem passar a identificar um novo sentido de paz e reconciliação. Nós somos todos iguais na dor e na capacidade de recuperação.

Caso você se sinta bloqueado, sem razão aparente, então concentre-se nas emoções em seu corpo quando tenta se engajar em oração ou meditação e use a técnica de Flutuar ao Passado para ver se consegue encontrar a causa. Se a conscientização por si só não for suficiente para liberá-lo, considere o processamento do evento. Os resultados podem surpreendê-lo. Os terapeutas falam de um fenômeno denominado "crescimento pós-traumático". As vítimas de trauma frequentemente reportam que a recuperação é algo mais do que a simples eliminação da dor. Elas conseguem oferecer respostas positivas a perguntas como: O que eu aprendi? Como sou mais forte? O que me faz sentir grato? Quem eu posso ajudar a partir do que eu sei agora? Se algo estiver bloqueado, talvez é chegado o momento de deixar que seja curado.

Abraçando A Vida

Como vimos ao longo de todo este livro, existem motivos para as reações que podemos ter considerado "loucas" ou incontroláveis. Nossas conexões de memória inconscientes são a base de nossos problemas - e também de nossa habilidade para encontrar saúde e satisfação na vida. Eu espero que as histórias e os exercícios apresentados tenham propiciado a visão de que você não está sozinho, nem na dor e nem no desejo de alegria e bem-estar. O uso contínuo dos procedimentos de exploração pessoal fará com que você compreenda melhor o que está de fato comandando o seu espetáculo. Ademais, ao praticar e usar as técnicas de autocontrole diariamente, você pode aumentar o nível de empoderamento em sua vida. Se você parece estar bloqueado em qualquer área, agora também sabe que existem opções para permitir a mudança do estado de "aprisionamento"

para uma vida de novas possibilidades e potenciais. É importante ressaltar que você agora tem o poder de escolha.

Outro objetivo deste livro é ajudá-lo a ter mais compaixão por você mesmo e por aqueles que o rodeiam. Espero que possa sentir compaixão por ambos: você como criança, quando o curso de sua vida foi traçado, e você como adulto, que agora tem tanto a responsabilidade como a capacidade para fazer as mudanças necessárias. Além disso, eu espero que você possa olhar para os outros em sua vida e ter a mesma compreensão sobre as lutas que eles travam. Eles terão que tomar suas próprias decisões, mas, assim como Helene decidiu fazer, talvez você possa oferecer uma "luz guia" por meio de suas próprias escolhas saudáveis. Cada um de nós, por intermédio de nossas ações, cria um efeito multiplicador que pode ter consequências de longo alcance.

Nos últimos 20 anos, mais de 70.000 profissionais fizeram treinamento em terapia de EMDR em todo o mundo. Nesse período, as associações de EMDR reuniram pessoas dos diversos recantos do globo para compartilhar suas histórias e seu aprendizado. O que tem continuamente aquecido meu coração é saber que muitas desses casos se revelam histórias de triunfo. Elas oferecem exemplos da resiliência do espírito humano - a habilidade de recuperar-se da dor e da adversidade. Recorrentemente, elas demonstram a habilidade das pessoas para expressar amor sob as mais terríveis circunstâncias. Essas histórias mostram como o ser humano é capaz de superar qualquer obstáculo que a vida tenha lançado em seu caminho.

Seja vivendo em coberturas ou em barracos de barro, todos nós somos ligados mais por nossas semelhanças do que por nossas diferenças. Podemos até acreditar ser nossa religião, tradição ou cultura seja superior a outras. Mas, no fundo, nossos cérebros, mentes, corpos e espíritos movem-se em um ritmo único. O que provoca dor em um, provoca em todos. Foi por isso que tive a honra de compartilhar algumas dessas histórias com vocês. Afinal de contas, quando falamos de lar, referimo-nos ao lugar neste planeta onde nos encontramos ao nascermos e que ajudou a moldar nosso destino. Mesmo se deixarmos nossa pátria, levamos conosco a marca de nossa família e do lugar de origem dentro de nós. A beleza de tudo isso é descobrir que, aonde quer que formos, todos nós compartilhamos os mesmos sistemas físicos - e um corpo, cérebro e inconsciente que funcionam da mesma maneira. Quando nos cortamos, nossos corpos tendem a sarar, a não ser que haja algum bloqueio. E, como vemos repetidamente com a terapia de EMDR, nosso sistema de processamento de informação é talhado para fazer a mesma coisa. Nossa dor pode **transformar-se em algo útil. Nós temos a capacidade de escolher o caminho que desejamos seguir. E os caminhos se convergem em** todo o mundo.

O Guardião de meu Irmão

Há poucos anos atrás, o Furacão Paulina devastou uma pequena cidade mexicana. Uma equipe de terapeutas de EMDR do Programa de Assistência Humanitária[7] foi socorrer aqueles necessitados. Como você sabe, o Abraço da Borboleta foi originalmente desenvolvido para ajudar na terapia de EMDR com grupos de crianças traumatizadas. O uso do protocolo do trabalho com grupos foi mundialmente expandido e tem ajudado a tratar, com sucesso, crianças e adultos, tanto vítimas de desastres naturais quanto os provocados pelo homem, inclusive aqueles atingidos pelo conflito entre Israel e Palestina, em ambos os lados. Aquele era o momento de ajudar um novo grupo de jovens em sofrimento. As crianças formaram um círculo e o terapeuta pediu que fizessem o Abraço de Borboleta, enquanto processavam sua memória do vento, da chuva e da tromba d'água que havia levado tantas vidas.

Dois irmãos, de 18 e 16 anos, não participaram do exercício. Contudo, eles observavam tudo atentamente a curta distância. Depois do final da prática, Carlos, o mais jovem, aproximou-se da terapeuta para contar sua história e perguntar como seu irmão poderia fazer o Abraço de Borboleta sem os braços.

Carlos contou que o rio revolto tinha levado todos os membros de sua família em uma noite durante o furacão. Primeiro as águas arrastaram seus pais ao destruírem a casa deles. Como irmão mais velho, Hector tinha feito de tudo para salvar todos os três irmãos, segurando-os fortemente. Mas ele conseguiu apenas resgatar Carlos, porque a água arrancou os dois irmãos mais novos de seus braços. Esse esforço tinha provocado uma dor enorme nos braços de Hector. Sozinhos, os dois irmãos tentaram manter-se agarrados, esperando que alguém os ajudassem. Dois dias mais tarde, os meninos foram resgatados. Entretanto, quando eles finalmente conseguiram chegar ao hospital, os braços de Hector estavam com gangrena e tiveram que ser amputados.

A terapeuta pediu que Carlos a levasse até o irmão para que ela mostrasse como fazer o Abraço de Borboleta. Então perguntou ao Carlos se ele achava que o regaste havia sido um ato de amor excepcional do irmão. Ele respondeu imediatamente e intensamente: "Sim!". Depois ela pediu que ele se posicionasse atrás do irmão, enquanto Hector ficava sentado em uma cadeira de rodas. Ela orientou Carlos a inclinar-se para frente de forma que uma de suas bochechas estivesse em contato com a de Hector, enquanto ele abraçava o irmão por trás. Ela então ajudou Carlos a cruzar os braços sobre o tórax de Hector.

Ambos os irmãos respiraram profundamente enquanto Carlos usou seus próprios braços para fazer o Abraço de Borboleta sobre o tronco

[7] Sigla em inglês HAP.

de Hector. A terapeuta e os meninos juntos processaram as memórias traumáticas. Conforme a terapeuta: "Não há palavras para expressar a transformação na fisionomia dos dois garotos, que foi do desespero para o amor profundo. Foi a cena mais bonita que já vi".

Estendendo a mão

A disposição de estender a mão para confortar e cuidar daqueles necessitados é outro ponto em comum que compartilhamos. Quando uma avalanche de lama destruiu uma vila, deixou 50 crianças órfãs. Os terapeutas de EMDR de ajuda humanitária chegaram para prestar atendimento e usaram o protocolo de grupo. Naquela ocasião, em vez do Abraço de Borboleta, eles ensinaram as crianças a fazerem as estimulações bilaterais por meio do toque alternado no joelho. No dia seguinte, quando chegaram para trabalhar de novo com as vítimas, encontraram o grupo esperando por eles. As crianças estavam fazendo os toques umas nas outras.

Parece claro que nós, que temos muito mais poder e recursos do que aquelas crianças, também podemos ajudar. Podemos estender nossas mãos para ajudar - e para pedir ajuda. Cada um de nós tem diferentes preocupações. Por exemplo, o que é o lar para você? Seria você mesmo, sua família, sua vizinhança, seu país ou a comunidade global? Todo ser humano necessita de nossa atenção e a verdadeira mudança deve começar dentro daqueles de nós que têm conhecimento suficiente para se engajar.

Uma das experiências que me tocaram profundamente aconteceu em um *workshop* de treinamento cerca de dez anos atrás. Vários terapeutas tinham vindo de diversos lugares para uma pequena cidade costeira na semana anterior. Uma noite antes da partida, todos sentiam-se tão maravilhados, entusiasmados e felizes com aquele bonito ambiente natural que desceram até a praia. Era noite, mas as estrelas brilhavam e eles decidiram nadar na pequena baia, como haviam feito muitas vezes anteriormente. O que eles não sabiam é que a maré havia mudado e uma forte corrente marítima vinha naquela direção.

Sorrindo e gargalhando, um grande número deles entrou no mar e começou a nadar, mas foi pego pela corrente e levado para longe. Outros conseguiram nadar até a praia e ficaram lá, juntos com os que não haviam entrado, observando aquelas outras pessoas, os amigos que haviam feito, sendo tragadas pelo mar. Sentiram-se completamente perdidos e impotentes para fazer qualquer coisa para ajudar. Todos os que foram levados pela maré, no mar, não conseguiram voltar. Sentiram-se completamente sozinhos e acreditaram que iriam se afogar. Nós não sabemos quem foi, mas uma pessoa na praia falou: "Vamos dar os braços e formar uma corrente". Assim, eles caminharam todos juntos

vagarosamente para dentro do oceano segurando uns aos outros. Juntos conseguiram alcançar cada um deles e trazer todos para a praia.

É isso que muitas pessoas estão tentando alcançar, em todo o mundo, por meio de programas de assistência humanitária. Para juntar-se aos que estão dispostos a dar as mãos, para ajudar a trazer todos de volta, de modo que ninguém fique sozinho se afogando no escuro. Portanto, caso você tenha alguma inclinação para essa atividade, por favor considere juntar-se ao esforço para colaborar com esse trabalho - porque há tanto a ser feito! E nós podemos fazer isso com alegria e gratidão pelo que recebemos em nossa vida. Como disse uma menina de dez anos de idade depois de processar seu trauma: "Você não se sente como se quisesse abraçar o mundo inteiro?"

Agradecimentos

Este livro é o ápice de uma jornada de décadas que foi mais prazerosa graças ao apoio carinhoso de meu maravilhoso marido, Bob Welch, e da minha querida amiga e colega Robbie Dunton. Quanto à criação do livro em si, gostaria de iniciar agradecendo, em especial, a Susan Golant, pelo seu apoio editorial e assistência de alto nível em várias das tarefas necessárias à disponibilização do livro. Agradeço, ainda, a minha editora da Rodale, Shannon Welch, por suas astutas sugestões e por ter cuidadosamente acompanhado a confecção do livro ao longo do processo de produção com a assistência de sua talentosa equipe, Marie Crousillat e Amy King. Muitos agradecimentos à minha agente Suzanne Gluck pela sua valiosa orientação e apoio. Obrigada também a Del Potter por seu atendimento de emergência na área de informática e pela assistência técnica.

A redação do livro envolveu um amplo círculo de pesquisadores e terapeutas que merecem reconhecimento por suas inúmeras contribuições ao longo dos últimos anos. Expresso minha gratidão a Robert Sickgold, por seus bem elaborados trabalhos sobre a relação entre o EMDR, a memória e o sono REM e suas valiosas sugestões sobre as descrições de neurobiologia deste volume. Muitos agradecimentos a Daniel Siegel, por suas valiosas sugestões e pelo trabalho pioneiro na área de neurobiologia interpessoal. Sou grata a Hope Payson, Deany Laliotis, Jennifer Lendl, Susan Brown, Tony Madrid e Ronald Ricci, que contribuíram com casos detalhados e foram essenciais na formatação das descrições e recomendações em suas especialidades. Muito obrigada a Ad de Jongh, Steve Silver, Deb Wesselman, Lenore Walker e Julie Stowasser, por compartilharem seu conhecimento e sugestões como leitores de capítulos específicos.

Meu reconhecimento adicional a Deany Laliotis e Patti Levin por suas profundas contribuições na leitura de todo o manuscrito em diferentes estágios de elaboração. Sou também grata a Charlie Hitt, Robin Robbin, Jane Schuler-Repp, Jonh Linderman, Brian Tippen e Christina Peterson, que leram os capítulos do ponto de vista de leigos para garantir que o livro seria "amigável". Além do mais, gostaria de reconhecer os seguintes inovadores por sua contribuição profissional independente: Cynthia Browning, pela técnica de Flutuação ao Passado, Elan Shapiro, pelo procedimento do Quatro Elementos, bem como Lucy Artigas e Ignacio Jarero, pelo seu desenvolvimento do Abraço de Borboleta. Meu agradecimento especial pessoal vai para Stephen e Ondrea Levine por terem me ensinado a técnica do Feixe de Luz há mais de 30 anos.

Por mais de 25 anos, tem sido uma honra fazer parte de um grupo crescente de terapeutas e pesquisadores que têm dedicado suas vidas a aliviar o sofrimento humano. Eu pedi o apoio deles para explicar ao grande público o que temos aprendido sobre os mecanismos de processamento da informação de nossos cérebros e do "tecido da mente". Eles e seus pacientes responderam entusiasticamente com exemplos de todas as partes do globo. A leitura das histórias foi motivo de grande alegria por constatar, não apenas a universalidade da condição humana, mas também como ao longo do tempo o espírito humano tem triunfado na superação de até mesmo os piores obstáculos. Eu agradeço de coração a aqueles que colaboraram com suas histórias. Se os casos acabaram sendo incluídos ou não no livro, é consequência do próprio processo de redação - quando um exemplo naturalmente leva a outro. Mas todos serviram como inspiração para mim e são lembretes emocionantes da razão pela qual fazemos o que fazemos. Por tudo isso, sou eternamente grata. Seus nomes estão listados na próxima a seguir. Peço desculpas caso tenha esquecido algum nome - solicito que por favor me informe.

Collaboradores

George Abbot
Robbie Adler-Tapia
Katie Atherton
Uri Bergmann
Susan Brown
Cheryl Clayton
Susan Curry
Kathy Davis
Ad de Jongh
Lucina Artigas Diaz
Yulia Direzkia
Mark Dworkin
Nancy Errebo
Isabel Fernandez
Ellie Fields
Carol Forgash
Karen Forte
Sandra Foster
Wendy Freitag
Denise Gelinas
Irene Giessl
Sarah Gilman
Barb Hensley
Nancy Knudsen
Cynthia Kong
Deborah Korn
Reni Kusumawardidhani
Deany Laliotis
Ellen Latenstein
Roxann Lee
Jennifer Lendl
Patti Levin
Marilyn Luber
Tony Madrid
Jeff Magnavita
Stephen Marcus
Nancy Margulies
Jeri Marlowe
Priscilla Marquis
Helga Matthess
Therese McGoldrick
Christine McIlwain
Sushma Mehrotra
Liesbeth Mevissen
Edith Taber Moore
Katy Murray
Mowadat Rana
Ron Ricci
Maudie Richie
Gisela Roth
Curt Rouanzoin
Lynda Ruf
Mark Russell
Gary Scarborough
Zona Scheiner
Jens Scheider
Karen Schurmans
Carolyn Settle
Elan Shapiro
Valerie Sheehan
Jocelyn Shiromoto
Michel Silvestre
Greg Smith
Ute Sodemann
Roger Solomon
John Spector
Shinto Sukirna
Khadja Tahir
Laura Tofani

Seema Hingorany
Arne Hofmann
E. C. Hurley
Mike Jameson
Ignacio Jarero
Ann Kafoury
Roy Kiessling
Dawne Kimbrall
Frankie Klaff
James Knipe
Udi Oren
Elaine Ortman
Barbara Parrett
Hope Payson
Byron Perkins
A. J. Popky
Ann Potter
Jari Preston
Gerald Puk
Gary Quinn
Linda Vanderlaan
Deb Wesselman
Kathleen Wheeler
Marshall Wilensky
Christine Wilson
Bennet Wolper
Janet Wright
Carol York
Mona Zaghrout
Al Zbik

Apêndice A: Glossário e Técnicas de Autoajuda

Abraço da Borboleta - Estimulação bilateral com toques alternados nos ombros, que pode ser usada para aumentar o sentimento de calma e segurança e para reduzir o estresse. (Capítulo 3 e 6)
Arsenal do Lugar Seguro/Tranquilo - Permite que você traga à mente uma vasta gama de emoções positivas por meio de imagens ou palavras-chave. Por exemplo, um sentimento de tranquilidade associado à imagem de estar no pico de uma montanha ou perto do oceano. (Capítulo 3,5 e 6)
Centramento - Uso de respiração profunda e lenta para relaxar, conforme ensinado para muitos atletas, artistas e executivos. (Capítulo 10)
Cognições Negativas - Crenças negativas que coloca em palavras as emoções e pensamentos perturbadores associados às memórias não processadas. (Capítulo 4)
Escaneamento de Afetos - Procedimento que usa a situação atual e as sensações corporais para identificar a Memória-Chave. (Capítulo 4)
Espiral - Permite que você lide com sentimentos desagradáveis mudando a direção de suas sensações físicas. (Capítulo 5)
Feixe de Luz - Ajuda-o a lidar com emoções desagradáveis ao focar as sensações físicas e *direcionar a luz* para a perturbação. Combinada com a técnica do Lugar Seguro-Tranquilo pode também ser útil para lidar com a insônia. (Capítulo 7)
Flutuar ao Passado - O uso de uma situação atual, cognição negativa e sensações corporais para identificar a Memória-Chave. (Capítulo 4)
Lata de Tinta - Permite que você lide com uma imagem mental desagradável ao misturar a tinta. (Capítulo 4)
Meditação - Técnicas de meditação da plena atenção para aumentar o foco, a concentração e os estados emocionais positivos. (Capítulo 11)
Mudanças Físicas - Mudança de postura ou expressão facial para alterar do estado de ansiedade para o de excitação ou outros estados emocionais positivos. (Capítulo 10)
Mudança na Respiração - Permite que você reduza o estresse por meio da mudança de padrão da respiração para outro associado a uma emoção positiva. (Capítulo 3)
Personagem de Desenho Animado - Permite que você lide com o diálogo interior negativo, fazendo com que a voz crítica soe cômica. (Capítulo 3)
Projeto para o Futuro - Uso de técnicas de imaginação guiada para o desenvolvimento de competências e melhoria de performance. (Capítulo 10)

Quatro Elementos - Uma sequência de quatro técnicas de redução de estresse (Terra, Ar, Água e Fogo) para ajudar a lidar com estresse crônico, bem como ajuda a executar o automonitoramento periódico. (Capítulo 10)
Relatório DICES - Um registro para automonitorar diariamente a perturbação. Ele enumera os elementos disparadores, a imagem, a cognição negativa, as sensações físicas e graus SUD de perturbação. (Capítulo 9)
Respiração Abdominal - Para ajudar a reduzir a perturbação, inspire vagarosamente e profundamente enquanto sente seu abdômen expandir-se. Em seguida, expire quando sentir seu abdômen contrair. (Capítulo 5)
Sugestão para o Relacionamento - Sugestões para ajudar a melhorar a comunicação entre membros de um casal, incluindo a técnica "Eu te perdoo". (Capítulo 8)
Timeline - Uma lista das Memórias-Chave, Cognições Negativas, níveis SUD e idade na sequência cronológica que as memórias ocorreram que é feita para melhor entender sua história. (Capítulo 10)

Gravações de Visualizações Guiadas e Meditação

Disponível no web site do Programa de Assistência Humanitária de EMDR : www.emdrhap.org/store/gv
Livrando-se do estresse - por Emmett Miller, MD
Quatro técnicas de relaxamento incluindo o equivalente ao exercício do Lugar Seguro/Tranquilo
Técnica do Feixe de Luz - por Francine Shapiro, PhD
Visualização guiada
Meditação abdominal lenta - por Stephen Levine
Meditações guiadas.

Tabela Pessoal

	Dia/Data	Dia/Data	Dia/Data	Dia/Data
Uso de gravação de meditação/relaxamento (20 min.)				
Exercício (30 min.)				
Reforço do arsenal do Lugar Seguro/Tranquilo (10 min.)				
Relatório DICES Técnicas para reestabelecer o equilíbrio (+ sim;- não, 0 - não foi necessário)				

Contatos positivos (família - amigos)				
Divertimento e Relaxamento - duração de tempo				
Alimentação consciente				
Noite completas de sono				
Será que eu tenho uma sensação de bem - estar?				
Avaliação das últimas 24 horas (-10 a + 10)				

Use esta Tabela Pessoal diariamente para ajudá-lo a manter-se nos trilhos. Ao avaliar cada dia, pergunte-se: O que poderia melhorar isto? O que eu preciso a mais ou a menos para levar uma vida mais recompensadora? Será que eu preciso de mais tempo de relaxamento? De ser mais reconfortado com as técnicas de autoajuda? Eu tenho uma sensação de bem-estar? Ou eu preciso de assistência profissional?

Apesar de os problemas pessoais e sentimentos de perturbação emocional parecerem ser algumas vezes intransponíveis, você tem sim escolhas. Lembre-se de praticar suas técnicas de autocontrole e utilize o seu Relatório DICES para montar sua Lista de Memórias-Chave e o Timeline. Isso permitirá que você perceba mais facilmente seus padrões de reações na vida diária. Eles também lhe oferecerão uma melhor ideia dos tipos de emoções e sentimentos positivos que você precisa adicionar ao arsenal de Lugar Seguro/Tranquilo. Ademais, se você optar por procurar um especialista em terapia EMDR, essas práticas irão, geralmente, permitir que você passe com mais rapidez pelas fases do tratamento de levantamento de história clínica e preparação. A terapia pessoal é uma parceria com um terapeuta responsável. Como um paciente falou: "Meu terapeuta é o corrimão da escada que eu subo".

Apêndice B: Escolhendo o Terapeuta

O EMDR é uma forma de psicoterapia que é reconhecida em todo o mundo como um tratamento efetivo para o trauma e outros eventos perturbadores da vida. As oito fases da terapia de EMDR foram desenhadas para garantir que as emoções, pensamentos e reações corporais dos pacientes evoluam para um estado saudável (veja http://www.emdria.org/8phases). Há numerosos procedimentos para cada fase e protocolos específicos conforme os diferentes problemas. Os relatos de casos que você leu neste livro foram fornecidos por terapeutas bem treinados que usam procedimentos de reprocessamento testados e validados por pesquisas. É importante que o terapeuta de sua escolha faça o mesmo.

É relevante assegurar-se de que o seu terapeuta tenha feito um curso que seja aprovado pela associação profissional de EMDR na região. As organizações enumeradas na próxima página mantêm listas de terapeutas que você pode consultar para encontrar algum em sua área. É também importante verificar as credenciais do terapeuta, porque alguns podem ter feito treinamentos não reconhecidos, abaixo do padrão de qualidade. Por exemplo, alguns treinamentos oferecidos nos Estados Unidos têm somente um terço da duração dos cursos com certificação reconhecida.

A terapia de EMDR apenas deve ser administrada por um profissional licenciado (ou em supervisão), especificamente treinado nessa abordagem terapêutica. Reserve algum tempo para entrevistar possíveis terapeutas. Certifique-se de que eles tenham o treinamento apropriado na técnica de EMDR (o treinamento básico constitui-se de no mínimo seis dias completos e supervisão adicional) e que estejam a par dos últimos avanços na área. Como em qualquer outra forma de terapia, apesar de o treinamento do psicólogo ser obrigatório, é também importante avaliar outros fatores. Escolha um terapeuta que tenha experiência com a técnica de EMDR e também uma boa taxa de sucesso. Certifique-se de que o seu terapeuta esteja tratando confortavelmente o seu problema específico. Além do mais, é importante que você sinta uma sensação de confiança e empatia com o psicólogo. Entreviste o número de profissionais que for necessário para encontrar um que seja reconhecido e pareça o certo para você. Todo tratamento de sucesso consiste em uma interação entre terapeuta, paciente e terapia.

Pergunte:

1. Você completou um treinamento aprovado pela organização profissional de EMDR?
2. Você mantém-se informado dos últimos protocolos e avanços?
3. Você usa as oito fases completas como ensinadas em treinamentos aprovados e validados por pesquisas?
4. Quantas pessoas com o meu tipo de problema ou transtorno você já tratou?
5. Qual é a sua taxa de sucesso com outros pacientes que apresentam esse tipo de problema?

A terapia de EMDR e Fontes de Treinamento

O Instituto de EMDR

O Instituto de EMDR já treinou mais de 60.000 terapeutas desde que foi fundado por mim em 1990. Ele mantém um cadastro internacional de terapeutas treinados pelo Instituto para encaminhamento de pacientes, e treina somente profissionais qualificados mentalmente saudáveis, seguindo os mais rigorosos padrões profissionais. Os treinamentos autorizados pelo Instituto mostram o seu logotipo. Ele é hoje uma das muitas organizações de treinamento aprovadas pela EMDRIA.

Para maiores informações acerca do treinamento ou para algum encaminhamento, o Instituto pode ser contactado pelo telefone (831) 761-1204; pelo email inst@emdr.com; pela Caixa postal: PO BOX 750, Watsonville, CA 95077; ou você também pode visitar o nosso site na internet: www.emdr.com.

Associação Internacional de EMDR (EMDRIA)

A Associação Internacional de EMDR é um organização profissional de terapeutas e pesquisadores dedicados a promover o maior nível possível de excelência e integridade na prática de EMDR, pesquisa e educação para o bem público em todo os Estados Unidos. Para identificar um terapeuta perto de você que tenha sido treinado por uma instituição certificada de treinamento de EMDRIA, visite o website da organização e clique em "Encontre um Terapeuta". Se você estiver procurando por uma

pessoa específica que não esteja na lista, então entre em contato com a organização por telefone ou e-mail. Lembre-se de que muitos terapeutas podem não estar cientes de que foram treinados por instituições não certificadas e receberam capacitação insuficiente.

Para maiores informações sobre o EMDRIA, entre em contato com a associação no:

5806 Mesa Drive, Suite 360, Austin, TX 78731-3785
Phone: (866) 451-5200
www.emdria.org ou email: info@emdria.org

O **EMDR Canadá** é uma organização associada na América do Norte que mantém um lista de terapeutas capacitados no Canadá. Visite o www.emdrcanada.org ou e-mail info@emdrcanada.org

Todas as associações multinacionais abaixo exercem uma função semelhante à EMDRIA como organização supervisora em suas respectivas regiões. Elas são voltadas à promoção do mais alto padrão possível de excelência e integridade na prática de EMDR, pesquisa e educação.

Associação EMDR Asia

A Associação EMDR Asia é o órgão diretivo de todas as associações nacionais de EMDR em toda a Ásia, incluindo a Austrália e a Nova Zelândia. Os links para as associações nacionais podem ser encontradas no Web site www.emdr-asia.org ou e-mail emdrasia@gmail.com

Associação EMDR Europa

A Associação EMDR Europa é o órgão diretivo de todas as associações nacionais de EMDR em toda a Europa, incluindo Israel e Turquia. Os links para as associações nacionais podem ser encontrados no Web site. Cada associação nacional mantém uma lista de membros que passaram por treinamentos oficiais. Visite www.emdr-europe.org ou e-mail info@emdr-europe.org

Associação Iberoamérica de EMDR[8]

A Associação Iberoamérica de EMDR é o órgão diretivo de todas as associações nacionais de EMDR em toda a América Latina. Cada associação nacional mantém uma lista de membros que passaram por treinamentos certificados. Os *links* para as associações nacionais podem ser

[8] NT: No Brasil, os profissionais treinados em EMDR podem ser encontrados em: http://emdrtreinamento.com.br/profissionais/procure-um-profissional/

encontrados no Website. Visite www.emdriberoamerica.org ou e-mail info@emdriberoamerica.org.

EMDRIA Latinoamérica

Mais especialistas podem ser consultados na lista em www.emdr.org.ar

EMDR- Programas de Assistência Humanitária (HAP)

A organização sem fins lucrativos HAP é uma rede global de terapeutas que viajam para qualquer lugar onde há necessidade de mitigar o sofrimento emocional e evitar os efeitos psicológicos resultantes do trauma e da violência. A organização recebeu o prêmio *Sarah Haley Memorial Award for Clinical Excellence* da Sociedade Internacional para Estudos de Estresse Traumático (*International Society for Traumatic Stress Studies)* em 2011. A HAP tem como objetivo ajudar a interromper o ciclo de sofrimento que arruína vidas e devasta famílias.

O modelo da HAP dá ênfase ao apoio profissional e ao treinamento de terapeutas locais, para que o processo de cura tenha continuidade. Esse modelo centrado no treinamento apresenta várias vantagens. Ao ensinarmos EMDR a terapeutas locais, nós estamos equipando-os com uma ferramenta eficiente e efetiva no tratamento das consequências emocionais do trauma. Os profissionais que já fazem parte da comunidade afetada não são substituídos por outros de fora; em vez disso eles tem acesso a um recurso importante para ser usado quando e como acharem conveniente. Considerando que reações a acontecimentos traumáticos têm algumas vezes efeito retardado, e também o fato de que os indivíduos geralmente tentam resolver problemas por conta própria antes de procurar uma intervenção profissional, o treinamento de psicólogos locais ajuda a garantir que as pessoas, quando finalmente buscarem assistência, possam ter suas necessidades atendidas. Nesse sentido, o tratamento psicológico efetivo do trauma estende-se muito além dos parâmetros de um evento único.

A HAP fornece treinamento de baixo custo em EMDR a terapeutas que trabalham em agências públicas e sem fins lucrativos. O treinamento é ministrado nas próprias comunidades desses profissionais. As agências nos Estados Unidos ou em outros países que quiserem patrocinar tal treinamento devem contactar diretamente a HAP.

Além de treinamento, a Rede da Recuperação de Trauma da Associação HAP coordena terapeutas para tratar de vítimas e de socorristas, depois de crises como o atentado a bomba em Oklahoma City e os ataques terroristas de 9/11 de 2001 em Nova York e Washington.

Desde o atentado a bomba em Oklahoma City em 1995, uma rede crescente de voluntários tem respondido a pedidos de tratamento provenientes de todas as partes do mundo, seja depois do Furacão Katrina, de graves enchentes em Dakota do Norte, de terremotos na Turquia, Índia, China e Haiti, de furacões ou enchentes em toda a América Latina, ou de explosões vulcânicas e *tsunamis* na Asia. Nós alcançamos comunidades traumatizadas pela guerra e pelo terror na Palestina e Israel, Croácia e Bósnia, Irlanda do Norte e Quênia; e também aquelas enfraquecidas por epidemias na Etiópia. Temos colaborado para preencher a lacuna existente em serviços de saúde mental em comunidades carentes em zonas urbanas de Bedford-Stuyvesant até Oakland; e em populações pouco favorecidas em áreas rurais e suburbanas, em reservas de índios americanos, em países como Hungria, Polônia, China, África de Sul, Ucrânia, México, Nicarágua, El Salvador e outros. Nós já tratamos, treinamos e plantamos as sementes para promover a cura em situações como: o acidente aéreo do Voo TWA 800, os tiroteios nas escolas de Columbine High, nos Estados Unidos, e Dunblane, na Escócia; e os ataques terroristas de 9/11 em Nova York e Washington.

Os voluntários de EMDR-HAP normalmente doam pelo menos uma semana de seu tempo por ano em forma de terapia ou treinamento, tendo como objetivo viabilizar a cura de pessoas que estão sofrendo mas não podem arcar com as despesas do tratamento. Entretanto, é necessário financiamento para levar esses psicólogos até onde eles são mais requisitados. Mesmo que certos treinamentos na Ásia, nos Balcãs e na África sejam co-patrocinados por organizações como a *International Relief Teams* e *Catholic Relief Services*, a maioria dos treinamentos são financiados exclusivamente por contribuições individual.

Para maiores informações sobre a HAP e nossas realizações, visite www.emdrhap.org.

As doações dedutíveis do imposto de renda devem ser enviadas para:
EMDR-HAP
2911 Dixwell Avenue, Suite 201
Hamden CT 06518
Telefone: (203) 288-4450 Fax: (203) 288-4060

Apêndice C: EMDR: Achados das Pesquisas sobre Trauma e Leitura Adicional

Para uma lista comentada que inclui mais estudos, veja: www.emdr.com/gpyp

Orientações Internacionais de Tratamento Designando a Terapia de EMDR como uma Forma Eficiente do Tratamento do Trauma

American Psychiatric Association (2004). *Practice guideline for the treatment patients with acute stress disorder and posttraumatic stress disorder.* Arlington, VA: American Psychiatric Association Practice Guidelines.

Bleich, A., Kotler, M., Kutz, I., & Shalev, A. (2002). A position paper of the (Israeli) National Council for Mental Health: Guidelines for the assessment and professional intervention with terror victims in the hospital and in the community. Jerusalem, Israel.

California Evidence-Based Clearinghouse for Child Welfare (2010). Trauma Treatment for Children. http://www.cebc4cw.org

CREST (2003). *The management of post traumatic stress disorder in adults.* A publication of the Clinical Resource Efficiency Support Team of the Northern Ireland Department of Health, Social Services and Public Safety, Belfast.

Department of Veterans Affairs & Department of Defense (2010). *VA/DoD clinical practice guideline for the management of post-traumatic stress.* Washington, DC: Veterans Health Administration, Department of Veterans Affairs and Health Affairs, Department of Defense. Office of Quality and Performance publication.

Dutch National Steering Committee Guidelines Mental Health Care (2003). *Multidisciplinary guideline for anxiety disorders.* Quality Institute Health Care CBO/Trimbos Institute. Utrecht, Netherlands.

Foa, E. B., Keane, T. M., Friedman, M. J., & Cohen, J. A. (2009). *Effective treatments for PTSD: Practice guidelines of the International Society for Traumatic Stress Studies.* New York: Guilford Press.

INSERM (2004). *Psychotherapy: An evaluation of three approaches.* French National Institute of Health and Medical Research, Paris, France.

National Collaborating Centre for Mental Health (2005). *Posttraumatic stress disorder (PTSD): The management of adults and children in primary and secondary care*. London: National Institute for Clinical Excellence.

Estudos Randomizados de Trauma usando o EMDR

Abbasnjad, M., Mahani, K. N., & Zamyad, A. (2007). Efficacy of "eye movement desensitization and reprocessing" in reducing anxiety and unpleasant feelings due to earthquake experience. *Psychological Research, 9*, 104-17.

Ahmad A., Larsson B., & Sundelin-Wahlsten, V. (2007). EMDR treatment for children with PTSD: Results of a randomized controlled trial . *Nord J Psychiatry, 61*, 349-54.

Arabia, E., Manca, M. L., & Solomon, R. M. (2011). EMDR for survivors of life-threatening cardiac events: Results of a pilot study. *Journal of EMDR Practice and Research, 5*, 2-13.

Carlson, J., Chemtob, C. M., Rusnak, K., Hedlund, N. L., & Muraoka, M. Y. (1998). Eye movement desensitization and reprocessing (EMDR): Treatment for combat-related post-traumatic stress disorder. *Journal of Traumatic Stress, 11*, 3-24.

Chemtob, C. M., Nakashima, J., & Carlson, J. G. (2002). Brief-treatment for elementary school children with disaster-related PTSD: A field study. *Journal of Clinical Psychology, 58*, 99-112.

Cvetek, R. (2008). EMDR Treatment of distressful experiences that fail to meet the criteria for PTSD. *Journal of EMDR Practice and Research, 2*, 2-14.

de Roos, C., et al. (2011). A randomised comparison of cognitive behavioural therapy (CBT) and eye movement desensitization and reprocessing (EMDR) in disaster exposed children. *European Journal of Psychotraumatology, 2*: 5694 - doi: 10.3402/ejpt.v2i0.5694.

Edmond, T., Rubin, A., & Wambach, K. (1999). The effectiveness of EMDR with adult female survivors of childhood sexual abuse. *Social Work Research, 23*, 103-16.

Edmond, T., Sloan, L., & McCarty, D. (2004). Sexual abuse survivors' perceptions of the effectiveness of EMDR and eclectic therapy: A mixed-methods study. *Research on Social Work Practice, 14*, 259-72.

Hogberg, G., et al. (2007). On treatment with eye movement desensitization and reprocessing of chronic post-traumatic stress disorder in public transportation workers: A randomized controlled study. *Nordic Journal of Psychiatry, 61*, 54-61.

Ironson, G. I., Freund, B., Strauss, J. L., & Williams, J. (2002). Comparison of two treatments for traumatic stress: A community-based study of EMDR and prolonged exposure. *Journal of Clinical Psychology, 58*, 113-28.

Jaberghaderi, N., Greenwald, R., Rubin, A., Dolatabadim S., & Zand, S. O. (2004). A comparison of CBT and EMDR for sexually abused Iranian girls. *Clinical Psychology and Psychotherapy, 11,* 358-68.

Karatzias, A., Power, K., McGoldrick, T., Brown, K., Buchanan, R., Sharp, D., & Swanson, V. (2006). Predicting treatment outcome on three measures for post-traumatic stress disorder. Eur Arch Psychiatry Clin Neuroscience, 20, 1-7.

Kemp, M., Drummond, P., & McDermott, B. (2010). A wait-list controlled pilot study of eye movement desensitization and reprocessing (EMDR) for children with post-traumatic stress disorder (PTSD) symptoms from motor vehicle accidents. Clinical Child Psychology and Psychiatry, 15, 5-25.

Lee, C., Gavriel, H., Drummond, P., Richards, J., & Greenwald, R. (2002). Treatment of post-traumatic stress disorder: A comparison of stress inoculation training with prolonged exposure and eye movement and desensitization and reprocessing. *Journal of Clinical Psychology, 58,* 1071-89.

Marcus, S., Marquis, P., & Sakai, C. (1997). Controlled sudy of treatment of PTSD using EMDR in an HMO setting. *Psychotherapy, 34,* 307-15.

Marcus, S., Marquis., P., & Sakai, C. (2004). Three- and 6-month follow-up of EMDR treatment of PTSD in an HMO setting. *International Journal of Stress Management, 11,* 195-208.

Nijdam, M. J. Gersons, B. P. R., Reitsma, J. B., de Jongh, A. & Olff, M. (2012). Brief eclectic psychotherapy v. Eye movement desensitization and reprocessing therapy in the treatment of post-traumatic stress disorder: Randomized controlled trial. *British Journal of Psychiatry,* 200, 224-31.

Power, K. G., McGoldrick, T., Brown, K., et al. (2002). A controlled comparison of eye movement desensitization and reprocessing versus exposure plus cognitive restructuring versus waiting list in the treatment of post-traumatic stress disorder. *Journal of clinical Psychology and Psychotherapy, 9,* 299-318.

Rothbaum, B. (1997). A controlled study of eye movement desensitization and reprocessing in the treatment of post-traumatic stress disordered sexual assault victims. *Bulletin of the Menninger Clinic, 61,* 317-34.

Rothbaum, B. O., Astin, M. C., & Marsteller, F. (2005). Prolonged exposure versus eye movement desensitization (EMDR) for PTSD rape victims. *Journal of Traumatic Stress, 18,* 607-16.

Scheck, M., Schaeffer, J. A., & Gillette, C. (1998). Brief psychological intervention with traumatized young women: The efficacy of eye movement desensitization and reprocessing. *Journal of Traumatic Stress, 11,* 25-44.

Shapiro, F. (1989). Efficacy of the eye movement desensitization procedure in the treatment of traumatic memories. *Journal of Traumatic Stress, 2*, 199-223.

Soberman, G. B., Greenwald, R., & Rule, D. L. (2002). A controlled study of eye movement desensitization and reprocessing (EMDR) for boys with conduct problems. *Journal of Aggression, Maltreatment, and Trauma, 6*, 217-236.

Taylor, S., et al. (2003). Comparitive efficacy, speed, and adverse effects of three PTSD treatments: Exposure therapy, EMDR, and relaxation training. *Journal of Consulting and Clinical Psychology, 71*, 330-38.

Van der Kolk, B., Spinazzola, J., Blaustein, M., Hopper, J., Hopper, E., Korn, D., & Simpson, W. (2007). A randomized clinical trial of EMDR, fluoxetine and pill placebo in the treatment of PTSD: Treatment effects and long-term maintenance. *Journal of Clinical Psychiatry, 68*, 37-46.

Vaughn, K., Armstrong, M. F., Gold, R., O'Connor, N., Jenneke, W., & Tarrier, N. (1994). A trial of eye movement desensitization compared to image habituation training and applied muscle relaxation in post-traumatic stress disorder. *Journal of Behavior Therapy & Experimental Psychiatry, 25*, 283-91.

Wanders, F., Serra, M., & de Jongh, A. (2008). EMDR versus CBT for children with self-esteem and behavioral problems: A randomized controlled trial. *Journal of EMDR Practice and Research, 2*, 180-89.

Wilson, S., Becker, L. A., & Tinker, R. H. (1995). Eye movement desensitization and reprocessing (EMDR): Treatment for psychologically traumatized individuals. *Journal of Consulting and Clinical Psychology, 63*, 928-37.

Wilson, S., Becker, L. A., & Tinker, R. H. (1997). Fifteen-month follow-up of eye movement desensitization and reprocessing (EMDR) treatment of post-traumatic stress disorder and psychological trauma. *Journal of Consulting and Clinical Psychology, 65* 1047-56.

Mecanismo de Ação

O EMDR contém muitos procedimentos e elementos que contribuem para a efetividade do tratamento. Apesar de a metodologia usada no EMDR ter sido amplamente validada (veja acima), ainda existem questões sobre o mecanismo de ação. Entretanto, como o EMDR obtém efeitos clínicos sem a necessidade de deveres de casa, ou o foco prolongado utilizado em terapias de exposição, tem-se voltado a atenção para os possíveis processos neurobiológicos que podem estar envolvidos. Apesar de o movimento ocular (e outras estimulações de atenção dual) corresponder a apenas um elemento do processo, esse elemento tem sido objeto de muita investigação. Os estudos randomizados controlados que avaliam o mecanismo de ação do

movimento ocular seguem abaixo. Para uma lista comentada, veja: www.emdr.com/gpyp

Elofsson, U. O. E., von Scheele, B., Theorell, T., & Sondergaard, H. P. (2008). Physiological correlates of eye movement desensitization and reprocessing. *Journal of Anxiety Disorders, 22,* 622-34.

Kapoula, Z., Yang, Q., Bonnet, A., Bourtoire, P., & Sandretto, J. (2010). EMDR effects on pursuit eye movements. PLoS ONE 5(5): e10762.doi: 10.1371/journal.pone.0010762.

Lee, C. W., Taylor, G., & Drummond, P. D. (2006). The active ingredient in EMDR: Is it traditional exposure or dual focus of attention? *Clinical Psychology and Psychotherapy, 13,* 97-107.

Lilley, S. A., Andrade, J., Graham Turpin, G., Sabin-Farrell, R., & Holmes, E. A. (2009). Visuospatial working memory interference with recollections of trauma. *British Journal of Psychiatry, 48,* 309-21.

MacCulloch, M. J., & Feldman, P. (1996). Eye movement desensitization treatment utilizes the positive visceral element of the invesitagatory reflex to inhibit the memories of post-traumatic stress disorder: A theoretical analysis . *British Journal of Psychiatry, 169,* 571-79.

Propper, R., Pierce, J. P., Geisler, M. W., Christman, S. D., &Bellorado, N. (2007). Effect of bilateral eye movements on frontal interhemispheric gamma EEG coherence: Implications for EMDR therapy. *Journal of Nervous and Mental Disease, 195,* 85-88.

Rogers, S., & Silver, S. M. (2002). Is EMDR an exposure therapy? A review of trauma protocols. *Journal of Clinical Psychology, 58,* 43-59.

Rogers, S., Silver, S., Goss, J., Obenchain, J., Willis, A., & Whitney, R. (1999). A single session, controlled group study of flooding and eye movement desensitization and reprocessing in treating posttraumatic stress disorder among Vietman war veterans: Preliminary data. *Journal of Anxiety Disorders, 13,* 119-30.

Sack, M., Hofmann, A., Wizelman, L., & Lempa, W. (2008). Psychological changes during EMDR and treatment outcome. *Journal of EMDR Practice and Research, 2,* 239-46.

Sack, M. Lempa, W., Steinmetz, A., Lamprecht, F., & Hofmann, A. (2008). Alterations in autonomic tone during trauma exposure using eye movement desensitization and reprocessing (EMDR)—results of a preliminary investigation. *Journal of Anxiety Disorders, 22,* 1264-71.

Wilson, D., Silver, S. M., Covi, W., & Foster, S. (1996). Eye movement desensitization and reprocessing: Effectiveness and autonomic correlates. *Journal of Behaviour Therapy and Experimental Psychiatry, 27,* 219-29.

Estudos Randomizados de Hipóteses Relativas aos Movimentos Oculares

Andrade, J., Kavanagh, D., & Baddeley, A. (1997). Eye-movements and visual imagery: A working memory approach to the treatment of post-traumatic stress disorder. *British Journal of Clinical Psychology 36*, 209-23.

Barrowcliff, A. L., Gray, N. S., Freeman, T. C. A., & MacCulloch, M. J. (2004). Eye-movements reduce the vividness, emotional valence and electrodermal arousal associated with negative autobiographical memories. *Journal of Forensic Psychiatry and Psychology, 15*, 325-45.

Barrowcliff, A. L., Gray, N. S., MacCulloch, S., Freeman, T. C. A., & MacCulloch, M. J. (2003). Horizontal rhythmical eye-movements consistently diminish the arousal provoked auditory stimuli. *British Journal of Clinical Psychology, 42*, 289-302.

Christman, S. D., Garvey, K. J., Propper, R. E., & Phaneuf, K. A. (2003). Bilateral eye movements enhance the retrieval of episodic memories. *Neuropshychology 17*, 221-29.

Engelhard, I. M., van den Hout, M. A., Janssen, W. C., & van der Beek, J. (2010). Eye movements reduce vividness and emotionality of "flash forwards." *Behaviour Research and Therapy, 48*, 442-47.

Engelhard, I. M., et al. (2011). Reducing vividness and emotinal intensity of recurrent "flashforwards" by taxing working memory: An analogue study. *Journal of Anxiety Disorders, 25*, 599-603.

Gunter, R. W., & Bodner, G &E. (2008). How eye movements affect unpleasant memories: Support for a working-memory account. *Behavior Research and Therapy 46*, 913-31.

Hornsveld, H. K., Landwehr, F., Stein, W., Stomp, M., Smeets, S., & van den Hout , M. A. (2010). Emotionality of loss-related memories is reduced after recall plus eye movements but not after recall plus music or recall only. *Journal of EMDR Practice and Research, 4*, 106-12.

Kavanagh, D., Bears, M., Miall, D., & Smith, L. (2001). Effects of visuospatial tasks on desensitization to emotive memories. *British Journal of Clinical Psychology, 40*, 267-80.

Kuiken, D. Bears, M., Miall, D., & Smith, L. (2001-2002). Eye movement desensitization reprocessing facilities attentional orienting. *Imagination, Cognition and Personality, 21, (1)*, 3-20.

Kuiken, D., Chudleigh, M., & Racher, D. (2010). Bilateral eye movements, attenional flexibility and metaphor comprehension: The substrate of REM dreaming? *Dreaming, 20*, 227—47.

Lee, C. W., & Drummond, P. D. (2008). Effects of eye movement versus therapist instructions on the processing of distressing memories. *Joural of Anxiety Disorders, 22*, 801-8.

Maxfield, L., Melnyk, W. T., & Hayman, C. A. G. (2008). A working memory explanation for the effects of eye movements in EMDR. *Journal of EMDR Practice and Research, 2,* 247-61.

Parker, A., Buckley, S., & Dagnall, N. (2009). Reduced misinformation effects following saccadic bilateral eye movements in EMDR. *Brain and Cognition, 69,* 89-97.

Parker, A., & Dagnall, N. (2007). Effects of bilateral eye movements on gist based false recognition in the DRM paradigm. *Brain and Cognition, 63,* 221-25.

Parker, A., Relph, S., & Dagnall, N. (2008). Effects of bilateral eye movement on retrieval of item, associatve, as and contextual information. *Neuropsychology, 22,* 136-45.

Samara, Z., Bernet, M., Elzinga, B., Slagter, H. A., & Nieuwenhuis, S. (2022). Do horizontal saccadic eye movements increase interhemispheric coherence? Investigation of a hypothesized neural mechanism underlying EMDR. *Frontiers in Psychiatry* doi: 10.3389/fpsyt.2011.200004.

Schubert, S. J, Lee, C&W., & Drummond, P. D. (2022 The efficacy and psychological correlates of dual-attention tasks in eye movement desensitization and reprocessing (EMDR). *Journal of Axiety Disorders, 25,* 1-11.

Sharpley, C. F., Montgomery, I. M., & Scalzo, L. A. (1996). Comparitive efficacy of EMDR and alternative procedures in reducing the vividness of mental images. *Scandinavian Journal of Behavior Therapy, 25,* 37-42.

Van den Hout, M., Muris, P., Salemink, E., & Kindr, M. (2001). Autobiographiacal memories became less vivid and emotional after eye movements. *British Journal of Clinical Psychology, 40,* 121-30.

Avaliações Psicofisiológicas e Neurobiológicas de Tratamento com EMDR

Bossini, L. Faglioni, A., & Castrogiovanni, P. (2007). Neuroanatomical changes after EMDR in posttraumatic stress disorder. *Journal of Neuropsychiatry and Clinical Neuroscience, 19,* 457-58.

Kowal, J. A. (2005). QEEG analysis of treating PTSD and bulimia nervosa using EMDR. *Journal of of Neuropathy, 9(part 4),* 114-15.

Lamprecht, F., Konke, C., Lempa, W., Sack M., Matzke, M., & Munte, T. (2004) Event-related potentials and EMDR treatment of post-traumatic stress disorder. *Neuroscience Research, 49,* 267-72.

Lansing, K., Amen, D. G., Hanks, C., & Ruby, L. (2005). High resolution brain SPECT imaging and EMDR in police officers with PTSD. *Journal of Neuropsychiatry and Clinical Neurosciences, 17,* 526-32.

Levin, P., Lazrove, S., & van der Kolk, B. A. (1999). What pyschological testing and neuroimaging tell us about the treatment of posttraumatic

stress disorder (PTSD) by eye movement desensitization and reprocessing (EMDR). *Journal of Anxiety Disorders, 13,* 159-72.

Oh, D. H., & Choi, J. (2004). Changes in the regional cerebral perfusion after eye movement desensitization and reprocessing: A SPECT study of two cases. *Journal of EMDR Practice and Research, 1,* 24-30.

Ohtani, T., Matsuo, K., Kasai, K., Kato, T., & Kato, N. (2009). Hemodynamic responses of eye movement desensitization and reprocessing in posttraumatic stress disorder. *Neuroscience Research, 65,* 375-83.

Pagani, M. et al. (2012). Neurobiological correlates of EMDR monitoring—An EEG study. PLoS ONE, 7(9) e45753 doi:10.1371/jornal.pone.0045753.

Propper, R., Pierce, J. P., Geisler, M. W., Christman, S. D., & Bellorado, N. (2007). Effect of bilateral eye movements on frontal interhemispheric gamma EEG coherence: Implications for EMDR therapy. *Journal of Nervous and Mental Disease, 195,* 785-88.

Richardson, R., Williams, S. R., Hepenstall, S., Gregory, L.Mckie, S., & Corrigan, F. (2009). A single-case fMRI study EMDR treatment of a patient with posttraumatic stress disorder. *Journal of EMDR Practice and Research, 1,* 15-23.

Sack, M., Nickel, L., Lempa, W., & Lamprecht, F. (2003). Psychological regulation in patients suffering from PTSD: Changes after EMDR treatment. *Journal of Psychotraumatology and Psychological Medicine, 1,* 47-57. (German)

Apêndice D: Referências Selecionadas

Esta lista oferece referências selecionadas e sugestão de leituras. Devido ao fato de os tópicos se sobreporem, as listas de alguns capítulos foram juntadas. Resultados de estudos relevantes para todo o livro podem ser encontrados no Apêndice C. A lista integral de referências para este livro contêm centenas de citações adicionais e pode ser encontrada em www.emdr.com/gpyp.

Capítulos 1 e 2

Trauma e EMDR

(*Para uma lista mais abrangente de estudos controlados veja o Apêndice C*)

American Psychiatric Association (2004). Practice guideline for the treatment of patients with acute stress disorder and possttraumatic stress disorder. Arlington, VA: *American Psychiatric Association Practice Guidelines.*

Bisson, J., & Andrew, M. (2007). Psychological treatment of post-traumatic stress disorder (PTSD). *Cochrane Database of Systemic Reviews 2007,* Issue 3. Art. No.: CD003388. DOI: 10.1002/14651858.CD003388.pub3.

Bossini, L., Faglioni, A., & Castrogiovanni, P. (2007). Neuroanatomical changes after EMDR in posttraumatic stress disorder. *Journal of Neuropsychiatry and Clinical Neuroscience,* 19, 457-58.

Department of Veterans Affairs & Department of Defense (2010). *VA/DoD clinical practice guideline for the management of post-traumatic stress.* Washington, DC: Veterans Health Administrations, Department of Veterans Affairs and Health Affairs, Department of Defense. Office of Quality and Performance publication.

Lansing, K., Amen, D. G., Hanks, C., Hanks, C., & Rudy, L. (2005). High resolution brain SPECT imaging and EMDR in police officers with PTSD. *Journal of Neuropsychiatry and Clinical Neurosciences,* 17, 526-32.

Levin, P., Lazrove , S., & vander Kolk, B. A. (1999). What psychological testing and neuroimaging tell us about the treatment of posttraumatic stress disorder (PTSD) by eye movement desensitization and reprocessing (EMDR). *Journal of Anxiety Disorders,* 13, 159-72.

Marcus, S., Marquis, P., & Sakai, C. (1997). Controlled study of treatment of PTSD using EMDR in an HMO setting. *Psychotherapy,* 34, 307-15.

National Collaborating Centre for Mental Health (2005). *Post traumatic stress disorder (PTSD): The management of adults and children in primary and secondary care*. London: National Institute for Clinical Excellence

Ohtani, T., Matsuo, K., Kasai, K., Kato, T., & Kato, N. (2009). Hemodynamic responses of eye movement desensitization and reprocessing in posttraumatic stress disorder. *Neuroscience Research*, 65, 375-83.

Rodenburg, R. Benjamin, A., de Roos, C., Meijer, A. M., & Stams, G. J. (2009). Efficacy of EMDR in children: A meta-analysis, *Clinical Psychology Review*, 29, 599-606.

Rothbaum, B. (1997). A controlled study of eye movement desensitization and reprocessing in the treatment of post-traumatic stress disordered sexual assault victims. *Bulletin of the Menninger Clinic*, 61, 317-34.

Shapiro, F. (1989). Efficacy of the eye movement desensitization procedure in the treatment of traumatic memories. *Journal of Traumatic Stress*, 2, 199-223.

Shapiro, F. (2001). *Eye movement desensitization and reprocessing: Basic principles, protocols and procedures* (2nd ed.). New York: Guilford Press.

Wilson, S., Becker, L. A., & Tinker, R. H. (1997). Fifteen-month follow-up of eye movement desensitization and reprocessing (EMDR) treatment of post-traumatic stress disorder and psychological trauma. *Journal of Consulting and Clinical Psychology*, 65, 1047-56.

Eventos Estressantes da Vida, TEPT e outros sintomas

Arseneualt, L., Cannon, M., Fisher, H. L., Polanczyk, G., Moffitt, T. E., & Caspi, A. (2011). Childhood trauma and children's emerging psychotic symptoms: A genetically sensitive longitudinal cohort study. *Am J Psychiatry*, 168, 65-72.

Bodkin, J. A., Pope, H. G., Detke, M. J., & Hudson, J. I. (2007). Is PTSD caused by traumatic stress? *Journal of Anxiety Disorders*, 21, 176-82.

Boyce W. T., Essex, M. J., Alkon, A., Goldsmith, H. H., Kraemer, H. C., & Kupfer, D. J. (2006). Early father involvement moderates biobehavioral susceptibility to mental health problems in middle childhood. *Journal of the American Academy of Child & Adolescent Psychiatry*, 45, 1510-20.

Champagne, F. A. (2010). Early adversity and developmental outcomes: Interaction between genetics, epigenetics, and social experiences across the life span. *Perspectives on Psychological Science*, 5, 564-74.

Felitti, V J., Anda, R. F., Nordenberg, D., Williamson, D.F., Spitz, A. M., Edwards, V., et al. (1998). Relationship of childhood abuse and household dysfunction to many of the leading causes of death in adults: The adverse childhood experiences (ACE) study. *American Journal of Preventative Medicine*, 14, 245-58.

Mol, S. S. L., Arntz, A., Metsemakers, J. F. M., Dinant, G., Vilters-Van Montfort, P. A. P., & Knotterus, A. (2005). Symptoms of post-traumatic stress disorder after non-traumatic events: Evidence from an open population study. *British Journal of Psychiatry*, 186, 494-99.

Obradovic', J., Bush, N. R., Stamperdahl, J., Adler N. E., & Boyce, W. T. (2010). Biological sensitivity to context: The interactive effects of stress reactivity and family adversity on socioemotional behavior and school readiness. *Child Development*, 1, 270-89.

Teicher, M. H., Samson, J. A., Sheu, Y-S, Polcari, A., & McGreenery, C. E. (2010). Hurtful words: Associationof exposure to peer verbal abuse with elevated psychiatric symptom scores and corpus callosum abnormalities. *Am J Psychiatry*, 167, 1464-71.

Memória, Processamento da Informação, Movimentos Oculares e Sono REM

(Para uma lista mais abrangente de estudos sobre movimentos oculares veja o Apêndice C)

Duvari, S., & Nader, K. (2004). Characterization of fear memory reconsolidation. *Journal of Neuroscience*. 24, 9269-75.

Foa, E. B., Huppert, J. D., & Cahill, S. P. (2006). Emotional processing theory: An Update. In B. O. Rothbaum (Ed.), *Pathological anxiety: Emotional processing in etiology and treatment*. New York: Guilford.

Le Doux, J. (2002). *The synaptic self: How our brains become who we are*. New York: Penguin.

Llinas, R. R., & Ribary, U. (2001). Consciousness and the brain: The thalamo-cortical dialogue in health and disease. *Annals of the New York Academy of Sciences*, 929, 166-75.

Schubert, S. J., Lee, C. W., & Drummond, P. D. (2011). The efficacy and psychophysiological correlates of dual-attention tasks in eye movement desensitization and reprocessing (EMDR). *Journal of Anxiety Disorders*, 25, 1-11.

Shapiro, F. (2007). EMDR, adaptive information processing, and case conceptualization. *Journal of EMDR Practice and Research*, 1, 68-87.

Singer, W. (2001). Consciousness and the binding problem. *Annals of the New York Academy of Sciences*, 929, 123-46.

Stickgold, R. (2002). EMDR: A putative neurobiological mechanism of action. *Journal of Clinical Psychology*, 58, 61-75.

Stickgold, R. (2008). Sleep-dependent memory processing and EMDR action. *Journal of EMDR Practice and Research*, 2, 289-99.

Suzuki, A., et al. (2004). Memory reconsolidation and extinction have distinct temporal and biochemical signatures. *Journal of Neuroscience*, 24, 4787-95

Tronson, N. C., & Taylor, J. R. (2007). Molecular mechanisms of memory reconsolidation. *Nature*, 8, 262-75.

van der Kolk, B. A. (1996). Trauma and memory. In B. A. van der Kolk, A. C. McFarlane, & L. Weisaeth (Eds.), *Traumatic stress: The effects of overwhelming experience on mind, body, and society* (pp. 279-302). New York: Guilford Press.

Walker, M. P., & Stickgold, R. (2010). Overnight alchemy: *Sleep-dependent memory evolution. Nature Reviews Neuroscience*, 11, 218-19.

Transcrição de Sessão de EMDR

Popky, A. J., Levin, C. (1994). [Transcript of EMDR treatment session.] MRI EMDR Research Center, Palo Alto, CA.

A transcrição da sessão inteira se encontra em:

Shapiro, F. (2002). Paradigms, processing and personality development in F. Shapiro (Ed.), *EMDR as an integrative psychotherapyapproach: Experts of diverse orientations explore the paradigm prism*. Washington, D. C.: American Psychological Association Press.

Capítulos 3 e 4

Diferentes Abordagens Terapêuticas

Barlow, D. H. (Ed.) (2007). *Clinical handbook of psychological disorders, fourth edition: A step-by-step treatment manual*. New York: Guilford Press.

Cloitre, M., Cohen, L. R., & Koenen, K. C. (2006). *Treating survivors of childhood abuse: Psychotherapy for the interrupted life*. New York: Guilford Press.

Craske, M., Herman, D., & Vansteenwegen, D. (Eds.) (2006). *Fear and learning: from basic processes to clinical implications*. Washington, D. C.: APA Press.

Foa, E. B., Huppert, J. D., & Cahill, S. P. (2006). Emotional processing theory: An update. In B. O. Rothbaum (Ed.), *Pathological anxiety: Emotional processing in etiology and treatment*. New York: Guilford.

Frederickson, J. (1999). *Psychodynamic psychotherapy: Learning to listen from multiple perspectives*. New York: Routledge.

McWilliams, N. (1999). Assessing pathogenic beliefs. *In Psychoanalytic case formulations*. New York: Guilford Press, 180-99.

Shapiro, F. (Ed.) (2002). *EMDR as an integrative psychotherapy approach: Experts of diverse orientations explore the paradigm prism*. Washington, D. C.: American Psychological Association Press.

Shapiro, F. (2001). *Eye movement desensitization and reprocessing: Basic principles, protocols and procedures* (2nd ed.). New York: Guilford Press.

Solomon, M. F., Nebrosky, R. J., McCullough, L., Alpert, M., Shapiro, F., & Malan, D. (2001) *Short-term therapy for ong-term change*. New York: Norton.

Weiner, I., & Craighead, W. E. (Eds.) (2010). *The Corsini encyclopedia of psychology* (4th ed.). Hoboken, NJ: Wiley.

Wolpe J. (1990). *The practice of behavior therapy* (4th ed.). New York: Pergamon Press.

Genética, Experiências de Vida e Problemas Psicológicos

Arsenault, L., Cannon, M., Fisher, H. L., Polanczyk, G., Moffitt, T. E., & Caspi, A. (2011). Childhood trauma and children's emerging psychotic symptoms: A genetically sensitive longitudinal cohort study. *Am J Psychiatry*, 168, 65-72.

Brown, G. W. (1998). Genetic and population perspectives on life events and depression. *Soc Psychiatry Psychiatr Epidemiol*. 33, 363-72.

Boyce, W. T., Essex, M. J., Alkon, A., Goldsmith, H. H., Kraemer, H. C., & Kupfer, D. J. (2006). Early father involvement moderates biobehavioral susceptibility to mental health problems in middle childhood. *Journal of the American Academy of Child & Adolescent Psychiatry*, 45, 1510-20.

Caspi, A., Sugden, K., Moffitt, T. E., Taylor, A., Craig, I. W., Harrington, H., et al. (2003). Influence of life stress on depression: Moderation by a polymorphism in the 5-htt gene. *Science*, 5, 564-74.

Champagne, F. A. (2010). Early adversity and developmental outcomes: Interaction between genetics, epigenetics, and social experiences across the life span. *Perspectives on Psychological Science*, 5, 564-74.

Ellis, B. J., Essex, M. J., & Boyce, W. T. (2005). Biological sensitivity to context: I. An evolutionary-developmental theory of the origins and functions of stress reactivity, *Development and Psychopathology*, 17, 271-301.

Felitti, V. J., Anda R. F., Nordenberg, D., Williamson, D. F., Spitz, A. M., Edwards, V., et al. (1998). Relationship of childhood abuse and household dysfunction to many of the leading causes of death in adults: The adverse childhood experiences (ACE) study. *American Journal of Preventative Medicine*, 14, 245-58.

Foa, E. B., Huppert, J. D., Cahill, S. P. (2006). Emotional processing theory: An Update. In B. O. Rothbaum (Ed.), *Pathological anxiety: Emotional processing in etiology and treatment*. New York: Guilford.

Kendler, K. S. (1998). Major depression and the environment: A psychiatric genetic perspective. *Pharmacopsychiatry*, 31, 5-9.

Kendler, K. S., Hettema, J. M., et al. (2003). Life event dimensions of loss, humiliation, entrapment, and danger in the prediction of onsets of major depression and generalized anxiety. *Arch Gen Psychiatry*, 60, 789-96.

Luk, J. W., Wang, J., & Simon-Morton, B. G. (2010). Bullying victimization and substance use among U. S. adolescents: Mediation by depression. *Prevention Science*. 11, 355-59.

Meaney, M. J. (2001). Maternal care, gene expression, and the transmission of individual differences in stress reactivity aross generations. *Annual Review of Neuroscience*, 24, 1161-92.

Obradovic', J., Bush, N. R., Stamperdahl, J., Adler, N. E., & Boyce, W. T. (2010). Biological sensitivity to context: The interactive effects of stress reactivity and family adversity on socioeconomical behavior and school readiness. *Child Development*, 81, 270-89.

Pine, D. S., Cohen, P., Johnson, J. G., & Brook, J. S. (2002). Adolescent life events as predictors of adult depression. *J Affect Disord.*, 68, 49-57.

Siegel, D. J. (1999). *The developing mind: Toward a neurobiology of interpersonal experience*. New York: Guilford Press.

van der Kolk, B. A. (1996). Trauma and memory. In B. A. van der Kolk, A. C. McFarlane, & L. Weisaeth. (Eds.), *Traumatic stress: The effects of overwhelming experience on mind, body, and society* (pp. 279-302). New York: Guilford Press.

Abraço da Borboleta e Terapia de Grupo com EMDR

Fernandez, I., Gallinari, E., & Lorenzetti, A. (2004). A school- based EMDR intervention for children who witnessed the Pirelli building airplane crash in Milan, Italy. *Journal of Brief Therapy*, 2, 129-136.

Jarero, I., Artigas, L., & Hartung, J. (2006). EMDR integrative group treatment protocol: A post-disaster trauma intervention for children and adults. *Traumatology*, *12*, 121-129.

Zaghrout-Hodali, M., Alissa, F. & Dodgson, P. W. (2008). Building resilience and dismantling fear: EMDR group protocol with children in an area of ongoing trauma. *Journal of EMDR Practice and Research*, 2, 106-113.

A Terapia de EMDR Comparada com Uso de Antidepressivos

Van der Kolk, B., Spinazzola, J. Blaustein, M., Hopper, J., Hopper, E., Korn, D., & Simpson, W. (2007). A randomized clinical trial of EMDR, fluoxetine and pill placebo in the treatment of PTSD: Treatment effects and long-term maintenance. *Journal of Clinical Psychiatry*, *68*, 37-46.

Terapia de EMDR para Ex-Combatentes

Carlson, J., Chemtob, C. M., Rusnak, K., Hedlund, N. L, & Muraoka, M. Y. (1998). Eye movement desensitization and reprocessing (EMDR):

Treatment for combat-related post-traumatic stress disorder. *Journal of Traumatic Stress, 11,* 3-24.

Silver, S. M. & Rogers, S. (2002). *Light in the heart of darkness: EMDR and the treatment of war and terrorism survivors.* New York: Norton.

Silver, S. M., Rogers, S., & Russell, M. C. (2008). Eye movement desensitization and reprocessing (EMDR) in the treatment of war veterans. *Journal of Clinical Psychology*: In Session, *64*, 947—957.

Capítulos 5 e 6

Vínculo, Paternidade-Maternidade e Negligência

Ainsworth, M. D. S. (1982). Attachment: Retrospect and prospect. In C. M. Parkes & J. Stevenson-Hinde (Eds.), *The place of attachment in human behavior* (pp. 3-29). New York: Tavistock Publications.

Bowlby, J. (1989). The role of attachment in personality development and psychopathology. In S. I. Greenspan, & G. H.Pollack (Eds.), *The course of life: Vol. 1. Infancy* (pp. 119–136). Madison, CT: International Universities Press.

Dozier, M., Stovall, K. C., & Albus, K. E. (1999). Attachment and psychopathology in adulthood. In J. Cassidy & P. R. Shaver (Eds.) *Handbook of attachment: Theory, research, and clinical applications.* (pp. 497-519). New York: Guilford Press.

Kennell, J. H., & Klaus, M. H. (1998). Bonding: Recent observations that alter perinatal care. *Pediatric Review, 19,* 4-12.

Klaus, M. H., Jerauld, R., Kreger, N., McAlpine,W., Steffa, M., & Kennell, J. H. (1972). Maternal attachment: Importance of the first post-partum days. *New England Journal of Medicine, 286,* 460-463.

Lyons-Ruth, K., Alpern, L., & Repacholi, L. (1993). Disorganized infant attachment classification and maternal psychosocial problems as predictors of hostile-aggressive behavior in the preschool classroom. *Child Development, 64,* 572-585.

Madrid A. (2007). Repairing maternal-infant bonding failures. in F. Shapiro, F. Kaslow, & L. Maxfield (Eds.) *Handbook of EMDR and family therapy processes,* (pp. 131), New York: Wiley.

Main, M. & Hesse, E. (1990). Parents' unresolved traumatic experiences are related to infant disorganized attachment status: Is frightened and/or frightening parental behavior the linking mechanism? In M. Greenberg, D. Cichetti, & M. Cummings (Eds.), *Attachment in the preschool years* (pp.161-182). Chicago: University of Chicago Press.

Pietromonaco, P. R., Greenwood, D., & Barrett, L. F. (2004). Conflict in adult close relationships: An attachment perspective. In W. S. Rholes &

J. A. Simpson (Eds.), *Adult attachment: Theory, research, and clinical implications* (pp. 267–299). New York: Guilford Press.

Porges, S. W. (2003). Social engagement and attachment: A phylogenetic perspective. *Ann NY Acad Sci,1008,* 31-47.

Schore, A. (1994). *Affect regulation and the origin of the self: The neurobiology of emotional development*. Hillsdale, NY. Lawrence Erlbaum Associates.

Siegel, D. J. (1999). *The developing mind: Toward a neurobiology of interpersonal experience*. New York: Guilford Press.

Siegel, D. J., & Hartzell, M. (2003). *Parenting from the inside out: How a deeper self-understanding can help you raise children who thrive*. New York: Tarcher/Penguin.

van Ijzendoorn, M. H. (1992). Intergenerational transmission of parenting: A review of studies in nonclinical populations. *Developmental Review, 12,* 76-99.

Waters, E., Merrick, S. K., Treboux, D. Crowell, J., & Albersheim, L. (2000). Attachment security in infancy and early adulthood: A twenty-year longitudinal study. *Child Development, 71,* 684–689.

Wesselmann, D. (2007). Treating attachment issues through EMDR and a family systems approach. In F. Shapiro, F. Kaslow, & L. Maxfield, (Eds.), *Handbook of EMDR and family therapy processes*. New York: Wiley.

Memória, Percepção e Trauma

Bower, G. H. (1981). Mood and memory. *American Psychologist, 36,* 129–148.

Heller, W., Etienne, H. A., & Miller, G. A. (1995). Patterns of perceptual asymmetry in depression and anxiety: Implications for neuropsychological models of emotion. *Journal of Abnormal Psychology, 104,* 327–333.

Herman J. *Trauma and Recovery: The aftermath of violence – From domestic abuse to political terror*. New York: Basic Books; 1992.

van der Kolk, B. A., McFarlane, A., & Weisaeth, L. (1996). *Traumatic stress: The effects of overwhelming experience on mind, body, and society*, NY: Guilford Press.

Tratamento de Fobias

Craske, M., Herman, D., & Vansteenwegen, D. (Eds.). (2006). *Fear and learning: From basic processes to clinical implications*. Washington, D.C.: APA Press.

Davey, G. C. L. (1997). *Phobias: A Handbook of theory, research and treatment*. New York: John Wiley and Sons.

De Jongh, A., & ten Broeke, E. (2007). Treatment of specific phobias with EMDR: Conceptualization and strategies for the selection of appropriate memories. *Journal of EMDR Practice and Research,* 1, 46-56.

Shapiro, F. (2001). *Eye movement desensitization and reprocessing: Basic principles, protocols, and procedures* (2nd edition). New York: Guilford Press.

Zimmar, G., Hersen, M., & Sledge, W. (Eds.). (2002). *Encyclopedia of psychotherapy*. New York: Academic Press.

Reação Aumentada ao Ambiente

Essex, M. J., Klein, M. H., Cho, E., & Kalin, N. H. (2002). Maternal stress beginning in infancy may sensitize children to later stress exposure: Effects on cortisol and behavior. *Biol Psychiatry, 52*, 776-784.

Meaney, M. J. (2001). Maternal care, gene expression, and the transmission of individual differences in stress reactivity across generations. *Annual Review of Neuroscience, 24*, 1161-1192.

Obradovic´, J., Bush, N. R., Stamperdahl, J., Adler, N. E., & Boyce, W. T. (2010). Biological sensitivity to context: The interactive effects of stress reactivity and family adversity on socioemotional behavior and school readiness. *Child Development, 81*, 270-289.

Genética, Experiências de Vida e Problemas Psicológicos

Veja Capítulos 3 e 4.

O Tratamento de Trauma com EMDR

(Para uma lista mais completa sobre estudos de trauma, consulte Apendice C.)

Carlson, J., Chemtob, C. M., Rusnak, K., Hedlund, N. L, & Muraoka, M. Y. (1998). Eye movement desensitization and reprocessing (EMDR): Treatment for combat-related post-traumatic stress disorder. *Journal of Traumatic Stress, 11*, 3-24.

Edmond, T., Rubin, A., & Wambach, K. (1999). The effectiveness of EMDR with adult female survivors of childhood sexual abuse. *Social Work Research, 23*, 103-116.

Edmond, T., Sloan, L., & McCarty, D. (2004). Sexual abuse survivors' perceptions of the effectiveness of EMDR and eclectic therapy: A mixed-methods study. *Research on Social Work Practice, 14*, 259-272.

Rothbaum, B. (1997). A controlled study of eye movement desensitization and reprocessing in the treatment of post-traumatic stress disordered sexual assault victims. *Bulletin of the Menninger Clinic, 61*, 317-334.

Russell, M. C., Silver, S. M., Rogers, S., & Darnell, J. (2007). Responding to an identified need: A joint Department of Defense-Department of Veterans Affairs training program in eye movement desensitization and reprocessing (EMDR) for clinicians providing trauma services. *International Journal of Stress Management, 14*, 61-71.

Russell, M. C. (2008). War-related medically unexplained symptoms, prevalence, and treatment: Utilizing EMDR within the armed services. *Journal of EMDR Practice and Research, 2*, 212-226.

Silver, S. M., & Rogers, S. (2002). *Light in the heart of darkness: EMDR and the treatment of war and terrorism survivors*. New York: Norton.

Silver, S. M., Rogers, S., & Russell, M. C. (2008). Eye movement desensitization and reprocessing (EMDR) in the treatment of war veterans. *Journal of Clinical Psychology: In Session, 64*, 947-957.

Shapiro, F. (2001). *Eye movement desensitization and reprocessing: Basic principles, protocols, and procedures* (2nd edition). New York: Guilford Press.

Shapiro, F., & Maxfield, L. (2002). EMDR: Information processing in the treatment of trauma. *In Session: Journal of Clinical Psychology, Special Issue: Treatment of PTSD. 58*, 933-946.

Solomon, R., & Shapiro, F. (in press). EMDR and adaptive information processing: The development of resilience and coherence. In K. Gow & M. Celinski (Eds.), *Trauma: Recovering from deep wounds and exploring the potential for renewal.* New York: Nova Science Publishers.

Wesson, M. & Gould, M. (2009). Intervening early with EMDR on military operations: A case study. *Journal of EMDR Practice and Research, 3*, 91-97.

Capítulo 7

Os Efeitos do Estresse e do Trauma sobre o Corpo

Altemus, M., Dhabhar, F. S., & Yang, R. (2006). Immune function in PTSD. *Ann. N.Y. Acad. Sci. 1071*. 167–183.

Arabia, E., Manca, M. L., & Solomon R. M. (in press). EMDR for survivors of life-threatening cardiac events: Results of a pilot study. *Journal of EMDR Research and Practice.*

Boynton-Jarrett, R., Rich-Edwards, J. W., Jun, H-J, Hibert, E. N., & Wright, R.J. (2010). Abuse in childhood and risk of uterine leiomyoma: The role of emotional support in biologic resilience. *Epidemiology, 9* November 2010 DOI: 10.1097/EDE.0b013e3181ffb172

Chemtob, C. M., Nakashima, J., & Carlson, J. G. (2002). Brief-treatment for elementary school children with disaster-related PTSD: A field study. *Journal of Clinical Psychology, 58*, 99-112.

Cummings, N .A. & van den Bos, N. (1981). The twenty year Kaiser Permanente experience with psychotherapy and medical utilization: Implications of national health policy and national health insurance. *Health Policy Quarterly, 2*, 159-175.

Dew, M. A., Kormos, R. L., Roth, L. H., Murali, S., DiMartini, A., & Griffith, B. P. (1999). Early post-transplant medical compliance and mental health predict physical morbidity and mortality one to three years after heart transplantation. *Journal of Heart and Lung Transplantation, 18*, 549–62.

Grossarth-Maticek, R. & Eysenck, H .J. (1995). Self-regulation and mortality from cancer, coronary heart disease and other causes: A prospective study. *Personality and Individual Differences, 19,* 781-795.

Gupta, M., & Gupta, A. (2002). Use of eye movement desensitization and reprocessing (EMDR) in the treatment of dermatologic disorders. *Journal of Cutaneous Medicine and Surgery, 6,* 415-421.

Kelley, S. D. M., & Selim, B. (2007). Eye movement desensitization and reprocessing in the psychological treatment of trauma-based psychogenic non-epileptic seizures. *Clinical Psychology and Psychotherapy, 14,* 135.

Kusumowardhani, R. (2010). *Safe place and light stream stabilization techniques during the EMDR preparation phase are effective for coping with insomnia in women patients newly diagnosed with HIV.* Presentation at the EMDR-Asia Association Conference. Bali, Indonesia, July 2010.

Roelofs, K. & Spinhoven, P. (2007). Trauma and medically unexplained symptoms. *Clinical Psychology Review, 27,* 798-820

Servan-Schreiber, D. (2004). *The Instinct to Heal: Curing stress, anxiety and depression without drugs and without talk therapy.* NY: Rodale.

Shapiro, F. (1989). Efficacy of the eye movement desensitization procedure in the treatment of traumatic memories. *Journal of Traumatic Stress, 2,* 199–223.

Shapiro, F. (2001). *Eye movement desensitization and reprocessing: Basic principles, protocols and procedures* (2nd ed.). New York: Guilford Press.

Shemesh, E., Yehuda, R., Milo, O., Dinur, I., Rudnick, A., Vered, Z., et al. (2004). Posttraumatic stress, nonadherence, and adverse outcome in survivors of a myocardial infarction. *Psychosomatic Medicine, 66,* 521-26.

Thombs, B. D., de Jonge, P., Coyne, J. C., Hooley, M. A., Frasure-Smith, N., Mitchell, A. J., et al. (2008). Depression screening and patient outcomes in cardiovascular care: A systematic review. *JAMA, 300,* 2161-71.

van der Kolk, B. A., McFarlane, A. & Weisaeth, L. (1996). *Traumatic stress: The effects of overwhelming experience on mind, body, and society,* NY: Guilford Press.

Transtorno de Pânico

Craske, M. G., Roy-Byrne, P., Stein, M. B., Donald-Sherbourne, C., Bystritsky, A., Katon, W., et al. (2002). Treating panic disorder in primary care: A collaborative care intervention. *General Hospital Psychiatry, 24,* 148-155.

de Beurs, E., Balkom, A. J. L. M., Van Dijck, R., & Lange, A. (1999). Long-term outcome of pharmacological and psychological treatment for panic disorder with agoraphobia: A two year naturalistic follow-up. *Acta Psychiatrica Scandinavica, 99,* 59-67.

Fernandez, I., & Faretta, E. (2007). EMDR in the treatment of panic disorder with agoraphobia. *Clinical Case Studies, 6,* 44-63.

Feske, U., & Goldstein, A. (1997). Eye movement desensitization and reprocessing treatment for panic disorder: A controlled outcome and partial dismantling study. *Journal of Consulting and Clinical Psychology*, *36*, 1026-1035.

McNally, R. J., & Lukach, B. M. (1992). Are panic attacks traumatic stressors? *American Journal of Psychiatry*, *149*, 824-826.

Oppenheimer, K., & Frey, J. (1993). Family transitions and developmental processes in panic disordered patients. *Family Process*, *32*, 341–352.

Raskin, M., Peeke, H. V. S., Dikman, W., & Pinker, H. (1982). Panic and generalized anxiety disorders. Developmental antecedents and precipitants. *Archives of General Psychiatry*, *39*, 687-689.

Asma na Infância

Klaus M. H., & Kennell J. H. (1976). *Maternal-infant bonding*, New York: Mosby.

Madrid A. (2007) Repairing maternal-infant bonding failures. In F. Shapiro, F. Kaslow, & L. Maxfield (Eds.), *Handbook of EMDR family therapy processes*, (pp. 131), New York: Wiley.

Madrid, A., & Pennington, D. (2000). Maternal-infant bonding and asthma. *Journal of Prenatal and Perinatal Psychology and Health, 14*, 279-289.

Suglia, S. F., Enlow, M. B., Kullowatz, A., & Wright, R. J. (2009). Maternal intimate partner violence and increased asthma incidence in children: Buffering effects of supportive caregiving. *Arch Pediatr Adolesc Med, 163*, 244 - 250.

Wright, R. J. (2007). Prenatal maternal stress and early caregiving experiences: Implications for childhood asthma risk. *Paediatr Perinat Epidemiol, 21(suppl 3)*, 8-14.

Wright, R. J., Cohen, S., Carey, V., Weiss, S., & Gold, D. (2002). Parental stress as a predictor of wheezing in infancy: A prospective birth-cohort study. *Am J Respir Crit Care Med., 165*, 358-365.

Dor do Membro Fantasma e Outras Dores

de Roos, C., et al. (2010). Treatment of chronic phantom limb pain (PLP) using a trauma-focused psychological approach. *Pain Research and Management, 15*, 65-71.

Flor H. (2002). Phantom pain: Characteristics, causes and treatment. *Lancet Neurol, 1*,182–9.

Grant, M., & Threlfo, C. (2002). EMDR in the treatment of chronic pain. *J Clin Psychol, 58*, 1505–20.

Halbert J., Crotty M., & Cameron, I. D. (2002). Evidence for optimal management of acute and chronic phantom pain: A systematic review, *Clin J Pain, 18*, 84–92.

Melzack R. (1992). Phantom limbs, *Sci Am, 226*, 120–6.

Ramachandran, V. S., & Hirstein, W. (1998). The perception of phantom limbs. *Brain, 121,* 1603.

Ray, A. L. & Zbik, A. (2001). Cognitive behavioral therapies and beyond. In C. D. Tollison, J. R. Satterhwaite, & J. W. Tollison (Eds.), *Practical pain management* 3rd ed. (pp. 189-208). Philadelphia: Lippincott.

Rome, H., & Rome, J. (2000). Limbically augmented pain syndrome (LAPS): Kindling, cortolimbic sensitization, and convergence of affective and sensory symptoms in chronic pain disorders. *Pain Med, 1,* 7–23.

Schneider, J., Hofmann, A., Rost, C., & Shapiro, F. (2008). EMDR in the treatment of chronic phantom limb pain. *Pain Medicine, 9,* 76-82.

Sherman R. A. (1997). *Phantom pain.* New York: Plenum Press.

Imagem Corporal

Brown, K. W., McGoldrick, T., & Buchanan, R. (1997). Body dysmorphic disorder: Seven cases treated with eye movement desensitization and reprocessing. *Behavioural and Cognitive Psychotherapy, 25,* 203–207.

Buhlmann, U., Cook, L. M., Fama, J. M., & Wilhelm, S., (2007). Perceived teasing experiences in body dysmorphic disorder, *Body Image, 4,* 381-5.

Lochner, C., & Stein, D. J. (2003). Olfactory reference syndrome: Diagnostic criteria and differential diagnosis. *Journal of Postgraduate Medicine, 49,* 328–331.

McGoldrick, T., Begum, M. & Brown, K.W. (2008). EMDR and olfactory reference syndrome: A case series. *Journal of EMDR Practice and Research, 2,* 63-68.

McGoldrick, T., Brown, K. W., & Begum, M. & (in press). Body dysmorphic disorder and olfactory reference syndrome: A case series treated with EMDR. *The European Review of Applied Psychology.*

Osman, S., Cooper, M., Hackmann, A., & Veale, D. (2004). Spontaneously occurring images and early memories in people with body dysmorphic disorder. *Memory, 12,* 428-36.

Phillips, K. A. (1991). Body dysmorphic disorder: The distress of imagined ugliness. *American Journal of Psychiatry, 148,* 1138-1149

Deficit de Atenção e Deficiência Intelectual

Barol, B. I., & Seubert, A. (2010). Stepping stones: EMDR treatment of individuals with intellectual and developmental disabilities and challenging behavior. *Journal of EMDR Practice and Research, 4,* 156-169.

Evans, W. N., Morrill, M. S., & Parente, S. T. (in press). Measuring inappropriate medical diagnosis and treatment in survey data: The case of ADHD among school-age children. *Journal of Health Economic.*

Faraone, S. V. & Mick, E. (2010). Molecular genetics of attention deficit hyperactivity disorder. *Psychiatric Clinics of North America, 33,* 159-180.

Mayes S. D., Calhoun S. L., & Crowell E. W. (2000). Learning disabilities and ADHD: overlapping spectrum disorders. *Journal of Learning Disabilities, 33*, 417-424.

Mevissen, L., Lievegoed, R. & De Jongh, A. (2010). EMDR treatment in people with mild ID and PTSD: 4 cases. *Psychiatric Quarterly* , DOI: 10.1007/s11126-010-9147-x

Visser, S. N., Lesesne, C. A., & Perou, R. (2007). National estimates and factors associated with medication treatment for childhood attention-deficit/hyperactivity disorder. *Pediatrics, 119* (Supplement 1), S99-S109.

Zuvekas, S. H., Vitiello B., & Norquist G. S. (2006). Recent trends in stimulant medication use among U.S. children. *American Journal of Psychiatry, 163*, 579-585.

Capítulo 8

Panorama das Terapias de Família

Bowen, M. (1978). *Family Therapy in Clinical Practice*. New York: Aronson.

Kaslow, F. (2007). Family systems theories and therapeutic applications: A contextual overview. In F. Shapiro, F. Kaslow, & L. Maxfield, (Eds.), *Handbook of EMDR and family therapy processes (pp.35-75)*. New York: Wiley.

Vínculo e Relacionamentos de Adultos

Banse, R. (2004). Adult attachment and marital satisfaction: Evidence for dyadic configuration effects. *Journal of Social and Personal Relationships, 21*, 273–282.

Davila, J. (2003). Attachment processes in couple therapy. In S. Johnson & V. Whiffen (Eds.), *Attachment processes in couples and family therapy* (pp. 124–143). New York: Guilford Press.

Johnson, S., & Whiffen, V. (2003). *Attachment processes in couples and family therapy*. New York: Guilford Press.

Tratamento de Problemas Familiares

Adler-Tapia, R., Settle, C., & Shapiro, F. (in press). Eye movement desensitization and reprocessing (EMDR) psychotherapy with children who have experienced sexual abuse and trauma. In P. Goodyear-Brown (Ed.), *The handbook of child sexual abuse: identification, assessment and treatment*. Hoboken, NJ: Wiley.

Bardin, A. (2004). EMDR within a family system. *Journal of Family Psychology, 15*, 47–61.

Brown, S. & Shapiro, F. (2006). EMDR in the treatment of borderline personality disorder. *Clinical Case Studies, 5*, 403-420.

Errebo, N. & Sommers-Flanagan. R. (2007). EMDR and emotionally focused couple therapy for war veteran couples. In F. Shapiro, F. Kaslow, & L. Maxfield, (Eds.), *Handbook of EMDR and family therapy processes* (pp. 202-222). New York: Wiley.

Knudsen, N. (2007). Integrating EMDR and Bowen Theory in treating chronic relationship dysfunction. In F. Shapiro, F. Kaslow, & L. Maxfield, (Eds.), *Handbook of EMDR and family therapy processes* (pp.169-186). New York: Wiley.

Shapiro, F. (2001). *Eye movement desensitization and reprocessing: Basic principles, protocols, and procedures* (2nd edition). New York: Guilford Press.

Stowasser, J. (2007). EMDR and family therapy in the treatment of domestic violence. In F. Shapiro, F. Kaslow, & L. Maxfield, (Eds.), *Handbook of EMDR and Family Therapy Processes* (pp.243-261). New York: Wiley.

Tofani, L. R. (2007). Complex separation, individuation processes, and anxiety disorders in young adulthood. In F. Shapiro, F. Kaslow, & L. Maxfield, (Eds.), *Handbook of EMDR and family therapy processes* (pp.265-268). New York: Wiley.

Wesselmann, D., Davidson M. M., Bruckner, D., Armstrong, S. Schweitzer, C. (in press) EMDR as a treatment for improving attachment status in adults and children. *The European Review of Applied Psychology.*

Wesselmann, D. (2007). Treating attachment issues through EMDR and a family systems approach. In F. Shapiro, F. Kaslow, & L. Maxfield, (Eds.), *Handbook of EMDR and family therapy processes* (pp. 113-130). New York: Wiley.

Abuso Doméstico

Burke, J. G., Lee, L. C., & O'Campo, P. (2008). An exploration of maternal intimate partner violence experiences and infant general health and temperament. *Maternal Child Health Journal, 12*, 172-179.

Essex, M. J., Klein, M. H., Cho, E., & Kalin, N. H. (2002). Maternal stress beginning in infancy may sensitize children to later stress exposure: Effects on cortisol and behavior. *Biological Psychiatry, 52,* 776–784.

Herman, J. *Trauma and Recovery: The aftermath of violence—From domestic abuse to political terror*. New York: Basic Books; 1992.

Ludermir, A. B., Lewis, G., Valongueiro, S.V., de Araújo, T. V. B., & Araya, R. (2010). Violence against women by their intimate partner during pregnancy and postnatal depression: A prospective cohort study. *Lancet, 376*, 903–10 Published Online September 6, 2010 DOI:10.1016/S0140- 6736(10)60887-2

Suglia, S. F., Enlow, M. B., Kullowatz, A. & Wright, R. J. (2009). Maternal intimate partner violence and increased asthma incidence in children: Buffering effects of supportive caregiving *Arch Pediatr Adolesc Med, 163*, 244 - 250.

Walker, L. (1979). *The battered woman.* New York: Harper & Row.

Efeitos do Trauma de Guerra

Errebo, N. E. (1995). Object relations family therapy and PTSD: Family therapy with four generations of a Vietnam veteran's family. In D. K. Rhoades, M. R. Leaveck, & J. C. Hudson (Eds.), *The legacy of Vietnam veterans and their families: Survivors of war – Catalysts for changes*: Papers from the 1994 National Symposium (pp. 420–427). Washington, DC: Agent Orange Class Assistance Program.

Riggs, D. S., Byrne, C., Weathers, F., & Litz, B. (1998). The quality of intimate relationships of male Vietnam veterans: Problems associated with posttraumatic stress disorder. *Journal of Traumatic Stress, 11*, 87–101.

Capítulo 9

Violência ao Longo da Vida

Babinski, L. M., Hartsough, C. S., & Lambert, N. M. (1999). Childhood conduct problems, hyperactivity-impulsivity, and inattention as predictors of adult criminal activity. *Journal of Child Psychology and Psychiatry, 40*, 347-355.

Schaeffer, C. M., Petras, H., Ialongo, N., Poduska, J., & Kellam, S. (2003). Modeling growth in boys' aggressive behavior across elementary school: Links to later criminal involvement, conduct disorder, and antisocial personality disorder. *Developmental Psychology, 39*, 1020–1035.

Abuso de Substância Química

Brown, S. H., Gilman, S. G., Fava, N. M., Goodman, E. G. & Smyth, N. J. (in preparation). Combining EMDR and seeking safety: A pilot study of an integrated trauma treatment program in the Thurston County Drug Court Program.

Brown, S., Stowasser, J. E., & Shapiro, F. (2011). Eye movement desensitization and reprocessing (EMDR): Mental health-substance use. In D. B. Cooper (Ed.), *Intervention in mental health-substance use*. Oxford: Radcliffe Publishing.

Kessler, R. C., Sonnega, A., Bromet, E., et al. (1995). Posttraumatic stress disorders in the National Comorbidity Survey. *Archives of General Psychiatry, 52*, 1048-60.

Najavits, L. M. (2002). *Seeking safety: A manual for PTSD and substance use treatment*. New York: Guilford.

Najavits, L. M., Weiss, R. D., & Shaw, S. R. (1999). A clinical profile of women with PTSD and substance dependence. *Psychology of Addictive Behaviors, 13*, 98-104.

Ouimette, P. & Brown, P., (Eds.). (2003). *Trauma and substance abuse: Causes, consequences and treatment of comorbid disorders*. Washington: American Psychological Association.

Ries, R. K., Miller, S. C. Fiellin, D. S., & Saitz, R. (2009). *Principles of addiction medicine (4th edition)*. Phila, PA: Lippincott.

Schneider Institute for Health Policy, Brandeis University for the Robert Wood Johnson Foundation. (2001). *Substance abuse: The nation's number one health problem*. Princeton, New Jersey.

Shapiro, F., Vogelmann-Sine, S., & Sine, L. (1994). EMDR: Treating substance abuse and trauma. *Journal of Psychoactive Drugs, 26*, 379-391.

Zweben, J. & Yeary, J. (2006). EMDR in the treatment of addiction. *Journal of Chemical Dependency Treatment, 8*, 115-127.

Violência Doméstica

Burke, J. G., Lee, L. C., & O'Campo, P. (2008). An exploration of maternal intimate partner violence experiences and infant general health and temperament. *Maternal Child Health Journal, 12*, 172-179.

Campbell, J. C. et al. (2003). Risk factors for femicide in abusive relationships: Results from a multisite case control study. *American Journal of Public Health, 93*, 1089- 1097.

Committee on the Judiciary United States Senate, 102nd Congress. (1992). *Violence against women, A majority staff report.*

Dutton, D. G. (1998). *The abusive personality: Violence and control in intimate relationships*. New York: Guilford Press.

LaViolette, A. D. & Barnett, O. W. (2000). *It can happen to anyone: Why battered women stay*. Thousand Oaks, CA: Sage.

Ludermir, A. B., Lewis, G., Alves, S. V., de Araújo, T. V. B., & Araya, R. (2010) Violence against women by their intimate partner during pregnancy and postnatal depression: A prospective cohort study, *Lancet, 376*, 903–10 Published Online September 6, 2010 DOI:10.1016/S0140- 6736(10)60887-2

Porges, S.W. (2007). The polyvagal perspective. *Biological Psychology, 74*, 116–143.

Rennison, C. M. & Welchans, S. (2000). *Bureau of Justice special report: Intimate partner violence*. Washington, DC: U.S. Department of Justice, Office of Justice Programs. Retrieved July 2, 2004, from http://www.ojp.usdoj.gov/ bjs/pub/pdf/ipv.pdf.

Roberts, A. L., McLaughlin, K. A., Kerith, J. Conron, K. J. & Koenen, K. C., (2011).

Adulthood stressors, history of childhood adversity, and risk of perpetration of intimate partner violence, *Am J Prev Med, 40*, 128 –138.

Seligman, M.E.P. (1975). Helplessness: On depression, development, and death. San Francisco: W.H. Freeman.

Stowasser, J. (2007). EMDR and family therapy in the treatment of domestic violence. In F. Shapiro, F. Kaslow, & L. Maxfield, (Eds.), *Handbook of EMDR and family therapy processes* (243-261). New York: Wiley.

Umhau, J.C., George, D.T., Reed, S., Petrulis, S.G., Rawlings, R. & Porges, S.W. (2002).

Atypical autonomic regulation in perpetrators of violent domestic abuse. *Psychophysiology, 39,* 117–123.

Walker, L. (1979). *The battered woman.* New York: Harper & Row.

Abuso Sexual de Menores

Adler-Tapia, R., Settle, C., & Shapiro, F. (in press). Eye movement desensitization and reprocessing (EMDR) psychotherapy with children who have experienced sexual abuse and trauma. In P. Goodyear-Brown (Ed.), *The handbook of child sexual abuse: Identification, assessment and treatment.* Hoboken, NJ: Wiley.

Finkelhor, D. (1994). Current information on the scope and nature of child sexual abuse. *Future Child, 4,* 31-53.

Hanson, R. K., Gordon, A., Harris, A. J. R., Marques, J. K., Murphy, W., Quinsey, V. L., & Seto, M. C. (2002). First report of the Collaborative Outcome Data Project on the effectiveness of psychological treatment for sexual offenders. *Sexual Abuse: A Journal of Research and Treatment, 14,* 169–194.

Jeperson, A. F., Lalumiere, M. L., & Seto, M. C., (2009). Sexual abuse history among adult sex offenders and non-sex offenders: A meta-analysis. *Child Abuse and Neglect, 33,* 179 - 192.

Marques, J. K., Wiederanders, M., Day, D. M., Nelson, C., & van Ommeren, A. (2005). Effects of a relapse prevention program on sexual recidivism: Final results from California's sex offender treatment and evaluation project (SOTEP). *Sexual Abuse: A Journal of Research and Treatment, 17,* 79–107.

McGrath, R. J., Cumming, G., Burchard, B., Zeoli, S., & Ellerby, L. (2009). *Current practices and trends in sexual abuse management. The safer society 2002 national survey.* Brandon, VT: Safer Society Foundation.

Pereda, N., Guilera, G., Forns, M., & Gómez-Benito, J. (2009). The prevalence of child sexual abuse in community and student samples: A meta-analysis. *Clin Psychol Rev. 29,* 328-38. Published on line: Mar 5, 2009.

Ricci, R. J. (2006). Trauma resolution using eye movement desensitization and reprocessing with an incestuous sex offender, *Clinical Case Studies,* 5, 248-65.

Ricci, R. J., Clayton, C. A., & Shapiro, F. (2006). Some effects of EMDR on previously abused child molesters: Theoretical reviews and preliminary findings. *The Journal of Forensic Psychiatry & Psychology, 17*, 538-62.

van der Kolk, B. A. (1989). The compulsion to repeat the trauma: Re-enactment, revictimization, and masochism. *Psychiatric Clinics of North America, 12*, 389-411.

Walker, J. L., Carey, P. D., Mohr, N., Stein, D. J., & Seedat, S. (2004). Gender differences in the prevalence of childhood sexual abuse and in the development of pediatric PTSD. *Archives of Women's Mental Health, 7*, 111-121.

Trauma, Prisão e Psicopatia

Caldwell, M., Skeem, J., Salekin, R., & Van Ryoboek. (2006). Treatment response of adolescent offenders with psychopathy features: A two-year follow-up. *Criminal Justice & Behavior, 33*, 571-596.

Chakhassi, F., de Ruiter,C., & Bernstein, D. (2010). Change during forensic treatment in psychopathic versus nonpsychopathic offenders. *Journal of Forensic Psychiatry and Psychology, 21*, 660-682.

Department of Policy and Legal Affairs. National Alliance on Mental Illness. (n.d.). *A guide to mental illness and the criminal justice system: A systems guide for families and consumers.* Arlington, VA: National Alliance on Mental Illness.

Dyer, C. (2010). Re-offending rates are lower among offenders treated in secure hospitals than among mentally ill people held in prison. *British Medical Journal, 341*:c6447 doi: 10.1136/bmj.c6447

Fazel, S. & Baillargeon, J. (2010). The health of prisoners. *Lancet, 377*, 956-965.

Heide, K. M., & Solomon, E. P. (2006). Biology, childhood trauma, and murder: Rethinking justice. *International Journal of Law and Psychiatry, 29*, 220-233.

James, D. J., & Glaze, L. E. (2006) Mental health problems of prison and jail inmates. Bureau of Justice Statistics Special Report, U.S. Department of Justice Washington D.C., NCJ 213600

Kinsler P. J., & Saxman, A. (2007). Traumatized offenders: Don't look now, but your jail's also your mental health center. *J Trauma Dissociation, 8*, 81-95.

Leon-Carrion, J, & Ramos, F. (2003). Blows to the head during development can predispose to violent criminal behaviour: Rehabilitation of consequences of head injury is a measure for crime prevention, *Brain Injury 15*, 207-216.

National GAINS Center for People with Co-Occurring Disorders in the Justice System (2001). *The prevalence of co-occurring mental health and substance use disorders in jails: Fact sheet series.* Delmar, NY: The National GAINS Center.

Skeem, J. L., Monahan, J., & Mulvey, E. P. (2002). Psychopathy, treatment involvement, and subsequent violence among civil psychiatric patients. *Law and Human Behavior, 26*, 577-603.

Solomon, E. P., & Heide, K. M. (2005). The biology of trauma: Implications for treatment. *Journal of Interpersonal Violence, 20*, 51-60.

van der Kolk, B. A. (1989). The compulsion to repeat the trauma: Re-enactment, revictimization, and masochism. *Psychiatric Clinics of North America, 12*, 389-411.

Capítulos 10 e 11

Efeitos do Estresse

Alfonso, J., Frasch, A. C., & Flugge, G. (2005). Chronic stress, depression and antidepressants: Effects on gene transcription in the hippocampus. *Rev Neurosci, 16*, 43-56.

Champagne, F. A. (2010). Early adversity and developmental outcomes: Interaction between genetics, epigenetics, and social experiences across the life span. *Perspectives on Psychological Science, 5*, 564 - 574.

Epel, E. S., Blackburn, E. H., Lin, J., Dhabhar, F.S., et al. (2004). Accelerated telomere shortening in response to life stress. *PNAS, 101*, 17312-17315

McEwen, B. S. (2007). Physiology and neurobiology of stress and adaptation: Central role of the brain. *Physiol Rev, 87*, 873 - 904.

Ortega, F. B., Lee, D., Sui, X., Kubzansky, L. D., Ruiz, J. R., et al. (2010). Psychological well-being, cardiorespiratory fitness, and long-term survival. *Am J Prev Med*, 39, 440–448.

Sapolsky, R. M. (2004). Organismal stress and telomeric aging: An unexpected connection. *PNAS, 101*, 17323-17324.

Simon, N. M., Smollera, J. W., McNamara, K. L., Master, R. S., et al. (2006). Telomere shortening and mood disorders: Preliminary support for a chronic stress model of accelerated aging. *Biological Psychiatry, 60*, 432-435.

Benefícios da Redução de Estresse, Meditação e Mudanças de Estilo de Vida

Amen, D. (2010). *Change your brain, change your body*. New York: Harmony Books.

Bossini, L., Fagiolini, A., & Castrogiovanni, P. (2007). Neuroanatomical changes after eye movement desensitization and reprocessing (EMDR) treatment in posttraumatic stress disorder. *Journal of Neuropsychiatry and Clinical Neuroscience, 19*, 475-476.

Brown, K. W., Ryan, R. M. & Creswell, J. D. (2007). Mindfulness: Theoretical foundations and evidence for its salutary effects. *Psychological Inquiry, 18*, 211–237.

Davidson, R. J., Kabat-Zinn, J., Schumacher, J., Rosenkranz, M., Muller, D., Santorellie, S. F., et al. (2003). Alterations in brain and immune function produced by mindfulness meditation. *Psychosomatic Medicine, 65*, 564–570.

Doidge, N. (2007). *The brain that changes itself: Stories of personal triumph from the frontiers of brain science.* New York: Penguin.

Dunn, A. L., et al. (2005). Exercise treatment for depression: Efficacy and dose response. *American Journal of Preventive Medicine, 28*, 1-8.

Dusek, J. A., Out, H. H., Wohlhueter, A. L., Bhasin M., Zerbini L. F., et al. (2008). Genomic counter-stress changes induced by the relaxation response. *PLoS ONE 3*(7): e2576. doi:10.1371/journal.pone.0002576.

Jazayeri, S., et al. (2008). Comparison of therapeutic effects of omega-3 fatty acid eicosapentaenoic acid and fluoxetine, separately and in combination, in major depressive disorder. *Australian and New Zealand Journal of Psychiatry, 42*, 192-198.

Kabat-Zinn, J. (2005). *Coming to our senses.* New York: Hyperion.

Levine, S. (1991). *Guided meditations, explorations and healings.* NY: Anchor.

McEwen, B. S. (2007). Physiology and neurobiology of stress and adaptation: Central role of the brain. *Physiol Rev, 87*, 873-904.

Siegel, D. (2010). *Mindsight: The new science of personal transformation.* New York: Bantam.

Siegel, D. J. (2007). *The mindful brain: Reflection and attunement in the cultivation of well-being.* New York: W. W. Norton.

Servan-Schreiber, D. (2004). *The Instinct to Heal: Curing stress, anxiety and depression without drugs and without talk therapy.* NY: Rodale.

Ansiedade, Imaginação Guiada e Melhoria de Performance

Burton, D. (1988). Do anxious swimmers swim slower?: Reexamining the elusive anxiety-performance relationship. *Journal of Sports and Exercise Psychology, 10*, 45-61.

Barker, R. T., & Barker, S. B. (2007). The use of EMDR in reducing presentation anxiety. *Journal of EMDR Practice and Research, 1*, 100-108.

Foster, S. & Lendl, J. (1995). Eye movement desensitization and reprocessing: Initial applications for enhancing performance in athletes. *Journal of Applied Sport Psychology, 7* (Supplement), 63.

Foster, S. & Lendl, J. (2007). Eye movement desensitization and reprocessing: Four case studies of a new tool for executive coaching and restoring employee performance after setbacks in R. R. Kilburg & R. C. Diedrich (Eds.), *The Wisdom of Coaching.* Washington, D.C: American Psychological Association Press.

Gould, D. & Tuffey, S. (1996). Zones of optimal functioning research: A review and critique. *Anxiety, Stress & Coping, 9*, 53–56.

Hall, C. (2001). Imagery in sport and exercise. In R. Singer, H. Hausenblas, & C. Janelle (Eds.), *Handbook of sport psychology* (pp. 529 - 549). New York: Wiley.

Murphy, S. M., Jowdy, D. P. & Durtschi, S. K. (1990). *Imagery Perspective Survey: U.S. Olympic Training Center*. Unpublished manuscript. U. S. Olympic Training Center.

Orlick, T. & Partington, J. (1988). Mental links to excellence. *The Sport Psychologist, 2*, 105-130.

Post, P. G., Wrisberg, C. A., & Mullins, S. (2010). A field test of the influence of pre-game imagery on basketball free throw shooting. *Journal of Imagery Research in Sport and Physical Activity, 5*, Available at: http://www.bepress.com/jirspa/vol5/iss1/art2 DOI: 10.2202/1932-0191.1042

Szpunar, K. K., Watson, J. M. & McDermott, K. B. (2007). Neural substrates of envisioning the future. *PNAS, 104*, 642–647.

Wilson, G., Taylor, J., Gundersen, F., & Brahm, T. (2005). Intensity. In J. Taylor & G. Wilson (Eds.), *Applying sports psychology: Four perspectives* (pp.33-49) Champaign, Ill: Human Kinetics.

Redução de Estresse e Procedimentos para Melhoria de Performance

Hays, K. F. & Brown, Jr., C. H. (2004). *You're on! Consulting for peak performance*. Washington, D.C.: American Psychological Association.

Lendl, J. & Foster, S. (2003). *EMDR: Performance enhancement for the workplace: A practitioner's guide*. Hamden, CT: EMDR-HAP.

Levine, S. (1991). *Guided meditations, explorations and healings*. NY: Anchor.

Lohr, B. A. & Scogin, F. (1998). Effects of self administered visuo-motor behavioral rehearsal on sports performance of collegiate athletes. *Journal of Sport Behavior*. *21*, 206-218.

May, R. (2010). Sport performance interventions. In I. Weiner & W. E. Craighead (Eds.), *The Corsini encyclopedia of psychology* (4th edition). Vol. 4 (pp. 629-632). Hoboken, NJ: Wiley.

Orlick, T. (2007). *In pursuit of excellence*. Champaign, Ill: Human Kenetics.

Shapiro, E. (2009). Four elements exercise for stress management. In M. Luber (Ed.), *EMDR scripted protocols*. NY: Springer.

Shapiro, F. (2001). *Eye movement desensitization and reprocessing: Basic principles, protocols and procedures* (2nd ed.). New York: Guilford Press.

Shapiro, F. (2006). *EMDR and new notes on adaptive information processing*. Camden, CT: EMDR Humanitarian Assistance Programs.

Extensão Global do EMDR

Abbasnejad, M., Mahani, K. N., & Zamyad, A. (2007). Efficacy of "eye movement desensitization and reprocessing" in reducing anxiety and unpleasant feelings due to earthquake experience. *Psychological Research, 9*, 104-117.

Aduriz, M. E., Bluthgen, C., & Knopfler, C. (2009). Helping child flood victims using group EMDR intervention in Argentina: Treatment outcome and gender differences. *International Journal of Stress Management, 16*, 138-153.

Brown, L. (2008). *Cultural competence in trauma therapy: Beyond the flashback.* Washington, DC: American Psychological Association.

EMDR Humanitarian Assistance Programs (2010). Accomplishments and efforts worldwide. http://www.emdrhap.org

Fernandez, I., Gallinari, E. & Lorenzetti, A. (2004). A school-based EMDR intervention for children who witnessed the Pirelli building airplane crash in Milan, Italy. *Journal of Brief Therapy, 2*, 129-136.

Jarero, I., Artigas, L., Montero, M., & Lena, L. (2008). The EMDR integrative group treatment protocol: Application with child victims of a mass disaster. *Journal of EMDR Practice and Research, 2*, 97-105.

Konuk, E., Knipe, J., Eke, I., Yuksek, H., Yurtsever, A., & Ostep, S. (2006). The effects of EMDR therapy on post-traumatic stress disorder in survivors of the 1999 Marmara, Turkey, earthquake. *International Journal of Stress Management, 13*, 291-308.

Shapiro, F. & Solomon, R. (1995). Eye movement desensitization and reprocessing: Neurocognitive information processing. In G. Everley (Ed.), *Innovations in Disaster and Trauma Psychology, Vol. 1* (pp. 216-237). Elliot City, MD: Chevron Publishing.

Silver, S. M., Rogers, S., Knipe, J., & Colelli, G. (2005). EMDR therapy following the 9/11 terrorist attacks: A community-based intervention project in New York City. *International Journal of Stress Management, 12*, 29-42.

Solomon, R. M., & Rando, T. A. (2007). Utilization of EMDR in the treatment of grief and mourning. *Journal of EMDR Practice and Research, 1*, 109-117.

Sprang, G. (2001). The use of eye movement desensitization and reprocessing (EMDR) in the treatment of traumatic stress and complicated mourning: Psychological and behavioral outcomes. *Research on Social Work Practice, 11*, 300-320.

Wadaa, N. N., Zaharim, N. M., & Alqashan, H. F. (2010). The use of EMDR in treatment of traumatized Iraqi children. *Digest of Middle East Studies, 19*, 26-36.

Zaghrout-Hodali, M., Alissa, F. & Dodgson, P. W. (2008). Building resilience and dismantling fear: EMDR group protocol with children in an area of ongoing trauma. *Journal of EMDR Practice and Research, 2*, 106-113.

Índice

G

H

I

J

L

M

O

P

U

V

Mais Livros da TraumaClinic Edições

Livros em kindle/e-book também disponível no site da
www.amazon.com.br

Leia mais sobre esse livro em nosso site
www.traumaclinicedicoes.com.br
Para adquirir o livro *Curando A Galera Que Mora Lá Dentro* acesse a nossa loja virtual
https://www.createspace.com/4247161

Leia mais sobre esse livro em nosso site
www.traumaclinicedicoes.com.br
Para adquirir o livro *Cure Seu Cérebro, Cure Seu Corpo* acesse a nossa loja virtual
https://www.createspace.com/5340656

Leia mais sobre esse livro em nosso site
www.traumaclinicedicoes.com.br
Para adquirir o livro *Terapia EMDR e Abordagens Auxiliares com Crianças* acesse a nossa loja virtual
https://www.createspace.com/5456180

Leia mais sobre esse livro em nosso site
www.traumaclinicedicoes.com.br
Para adquirir o livro *A Neurobiologia do Processamento de Informação e seus Transtornos*
acesse a nossa loja virtual
https://www.createspace.com/4803036

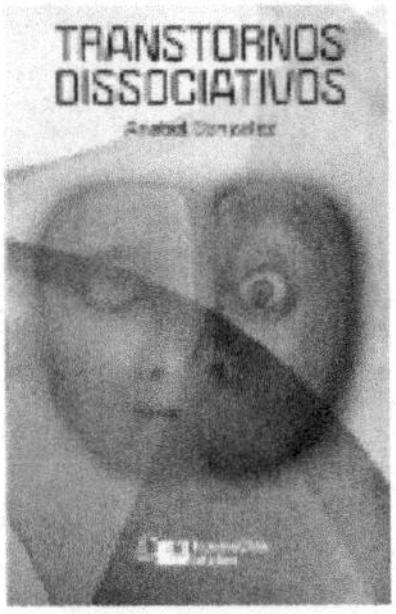

Leia mais sobre esse livro em nosso site
www.traumaclinicedicoes.com.br
Para adquirir o livro *Transtornos Dissociativos*
acesse a nossa loja virtual
https://www.createspace.com/5023963

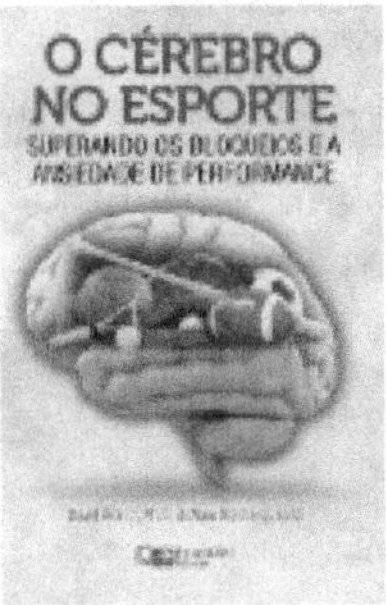

Leia mais sobre esse livro em nosso site
www.traumaclinicedicoes.com.br
Para adquirir o livro *O Cérebro no Esporte*
acesse a nossa loja virtual
https://www.createspace.com/5089351

Leia mais sobre esse livro em nosso site
www.traumaclinicedicoes.com.br
Para adquirir o livro *A Revolução EMDR*
acesse a nossa loja virtual
https://www.createspace.com/4834900

Leia mais sobre esse livro em nosso site
www.traumaclinicedicoes.com.br
Para adquirir o livro *Definindo e Redefinindo EMDR* acesse a nossa loja virtual
https://www.createspace.com/4424746

Leia mais sobre esse livro em nosso site
www.traumaclinicedicoes.com.br
Para adquirir o livro *Saindo Dessa* acesse a nossa loja virtual
https://www.createspace.com/5262107

Leia mais sobre esse livro em nosso site
www.traumaclinicedicoes.com.br
Para adquirir o livro *EMDR: Princípios Básicos, Protocolos e Procedimentos* acesse o nosso site.

Leia mais sobre esse livro em nosso site
www.traumaclinicedicoes.com.br
Para adquirir o livro *Cura Emocional em Velocidade Máxima* acesse a nossa loja virtual
https://www.createspace.com/4086803

Leia mais sobre esse livro em nosso site
www.traumaclinicedicoes.com.br
Para adquirir o livro *Dia Ruim... Vá Embora!*
acesse a nossa loja virtual
https://www.createspace.com/4000572

Made in United States
North Haven, CT
02 June 2022

19800329R00189